CONTROLLING PRAXIS

Herausgegeben von Prof. Dr. Péter Horváth
und Prof. Dr. Thomas Reichmann

Supply Chain Costing

Kostenmanagement in der Wertschöpfungskette mit Target Costing und Prozesskostenrechnung

von

Dr. Stefan Seuring

Verlag Franz Vahlen München

VERLAG
VAHLEN
MÜNCHEN
www.vahlen.de

Die Deutsche Bibliothek – CIP-Einheitsaufnahme

Seuring, Stefan:
Supply chain costing : Kostenmanagement in der Wertschöpfungskette mit Target Costing und Prozesskostenrechnung / von Stefan Seuring. - München : Vahlen, 2001
(Controlling-Praxis)
Zugl.: Oldenburg, Univ., Diss., 2001
ISBN 3-8006-2770-1

ISBN 3 8006 2770 1

Wilhelmstraße 9, 80801 München
Druck: Nomos Verlagsgesellschaft
In den Lissen 12, 76547 Sinzheim

Satz: DTP-Vorlagen des Autors

Gedruckt auf säurefreiem, alterungsbeständigem Papier
(hergestellt aus chlorfrei gebleichtem Zellstoff)

Für Mareike

Geleitwort

Die Interaktion von Unternehmen in Wertschöpfungsketten gewinnt so große Bedeutung, dass viele Ansätze des Managements völlig neu überdacht werden. Solch eine neue Betrachtungsweise liegt für das Kostenmanagement in Wertschöpfungsketten, kurz Supply Chain Costing, mit dieser Arbeit vor. Diesem Ansatz kommt sowohl eine hohe praktische als auch theoretische Bedeutung zu. Unternehmen optimieren ihre Prozesse entlang von Wertschöpfungsketten und verfolgen gemeinsam das Ziel, die Endkunden der Wertschöpfungskette zufrieden zu stellen. Kosten dabei nicht nur zu kontrollieren, sondern aktiv entlang der gesamten Kette zu gestalten wird dabei zu einem entscheidenden Wettbewerbsfaktor. In diese Forschungslücke stößt Stefan Seuring mit der vorliegenden Arbeit und schafft einen überzeugenden Bezugsrahmen für ein „Supply Chain Costing", der sich nicht nur auf die operative Steuerung in bestehenden Wertschöpfungsnetzen konzentriert, sondern insbesondere auch die wichtigen Phasen der Netzwerk- und Produktkonfiguration mit in die Betrachtung einbezieht.

Die Arbeit besticht sowohl durch ihr hohes konzeptionelles Niveau als auch durch die schlüssige Illustration des entwickelten Rahmens mit vielfältigen Beispielen aus der textilen Kette. Stefan Seuring arbeitet die bestehenden Ansätze der Supply Chain Management Diskussion umfassend auf und entwickelt auf dieser Grundlage seine eigene Konzeption. Hierdurch wird die Arbeit nicht nur zu einem Forschungsrahmen für das Gebiet des Supply Chain Costing, sondern zugleich auch ein Referenzwerk für den Rückgriff auf die internationale Diskussion zum Supply Chain Management, in die sein Ansatz durch Publikationen und Vorträge der letzten Zeit aktiv Eingang gefunden hat. Sein Beitrag verbindet dabei insbesondere die deutsch- und englischsprachige Supply Chain- und Kostenmanagementdiskussion.

Mich persönlich freut es ganz besonders, dass Stefan Seuring, der den Aufbau des Lehrstuhls Produktionswirtschaft und Umwelt an der Universität Oldenburg von 1998 und damit von Beginn an mitgestaltet hat, seine wissenschaftliche Arbeit an Fragen der Steuerung von Supply Chains nach dieser hervorragenden Dissertation in Oldenburg fortsetzen wird.

Prof. Dr. Uwe Schneidewind

Vorwort

Im turbulenten Umfeld globalisierter Märkte und der großen Herausforderungen der neuen Informations- und Kommunikationstechnologien stellt das Management der Wertschöpfungsketten neue Lösungsansätze zur Verfügung. So wie das prozessorientierte Denken und Handeln das funktionsorientierte abgelöst hat, ersetzt das Supply Chain Management in vielen Bereichen das traditionelle Management des Unternehmens. Damit sind nicht nur die auf die Produkte bezogenen Material- und Informationsflüsse zu optimieren, sondern auch die Kooperationen mit den Lieferanten und Kunden zu gestalten. Gleichzeitig sind diese Wertschöpfungsketten einem enormen Kostendruck ausgesetzt. Bestehende Ansätze des Kostenmanagements sind daher weiter zu entwickeln. Dabei bedarf es zuerst der Berücksichtigung von Transaktionskosten, die bei der Analyse und Gestaltung der Kosten über die Einzel- und Prozesskosten hinaus zu berücksichtigen sind. Auf der Basis dieser Anforderungen wird das Konzept des Supply Chain Costing, des Kostenmanagements in Wertschöpfungsketten erarbeitet. Eine Ausgestaltung erfährt es im Supply Chain Target Costing sowie im prozessorientierten Supply Chain Costing, so dass die Ziel- und die Prozessperspektive des Kostenmanagements berücksichtigt werden.

Auch bei der Erstellung einer Doktorarbeit spielen das Ziel und der Prozess eine gleichermaßen wichtige Rolle. Für beides ist die Unterstützung durch und die Einbindung in ein Team von großer Bedeutung, wofür ich vielen Personen zu Dank verpflichtet bin.

Danken möchte ich zu allererst Prof. Dr. Uwe Schneidewind. Mein Wechsel an seinen 1998 übernommenen Lehrstuhl an der Carl von Ossietzky-Universität Oldenburg hat meine Arbeit wesentlich geprägt. Besonders beeindruckend finde ich bis heute seine Vorstellungskraft, die es erlaubt, weit über bestehende Strukturen hinaus zu denken. Seine methodische und praktische Anleitung bei der Arbeit war eine große Unterstützung für meine Arbeit.

Meinen besonderen Dank spreche ich Prof. Dr. Stefan Schaltegger von der Universität Lüneburg aus, der das Zweitgutachten sehr zügig erstellt hat.

Das Team eines Lehrstuhls funktioniert nur durch die gute Zusammenarbeit aller Mitarbeiter. Daher möchte ich mich bei Frau Birgit Görlich ihre ständige Bereitschaft zu helfen ebenso danken mit meinen Kollegen und Kolleginnen. An erster Stelle bedanke ich mich bei Dipl.-Oec. Maria Goldbach insbesondere für die hervorragende Zusammenarbeit im Forschungsprojekt EcoMTex und die wichtigen Kommentare und Korrekturen zu meiner Arbeit. Im gleichen Atemzug möchte ich auch die Unterstützung durch Dr. Martin Müller, Dipl.-Oec. Anke Truscheit, Dipl.-Oec. Dirk Fischer vom Lehrstuhl für Unternehmensführung und Betriebliche Umweltpolitik, Dr. Arnt Meyer vom Institut für Wirtschaft und Ökologie der Universität St. Gallen, sowie Dipl.-Bw. Klaus Zimmermann vom Institut für Ökologie und Unternehmensführung an der European Business School, Oestrich-Winkel nennen.

Mein Dank gebührt zudem den studentischen Mitarbeitern am Lehrstuhl für die Erledigung vielfältiger kleiner und großer Aufgaben. Lars Rauprich hat Graphiken und Formatierungen erstellt, Marc Hübscher, Hartmut Marx und Gerrit Hajek haben sich um die Korrekturarbeiten verdient gemacht. Ich freue mich darauf, meine Arbeit mit (fast) allen genannten Personen fortsetzen zu dürfen.

Für die Aufnahme der Arbeit in die Reihe „Controllingpraxis" des Vahlen Verlages möchte ich Prof. Dr. Thomas Reichmann und Prof. Dr. Peter Horváth Danke sagen.

Berufliche Ziele, vor allem das der Promotion, lassen sich ohne bedingungslose Unterstützung im Privatleben kaum erreichen. Daher möchte ich mich bei meinen Eltern und Geschwistern für den gewährten Rückhalt bedanken. Der größte Dank gebührt meiner Frau Dipl.-Ing. Mareike Stella. Ich freue mich auf unsere weitere gemeinsame Zeit, ganz besonders nach der Geburt unseres Sohnes Sander.

Oldenburg, im Juli 2001

Stefan A. Seuring

Inhaltsverzeichnis

Abbildungsverzeichnis

Tabellenverzeichnis

Verzeichnis der Kästen

Abkürzungsverzeichnis

BUND	Bund für Umwelt und Naturschutz Deutschland
CAD	Computer-aided Design
CAM	Computer-aided Manufacturing
CLM	Council of Logistics Management
DfE	Design for Environment
DfM	Design for Manufacture
ECR	Efficient Consumer Response
EDI	Electronic Data Interchange
EDV	Elektronische Datenverarbeitung
H&M	Hennes & Mauritz
ICM	Interorganisational Cost Management
JiT	Just-in-Time
kbA	kontrolliert biologischer Anbau
KEG	Kosteneinflussgröße
LCA	Life Cycle Assessment
Lmi	leistungsmengeninduziert
Lmn	leistungsmengenneutral
MBA	Master of Business Administration
NPD	New Product Development
PK	Prozesskosten
PKS	Prozesskostensatz
QR	Quick Response
SC	Supply Chain
SCC	Supply Chain Costing
SCM	Supply Chain Management
SCOR	Supply Chain Operations Reference Model
TCO	Total Cost of Ownership
TKA	Transaktionskostenansatz
TQEM	Total Quality Environmental Management
VMI	Vendor Managed Inventory

1 Einleitung

1.1 Problemstellung

Bei der Charakterisierung der wirtschaftlichen Entwicklung werden die Globalisierung[1] des Wirtschaftsgeschehens und steigende Anforderungen der Kunden[2] an die Produkte und Dienstleistungen eines Unternehmens immer wieder als prägende Trends genannt. Dies führt zur Verschärfung des Wettbewerbs- und Kostendrucks, der nicht nur für das einzelne Unternehmen, sondern für die gesamte Kette ineinander verschränkt ablaufender Wertschöpfungsprozesse gilt. Vor diesem Hintergrund entwickelten sich das Supply Chain Management und das Kostenmanagement. Das Supply Chain Management umfasst dabei sowohl das Management von Material- und Informationsflüssen entlang der gesamten Wertschöpfungskette, als auch das Management von Kooperationen, wobei alle Aktivitäten auf die Bedürfnisse der Endkunden ausgerichtet werden.[3] Dabei kommt der Analyse und Gestaltung von Kosten eine besondere Bedeutung zu.[4] Dies wird zwar erkannt, doch liegen bisher nur wenige, inhaltlich meist eng begrenzte Ansätze zum Kostenmanagement in Wertschöpfungsketten vor.[5] Zumeist beschränken sich die diskutierten Instrumente auf die Optimierung eines Ausschnitts der Kette oder der darin anfallenden Kosten. Gleichzeitig zeigt die Höhe der Beschaffungskosten von 60-70% der Gesamtkosten eines Unternehmens in vielen Branchen,[6] welch großer Einfluss der Wertschöpfungskette und den darin anfallenden Kosten für den Erfolg eines Unternehmens zukommt.

In den bestehenden Ansätzen erfolgt das Management der Kosten zumeist indirekt, indem andere Größen, z.B. die Lagerbestände oder die Lieferzeiten entlang der Kette optimiert werden. Konzepte aus dem Bereich des Beschaffungsmanagements stellen nur auf die Kosten außerhalb des Unternehmens ab,[7] während Instrumente des Kostenmanagements auf die innerbetriebliche Sichtweise beschränkt bleiben.[8] Diese Defizite zeigen die Notwendigkeit auf, ein Supply Chain Costing zu entwickeln.

Auch Überlegungen aus dem Supply Chain Management räumen der Analyse und Gestaltung der Kosten eine große Bedeutung ein, ohne dass dies jedoch zur Gestaltung geeigneter Konzepte geführt hat.

Die wesentliche Anforderung an ein Konzept des Supply Chain Costing liegt darin, sowohl den Gegenstandsbereich des Supply Chain Managements als auch die in der Wertschöpfungskette anfallenden Kosten einer Analyse und Gestaltung zugänglich zu machen.

---

[1] Vgl. z.B. Houlihan 1985, 22; Lee/Ming Ng 1997, 191; Ross 1997, X; Christopher 1998a, 26.
[2] Vgl. z.B. Ross 1997, XI; Cohen/Mallik 1997, 193; Kuglin 1998, 3; Kansky/Weingarten 1999, 87.
[3] Vgl. Handfield/Nichols 1999, 2.
[4] Vgl. die Definitionen zum Kostenmanagement, z.B. Dellmann/Franz 1994b, 17.
[5] Vgl. Cavinato 1991, 10-15; Cavinato 1992, 285-301; Ellram 1993a, 49-60; Larson 1994, 4-10; Cooper/Yoshikawa 1994, 51-62; Davies/Brito 1996, 49-60; LaLonde/Pohlen 1996, 1-12; Hobbs 1996, 15-27; Loader 1997, 23-35; Donelan/Kaplan 1998, 7-15; Cullen et. al. 1999, 30-32; Dekker/van Goor 2000, 41-52; Lockamy/Smith 2000, 210-218; Weber 2000, 57-64.
[6] Vgl. Chase/Aquilano/Jacobs 1998, 466; Scannell/Vickery/Dröge 2000, 23.
[7] Vgl. Arnold 1997, 167.
[8] Vgl. Franz/Kajüter 1997c, 481-502; Horváth & Partner 1998; Stoi 1999.

1.2 Forschungshypothese und Zielsetzung

Die vorliegende Dissertation zielt darauf ab, einen konzeptionellen Rahmen für ein Supply Chain Costing, bzw. ein Kostenmanagement in der Wertschöpfungskette, zu entwickeln. Dabei wird davon ausgegangen, dass durch ein Supply Chain Costing die Gesamtheit der Kosten in der Wertschöpfungskette zu berücksichtigen sind.[9] Dieses Konzept ist dann in der Lage, für die Analyse und Gestaltung der Kosten in der Wertschöpfungskette eingesetzt zu werden, so dass eine Optimierung entlang der gesamten Kette und nicht einzelner Funktionen oder Kostensegmente erfolgen kann.[10]

Dazu werden die folgenden Forschungsfragen bearbeitet:

1. Welcher Gegenstandsbereich liegt dem Supply Chain Management zu Grunde? Wie verhält sich das Supply Chain Management zu anderen Management-Konzepten? Wie wird der Gegenstandsbereich durch vorliegende Modelle und Instrumente des Supply Chain Managements ausgestaltet?
2. Welcher Gegenstandsbereich wird vom Kostenmanagement erfasst? Welche Entwicklungslinien können darin beobachtet werden und welche Relevanz haben diese Entwicklungen unter dem Fokus des Supply Chain Managements? Welche bisherigen methodischen Ansätze bestehen, um Kosten in der Wertschöpfungskette zu ermitteln? Welche Kostenbegriffe sind notwendig, um die gesamten Kosten in der Wertschöpfungskette zu erfassen?
3. Wie ist ein Konzept eines Supply Chain Costing zu entwickeln, so dass die Kosten in der Wertschöpfungskette abgebildet und gestaltet werden können? Wie sind einzelne Instrumente des Kostenmanagements zu erweitern, um den Anforderungen des Supply Chain Costing gerecht zu werden?

Die zu entwickelnde Konzeption eines Supply Chain Costing soll sowohl in ihren methodischen Ursprüngen als auch bezüglich einzelner Ansätzen einer instrumentellen Ausgestaltung dargelegt werden. Um die Forschungsfragen zu beantworten, wird ein dreistufiges Vorgehen gewählt.

1.3 Vorgehensweise

1.3.1 Supply Chain Management

In Kapitel 2 werden die Grundlagen des Supply Chain Managements beschrieben. Wesentlich dabei ist es, den Gegenstandsbereich des Supply Chain Managements dergestalt zu erfassen, dass eine auf die Material- und Informationsflüsse bezogene Produktdimension mit einer kooperationsbezogenen Dimension verknüpft wird. Die dadurch gegebene Begriffsbestimmung wird durch ein dreistufiges Vorgehen erörtert. Das Supply Chain Management wird mit Kooperations-, Lean- und Stoffstrommanagement sowie der Virtuellen Unternehmung verglichen, die in der Literatur zum Supply Chain Management regelmäßig als relevant oder verwandt angeführt werden. Im Fortgang des Kapitels werden einzelne Modelle zum Supply Chain Management dargelegt, die beanspruchen, einen Überblick zum Thema zu geben. Dadurch wird verdeutlicht, dass die Produkt- und die Kooperationsdimension ge-

---

[9] Vgl. z.B. Copacino 1997, 22; Ross 1997, 83; Tyndall et.al. 1998, 33; Beamon 1999, 35.

[10] Vgl. z.B. Vollmann/Cordon/Raabe 1998, 374; Speckman/Kamauff/Myhr 1998, 53; Christopher 1998a, 28ff; Krüger/Steven 2000, 548; Johnson/Pyke 2000b, 3.

eignet sind, den Gegenstandsbereich des Supply Chain Managements breiter zu fassen, als dies bisher in der Literatur geschehen ist. Anschließend werden einzelne Instrumente des Supply Chain Managements in den gewählten Rahmen eingeordnet.

1.3.2 Kostenmanagement

Das Kapitel 3 zum Kostenmanagement beginnt ebenfalls mit einer Begriffsklärung. Dazu wird insbesondere eine Abgrenzung zur Kostenrechnung vorgenommen. Insgesamt werden im Kostenmanagement vier Entwicklungslinien ausgemacht. Zuerst ist dies eine instrumentelle Ausdifferenzierung, die dazu geführt hat, dass sich eine Vielzahl von Instrumenten im Kostenmanagement herausgebildet haben. Für die im Supply Chain Management genannte Orientierung an den Kundenbedürfnissen bietet das Target Costing einen geeigneten Ansatzpunkt. Das Management einzelner Prozesse oder Aktivitäten kann auf der Basis der Prozesskostenrechnung gesteuert werden, während das Life-Cycle Costing dazu dient, die Gesamtheit der Kosten entlang von Kette und Lebenszyklus zu erfassen.

Die zweite Entwicklungslinie erfasst die strategische Orientierung des Kostenmanagements. Dazu werden verschiedene Modelle von Kostentreibern diskutiert. Allerdings umfassen diese Ansätze jeweils nur einen Teilbereich, so dass sie einerseits zu integrieren und andererseits um Kostentreiber in der Wertschöpfungskette zu erweitern sind.

Arbeiten zur transaktionskostenorientierten Erweiterung bilden die dritte Entwicklungslinie des Kostenmanagements. Ausgehend von einer kurzen Darstellung des Transaktionskostenansatzes wird die Nutzbarkeit des Begriffes für das Kostenmanagement erörtert. Dabei zeigt sich, dass die Argumentationsweise des Transaktionskostenansatzes nicht mit der des Kostenmanagements vereinbar ist. Der Begriff der Transaktionskosten erscheint zwar in hohem Maße relevant, doch ist er in den Kontext des Kostenmanagements zu stellen.

Eine wertschöpfungskettenweite Ausgestaltung des Kostenmanagements leisten bisher das Total Cost of Ownership[11] und das Interorganisational Cost Management.[12] Beide Ansätze werden auf ihre Leistungsfähigkeit im Hinblick auf eine Supply Chain Costing untersucht.

Im letzten Schritt des Kapitels wird eine Dreiteilung des Kostenbegriffs in Einzel-, Prozess- und Transaktionskosten vorgeschlagen, die auf die Wertschöpfungskette bezogen die Entwicklungslinien zusammenzuführen vermag.

1.3.3 Supply Chain Costing

Mit den Ausführungen in den Kapiteln 2 und 3 ist die Basis für das im vierten Kapitel entwickelte Konzept des Supply Chain Costing gelegt. Für die Konzeption des Supply Chain Costing ist es daher notwendig, die Produkt- und Kooperationsdimension des Supply Chain Managements mit der Dreiteilung des Kostenbegriffs zu kombinieren. Der so geschaffene Rahmen erlaubt, die Gesamtheit der Kosten, die in der Wertschöpfungskette anfallen, zu erfassen und zu gestalten.

Anschließend folgen verschiedene Schritte der Evaluation und Ausgestaltung des Konzepts. Zuerst erfolgt eine Deskription, die an die gegebene Beschreibung des operativen und des strategischen Kostenmanagements anschließt. Danach werden das Total Cost of Ownership und das Interorganisational Cost Management in das Supply Chain Costing eingeordnet. In den folgenden Abschnitten wird auf die ausgewählten Instrumente des Kostenmanagements

---

[11] Vgl. Ellram 1993a, 49-60; Ellram 1993b, 2-11; Ellram 1994, 171-192.
[12] Vgl. Cooper/Slagmulder 1999.

zurückgegriffen. Die Analyse entlang des Produktlebenszykluses bietet dabei einen Rahmen, Schwerpunkte des Kostenanfalls und der Kostenfestlegung zu diskutieren.

Daran schließen sich Betrachtungen zur Nutzung des Target Costing und des Prozesskostenmanagements an. Die Analyse der bisherigen Einsatzbereiche verdeutlicht, welche Bereiche des Supply Chain Costing bereits abgedeckt werden. Gleichzeitig verdeutlicht dies, welche Erweiterungen notwendig sind, damit diese beiden Instrumente für den gesamten Gegenstandsbereichs des Supply Chain Costing genutzt werden können.

Die folgende Abbildung 1 bietet eine Übersicht zu den drei Hauptkapiteln der Arbeit.

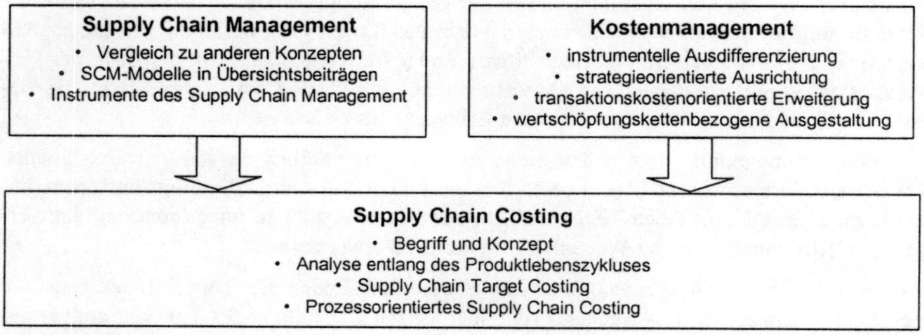

Abbildung 1: Übersicht zur vorliegenden Arbeit
Quelle: eigene.

Um die empirische Relevanz des Themas zu belegen und einzelne Aspekte zu beleuchten, wird einheitlich auf das Beispiel der textilen Kette zurückgegriffen, da diese Arbeit im Rahmen des BMBF-Forschungsprojektes „EcoMTex – Von der Öko-Nische zum ökologischen Massenmarkt im Bedürfnisfeld" entstand. Die Wertschöpfungskette von Bekleidungstextilien, kurz die textile Kette, dient damit als empirisches Feld, durch dessen schlaglichtartige Betrachtung der Argumentationsgang unterstützt und illustriert wird.

Am Ende der Arbeit steht ein Ausblick auf den weiteren Forschungsbedarf. Das entwickelte Konzept benötigt eine weitere instrumentelle Ausgestaltung, die z.B. durch Fallstudien bezogene Arbeiten geleistet werden kann. Außerdem sollte der Anschluss an andere Managementkonzepte gesucht werden, die der Steuerung von Unternehmen und Wertschöpfungsketten dienen.

2 Supply Chain Management

Kapitelzusammenfassung

Im zweiten Kapitel werden die Grundlagen des Supply Chain Management dargelegt. Viele Definitionen beinhalten zwei Elemente. Das Management der Material- und Informationsflüsse wird in der Produktdimension erfasst, die aus den Phasen der Produktentwicklung und der Produktion und Logistik besteht. Den zweiten Teil des Gegenstandsbereichs bildet das Management der Kooperationen zwischen den Unternehmen der Kette. In dieser Dimension werden die Bildung des Netzwerks und die Optimierung der Schnittstellen unterschieden. Die Kombination der Phasen aus beiden Dimension führt zu vier Integrationsfelder innerhalb der Produkt-Kooperations-Matrix des Suply Chain Managements (vgl. die Abbildung), nämlich (I.) die Konfiguration von Produkt und Netzwerk, (II.) die Produktentwicklung in der Wertschöpfungskette, (III.) die Gestaltung des Produktionsnetzwerks und (IV.) die Prozessoptimierung in der Wertschöpfungskette.

Das Supply Chain Management beinhaltet eine Orientierung am Kunden, dessen Bedürfnisse durch die Koordination aller Aktivitäten in der Kette effektiv und effizient erfüllt werden sollen. Auf dieser Basis wird das Supply Chain Management mit Leben gefüllt. Zuerst wird es mit den Konzepten des Kooperations-, des Lean, des Stoffstrommanagement und der Virtuellen Unternehmung verglichen. Im zweiten Schritt werden verschiedene Übersichtsbeiträge zum Supply Chain Management aufgegriffen. Durch einen Abgleich mit dem gewählten Gegenstandsbereich kann gezeigt werden, dass der Ansatz dieser Arbeit in der Lage ist, alle bisherigen Arbeiten zu integrieren. Der letzte Abschnitt des Kapitels stellt entlang der vier Integrationsfelder einzelne Instrumente des Supply Chain Managements vor.

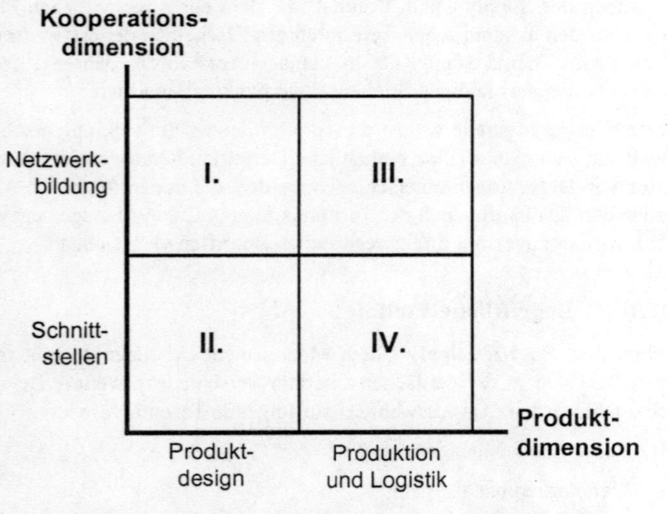

Produkt-Kooperations-Matrix des Supply Chain Managements

2.1 Definition des Begriffes Supply Chain Management

Supply Chain Management hat sich in den letzten Jahren zu einem der wichtigen Schlagworte in der Diskussion betriebswirtschaftlicher Begriffe entwickelt. Ausgangspunkt dafür bildet fast immer der Rückgriff auf das Argument, dass global der Wettbewerb zwischen Unternehmen intensiver geworden ist. Damit werden zwei Implikationen verknüpft: Erstens erfordert dies eine engere Zusammenarbeit entlang der Wertschöpfungskette, zweitens kommt es zum Wettbewerb zwischen Wertschöpfungsketten, die als Element der Analyse betrachtet werden müssen.[13] Zentraler Ausgangspunkt dafür sind steigende Anforderungen der Kunden im internationalen Wettbewerb,[14] die zu einem steigenden Kostendruck auf Unternehmen in vielen Branchen führen. Die stürmische Entwicklung der Informationstechnologie in den letzen Jahren hat entscheidend dazu beigetragen, dass neue Instrumente im Supply Chain Management eingesetzt werden können. Dazu zählen umfassende Modellierungen von Wertschöpfungsketten[15] ebenso wie die informationstechnische Verknüpfung von Unternehmen.[16]

Die wachsende Bedeutung des Supply Chain Managements wird dabei sowohl auf betrieblicher als auch auf der akademischen Ebene deutlich. Während auf der praktischen Seite die Gründung des Supply Chain Council[17] in 1996 einen wesentlichen Meilenstein bildet, wird dieser für den akademischen Teil durch das Erscheinen der ersten drei eigenständigen Lehrbücher zum Thema Supply Chain Management[18] in den Jahren 1999 und 2000 sowie das Angebot an eigenständigen Studienschwerpunkten[19] markiert.

Trotz oder auch gerade wegen dieser noch jungen Entwicklung des Supply Chain Managements hat sich bisher keine einheitliche Definition herausgebildet. Vereinfacht können zwei Arten von Definitionen unterschieden werden, die in den folgenden Abschnitten aufgearbeitet werden. Da häufig auch der Terminus Supply Chain Management zur Diskussion gestellt wird, wird er zuvor mit direkt verwandten Begriffen vergleichen.

2.1.1 Begriffliche Vielfalt

Neben dem Begriff Supply Chain Management existieren sowohl in der angloamerikanischen als auch in der deutschen Literatur verschiedene weitere Begriffe, die oft synonym gebraucht werden. Als Auswahl sei auf folgende Termini verwiesen:

- Value Chain Management,[20]
- Lieferkettenmanagement,[21]

---

[13] Vgl. z.B. Christopher 1998a, 28ff; Vollmann/Cordon/Raabe 1998, 374; Speckman/Kamauff/Myhr 1998, 53; Johnson/ Pyke 2000b, 3.

[14] Vgl. z.B. McCutcheon/Raturi/Meredith 1994, 89; Cohen/Mallik 1997, 193; Kansky/Weingarten 1999, 87.

[15] Vgl. z.B. den Übersichtsbeitrag von Shapiro 1998, 737-759.

[16] Vgl. die vielfältigen Arbeiten zu Electronic Data Interchange, z.B. ausführlich: Niggl 1994.

[17] Siehe www.supply-chain.org. Das Supply Chain Council hat sich 1996 aufgrund einer Initiative einzelner Persönlichkeiten aus Industrie und Beratung gebildet. Es verfolgt die Aufgabe, Modelle und Instrumente für das Supply Chain Management weiter zu entwickeln.

[18] Vgl. Handfield/Nichols 1999; Simchi-Levi/Kaminsky/Simchi-Levi 2000; Werner 2000a.

[19] Exemplarisch sei auf die Ausführungen bei Closs/Stank 1999, 59-72 verwiesen. Eine Auswertung von Lehrangeboten findet sich bei Johnson/Pyke 2000b, 2-18.

[20] Vgl. Donelan/Kaplan 1998, 7; Porter 1999, 63.

- Versorgungskettenmanagement,[22]
- Wertschöpfungskettenmanagement,[23]
- Wertschöpfungsnetzwerkmanagement.[24]

Alle Begriffe weisen neben dem Bestandteil des Managements zwei weitere gemeinsame Merkmale auf. Die Worte Supply, Value, Lieferung, Versorgung oder Wert sprechen dabei den Gegenstandsbereich physischer Güter an, wobei entweder mehr materielle oder stärker finanzielle Aspekte betont werden. Christopher weißt darauf hin, dass der Wortbestandteil Supply eher durch Demand zu ersetzen wäre, da dieser das Management der Kette im Sinne einer Pull-Orientierung integriert.[25]

Auch für das zweite Merkmal des Begriffes finden sich Alternativen. Vor allem auf den Terminus des Netzwerkes[26] aber auch der Matrix[27] wird dabei verwiesen, da Unternehmen bzw. Geschäftseinheiten gleichzeitig in mehreren Wertschöpfungsketten arbeiten. Im Falle von Multi-Sourcing Strategien der Kunden, bei denen gleiche Teile von mehreren Lieferanten bezogen werden, können Unternehmen in einer Kette für die Herstellung eines Produktes sogar mit direkten Konkurrenten eingebunden sein.

Auch wenn vereinzelt unterschiedliche Begriffe in der Literatur verwendet werden, so kann daraus nicht auf systematische Unterschiede im Gegenstand der behandelten Themen geschlossen werden. Daher können alle genannten Termini synonym verwendet werden. In dieser Arbeit werden die Begriffe Supply Chain Management bzw. Wertschöpfungskettenmanagement gebraucht, da diese in der Literatur am häufigsten verwendet werden.[28] Zunächst werden verschiedene Definitionen vorgestellt, die als Basis für die anschließende Diskussion der Konzeption des Supply Chain Managements dienen.

2.1.2 Supply Chain Management als Erweiterung der Logistik

Inhaltliche Differenzierungen des Begriffes Supply Chain Management, die über auf die Wortwahl bezogenen Abgrenzungen hinausgehen, sind von größerer Bedeutung. In der Literatur werden mittlerweile eine ganze Reihe von Definitionen für den Begriff Supply Chain Management angeboten, die im wesentlichen in zwei Gruppen unterteilt werden können.[29]

Ein Teil der Autoren sieht Supply Chain Management „nur" als Erweiterung der Logistikfunktion[30] des Unternehmens hin zu einer Integration der Material- und Informationsflüsse mit Lieferanten und Kunden.[31]

---

[21] Vgl.Zäpfel/Piekarz 1996, 13; Vollmann/Cordon/Raabe 1998, 374; Jirik 1999, 547; Scholz-Reiter/Jakobza 1999, 8.
[22] Vgl. z.B. Poirier/Reiter 1997, 17.
[23] Vgl. Thaler 1999, 44; Seuring 1999a, 18; Hahn 2000, 12.
[24] Vgl. z.B. Schusser 1999, 11.
[25] Vgl. Christopher 1998a, 18; auch New 1997, 16.
[26] Vgl. Vollmann/Cordon/Raabe 1998, 374-378; Christopher 1998a, 18; Schusser 1999, 11; Handfield/Nichols 1999, 2.
[27] Vgl. z.B. Schusser 1999, 11.
[28] Vgl. z.B. Johnson/Pyke 2000b, 3.
[29] Vgl. die ausführliche Darstellung bei Ross 1997, 4-9 und 72ff.
[30] Vgl. z.B. Lehrbücher der Logistik: Pfohl 1994; Pfohl 1996; Bowersox/Closs 1996; Johnson et. al. 1999.
[31] Vgl. z.B. Houlihan 1985, 26; Stevens 1989, 3ff; Bowersox/Closs 1996, 34; Zäpfel/Peikarz 1996, 13; Copacino 1997, 7; Christopher 1998a, 13; Kuglin 1998, 3; Kansky/Weingarten 1999, 88; Krüger/Steven 2000, 501.

Als Ausgangspunkt wird die Definition der Logistik des Council for Logistics Management (CLM) aufgegriffen: „*The Process of planning, implementing, and controlling the efficient, effective flow and storage of goods, services and related information flow from the point of origin to the point of consumption for the purpose of conforming to customer requirements.*"[32]

Als Beispiel für eine Definition des Supply Chain Managements, die direkt an die der Logistik anschließt, sei auf Stevens zurückgegriffen: „*The supply chain is the connected series of activities which is concerned with planning, co-ordinating, and controlling material, parts, and finished goods from suppliers to the customers. It is concerned with two distinct flows through the organisation: materials and information. The scope of the supply chain begins with the source of supply and ends at the point of consumption. It extends much further than simply a concern with the physical movement of material and is just as much concerned with supplier management, purchasing, materials management, manufacturing management, facilities planning, customer service and information flow as with transport and physical distribution.*"[33] Ergänzend kann als Zielsetzung dann formuliert werden: „*The goals of supply chain management are to reduce uncertainty and risks in the supply chain, thereby positively affecting inventory levels, cycle time, processes, and, ultimately, end-customer service levels.*"[34]

2.1.2.1 Integration von Produktion und Logistik entlang der Kette

In Abgrenzung zur Logistik werden damit nicht nur Transport und Lagerung geplant und optimiert, sondern der Gegenstandsbereich wird auf alle Aktivitäten erweitert, die entlang der Wertschöpfungskette anfallen. Vorrangig werden dabei eher (technische) Funktionen der Supply Chains betrachtet, die zu modellieren und optimal zu gestalten sind, wobei in der Regel die Minimierung der Gesamtdurchlaufzeit (Total Cycle Time) und der Bestände als Zielkriterien gelten.[35] Sehr deutlich wird dies bei Towill, der von einer „seamless Supply Chain" spricht und darauf abzielt, die Integration der Material- und Informationsflüsse so weit zu treiben, dass Schnittstellen quasi eliminiert werden.[36] Im Kontext dieser Arbeiten sind verschiedene Methoden für die Modellierung von Supply Chains entstanden.[37] Einen wichtigen Ausgangspunkt dieser Arbeiten bilden die Modellierungen von Forrester[38] zum Thema Industrial oder System Dynamics. Das Ziel dieses in den 50iger Jahren entwickelten Konzeptes besteht darin, komplexe Systeme abzubilden. Eine bedeutende Anwendung bestand in der Abbildung mehrstufiger Lieferketten und des so genannten Bullwhip Effect, der empirisch beobachtet werden konnte. Der Begriff des Bullwhip Effect[39] umschreibt, dass schon durch kleine Nachfrageschwankungen am Ende der Kette erhebliche Schwankungen in der Produktion und Lagerhaltung vorgelagerter Stufen hervorgerufen werden, die die anfängliche Schwankung um ein Mehrfaches übersteigen.[40] Auch in der jüngeren Literatur

---

[32] Zitiert nach Bowersox/Closs 1996, 4. Siehe auch vergleichbare Definitionen in der deutschsprachigen Literatur, z.B. Pfohl 1996, 12; Schulte 1999, 1.
[33] Stevens 1989, 3.
[34] Chase/Aquilano/Jacobs 1998, 466.
[35] Vgl. Houlihan 1985, 26; Bhattacharya et. al. 1996, 40.
[36] Vgl. Towill 1996b, 41 sowie Tyndall et. al. 1998, 17; Mason-Jones/Towill 1999, 62.
[37] Für Übersichten siehe z.B. Farris 1996, 35-62; Christopher 1998a, 69-100; Simchi-Levi/Kaminsky/Simchi-Levi 2000, 15-37.
[38] Siehe dazu Forrester 1961; zur Anwendung auf eine Lieferkette insbesondere Forrester 1978, 37-65.
[39] Bullwhip = Bullen-Peitsche.
[40] Vgl. Forrester 1978, 37-65.

wird das Thema umfassend bearbeitet[41] und hat als „Beer Game“ Eingang in die Lehre zum Produktions- und Logistikmanagement gefunden.[42]

2.1.2.2 Integration der Produktgestaltungsfunktion

In Rahmen dieser Definition sind auch Arbeiten zu nennen, die das Produktdesign in den Gestaltungsbereich des Supply Chain Managements einbinden. Sicherlich schon zu den Klassikern der Supply Chain Management Literatur gehört das Beispiel der Druckerproduktion bei Hewlett Packard, bei dem sich eine Veränderung am Produkt und Veränderungen in der Supply Chain gegenseitig bedingen[43]. Damit werden gleichzeitig zwei Konzepte diskutiert, nämlich Postponement und Mass Customisation.[44] Die Änderung im Produktdesign der Drucker bestand darin, dass das Netzteil aus dem Druckergehäuse herausgenommen wurde. Dadurch kann der Drucker in der „Rohform“ in das jeweilige Zielland geliefert werden. Erst dort wird das entsprechende Netzteil zugepackt, wodurch die Geräte spezifiziert und dann an die Kunden geliefert werden. In diesem Beispiel liegt der Aspekt des Mass Customisation in der nach hinten verschobenen (postponed) Konkretisierung für einen spezifischen Markt.[45] Vorteile in der Produktion, Lagerhaltung und Logistik ergeben sich u.a. aus niedrigeren Bestandsrisiken und höherer Lieferflexibilität, da die Rohform weltweit ausgeliefert werden kann.

Manche Autoren sehen die Integration der Produktgestaltungsfunktion daher als ein wesentliches Element, das Logistik und Supply Chain Management voneinander abgrenzt[46]. Fisher arbeitet weitergehend heraus, dass Produkte und ihre Vertriebskanäle aufeinander abgestimmt werden müssen, wenn z.B. die schon beschriebenen Probleme des Bullwhip Effektes vermieden werden sollen,[47] so dass die Produktgestaltung sowohl die Konfiguration der Supply Chains als auch die operative Gestaltung umfasst. Die sich anschließende Frage, ob und wie Lieferanten in die Produktentwicklung einzubinden sind, führt direkt zur zweiten definitorischen Konzeption des Supply Chain Managements.

Kasten 1: Die Wertschöpfungsstufen der textilen Kette

Unter dem Sammelbegriff textile Kette werden die vielfältigen Wertschöpfungsketten für Textilien zusammengefasst. Textilien werden aus Natur- und aus Synthesefasern hergestellt, so dass sich eine Differenzierung bereits aus der Herkunft der Rohstoffe ergibt. Außerdem haben Textilien verschiedene Anwendungen, die von Spezialgewebe bis zu Bekleidung reichen. Die Vielfalt der Verzweigungen der textilen Kette wird in der folgenden Abbildung 2 dargestellt.[48]

---

[41] Als ausgewählte Beiträge sei verwiesen auf: Lee/Padmanabhan/Whang 1997b, 93-112.

[42] Für eine Computerversion und Anleitung zum Spiel siehe z.B. Simchi-Levi/Kaminsky /Simchi-Levi 2000, 275-292. Das Beer Game wird als das am weitesten verbreitete Modell bezeichnet, mit dem Studenten in das dynamische Verhalten von Wertschöpfungsketten eingeführt werden. Zudem steht mittlerweile eine Internetversion zur Verfügung: Jacobs 2000, 31. (Siehe dazu http://www.pom.edu.)

[43] Siehe die Darstellungen bei Lee/Billington 1992, 65-73; Lee/Billington/Carter 1993, 1-11; Davis 1993, 35-46; Lee/Billington 1995, 42-63; Feitzinger/Lee 1997, 116-121.

[44] Siehe die explizite Verbindung bei Feitzinger/Lee 1997, 116-121. Beide Ansätze werden noch ausführlicher erläutert.

[45] Für weitere Beispiele zum Mass Customisation siehe: Pine/Victor/Boynton 1993,108-119; Gilmore/Pine 1997, 91-101; Piller 1997a, 15-26; Tseng/Jiao 1998, 10-24.

[46] Vgl. z.B. Handfield et al. 1999, 59; Yano/Dobson 1998, 152.

[47] Vgl. Fisher 1997, 105-116.

[48] Ausführlichere Darstellungen finden sich in Enquete-Kommission 1994, 101-222; Schmidt 1999, 55-227; Fletcher et. al. 1999, 45-64.

Für die weiteren Ausführungen wird der Analyserahmen auf die textile Hauptkette und die Herstellung von Bekleidungstextilien verengt. In dieser Arbeit werden in Anlehnung an die Enquete-Kommission fünf Stufen der Wertschöpfungskette von Bekleidung unterschieden: Faserherstellung, Textilherstellung, Textilveredelung, Kleidungsherstellung, Konfektionär / Handel. Um die Analyse- und Gestaltungsmöglichkeiten verdeutlichen zu können, werden am Beispiel textiler Bekleidung an einigen Stellen zwei Fälle gegenübergestellt, nämlich die Grenzfälle der Wertschöpfungskette „normaler", konventioneller Bekleidung sowie der ökologisch optimierter Bekleidung.[49] Daher werden bei der folgenden Beschreibung der einzelnen Wertschöpfungsstufen auch wesentliche ökologische Probleme aufgeführt.

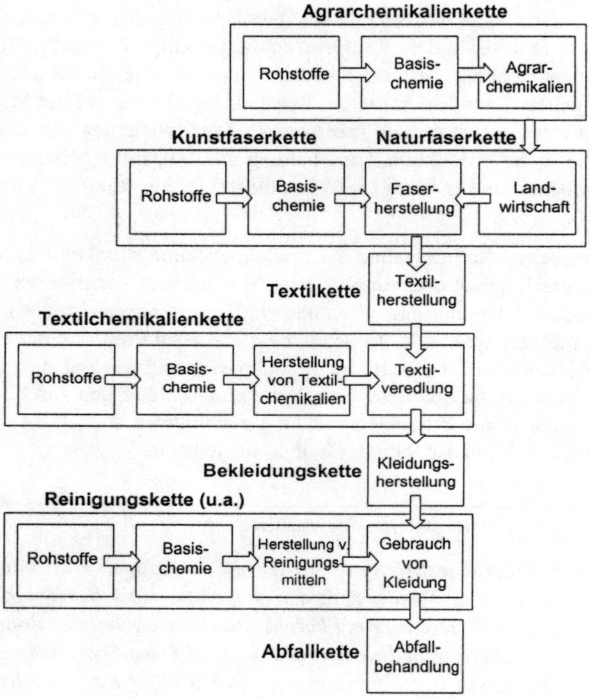

Abbildung 2: Haupt- und Nebenlinien der textilen Kette
Quelle: Enquete-Kommission 1994, 117.

1. Faserherstellung

In der Fasergewinnung unterscheiden sich die notwendigen Prozesse Natur- und Synthesefasern deutlich. Die wichtigste Naturfaser ist Baumwolle, die etwa einen Anteil von ca. 40% an der Bekleidung in Deutschland hat. Polyester hat unter den Chemiefasern weltweit einen Anteil von 60%. Zudem werden ca. 40% aller Bekleidungstextilien in Deutschland aus Polyesterfasern hergestellt.[50] In den folgenden Ausführungen werden diese beiden Fasern daher stellvertretend betrachtet.

[49] Vgl. Seuring/Schneidewind 2000, 229.
[50] Vgl. zu den Mengenangaben: Enquete-Kommission 1994, 119ff; Industrievereinigung Chemie 1999.

Der Anbau von Baumwolle erfolgt entlang des so genannten „Baumwollgürtels" zwischen dem 35. Grad südlicher und dem 45. Grad nördlicher Breite. Die größten Erzeuger sind China (23%), die USA (20%) und Indien (12%).[51]

Beim konventionellen Anbau von Baumwolle werden große Mengen an Wasser und Chemikalien, z.B. Pestiziden, eingesetzt. Etwa 24% der Weltproduktion an Insektiziden werden im Baumwollanbau verbraucht.[52] *Weitere ökologische Problemfelder sind der Einsatz großer Mengen an Dünger, künstlicher Bewässerung und der Verlust an fruchtbarem Boden.*[53] *Vor allem um den Einsatz von Pestiziden zu vermeiden, ist beim kontrolliert biologischen Anbau (kbA) ein erhöhter Arbeitseinsatz notwendig. Außerdem verringert sich in der Regel die Erntemenge, so dass kbA-Baumwolle bis zu 50% teurer als konventionelle ist (Stand Sommer 2000).*

Polyester basiert wie alle synthetischen (Chemie-)Fasern auf Erdöl. Durch verschiedene Destillations- und Verarbeitungsschritte werden die notwendigen Rohmaterialien gewonnen, die dann zum Rohpolymer verarbeitet werden.

Neben dem Verbrauch nicht regenerativer Ressourcen besteht bei der Herstellung von Polyester das wesentliche ökologische Problem im Einsatz von Antimonoxid als Katalysator der Polymerisationsreaktion. Antimon hat ähnliche toxikologische Wirkungen wie Arsen, das am nächsten chemisch verwandte Element. Das Antimonoxid wird in den folgenden Stufen des Verarbeitungsprozesses teilweise wieder herausgelöst und belastet dann die Abwässer. Nach dieser Stufe erfolgt die Verarbeitung für beide Fasern in prinzipiell ähnlichen Schritten.

2. Textilherstellung

In der Textilproduktion, die auf mechanischen Prozessen beruht, werden zuerst in der Spinnerei Fäden oder Garne gewonnen, die dann durch Weben oder Stricken zu Flächengebilden verarbeitet werden. Beim Spinnen von Baumwolle werden die Fasern parallelisiert, um so eine bessere Homogenität des Materials zu erreichen. Durch Verziehen und Verfestigen entsteht aus den einzelnen Fasern das Garn.

Polyestergarne werden aus dem Rohpolymer hergestellt, indem das Rohmaterial aufgeheizt und dann durch Spinndüsen gepresst wird, wobei das entstehende Filament sofort auf eine Spule aufgerollt werden kann. Garne bestehen aus mehreren Filamenten, die entweder direkt miteinander verdreht oder erst kleingeschnitten und dann ähnlich einer Naturfaser verarbeitet werden.

Garne werden durch Weben oder Stricken zu Flächengebilden verarbeitet. Wesentliche Umweltprobleme sowohl beim Spinnen als auch beim Weben oder Stricken liegen bei den eingesetzten Hilfsstoffen und der Entstehung von Abwasser, Staub und Lärm.

3. Textilveredelung

Unter Textilveredelung versteht man alle Verfahren, die das Aussehen, die Verarbeitungs- oder Gebrauchseigenschaften von Textilien verändern oder verbessern. Dies kann sowohl durch chemische Verfahren, wie Färben, Bedrucken und Beschichten, als auch durch mechanische und physikalische Verfahren, wie Schmirgeln, Rauhen oder thermische Behandlung, bzw. eine Kombination dieser Verfahren erfolgen. Dabei werden häufig Chemikalien eingesetzt, die unbehandelt in die Abwässer gelangen. Insbesondere mit Textilfarben sind vielfältige Probleme sowohl in der Produktion als auch im Gebrauch der Kleidung verbunden.

[51] Vgl. Hofer 1997, 65-70.
[52] Vgl. Myers 1999, 10.
[53] Vgl. Myers 1999, 8-20; Schmidt 1999, 62-71.

4. Kleidungsherstellung

Die eigentliche Produktion der Bekleidung schließt sich an, so dass erst ab hier von der Bekleidungsindustrie gesprochen wird, während die beiden vorhergehenden Stufen der Textilindustrie zugerechnet werden. Bei der Bekleidungsherstellung werden die Halbfertigerzeugnisse, wie Oberstoffe, Futterstoffe und Zutaten (z.B. Knöpfe, Reißverschlüsse und Einlagen) zu Bekleidungsstücken verarbeitet. Die Stufe der Kleidungsherstellung wird hier vor allem auf die ausführenden Arbeiten, z.B. das Zuschneiden der Stoffe und das Nähen der Kleidungsstücke bezogen.

5. Konfektionär / Handel

Die Stufe Konfektionär / Handel wird stellvertretend für das Unternehmen gewählt, das die eigentlichen Sortimentsentscheidungen in der Wertschöpfungskette der Bekleidung trifft. Dies bezieht die wesentlichen Entscheidungen ein, die für ein konkretes Produkt zu treffen sind, insbesondere auch, ob eine bestimmte Konfektion konventionellen oder (zusätzlichen) ökologischen Kriterien genügen soll. Aufgrund dieser Sortimentsentscheidung kommt dem Konfektionär in der Wertschöpfungskette eine entscheidende Bedeutung zu, so dass in den folgenden Beispielen häufig die Perspektive des Konfektionärs oder Bekleidungshandels gewählt wird.

Der eigentliche Handel mit Bekleidungstextilien kann ein- oder mehrstufig erfolgen. Im Verhältnis zu den vorhergehenden Stufen sind die direkt verursachten Umweltprobleme eher gering. Außerdem unterscheiden sich die beiden Fälle der konventionellen und der ökologischen Kette in diesem Punkt nicht wesentlich.

Weitere wichtige Stufen der Wertschöpfungskette sind der Gebrauch der Bekleidung und die Entsorgung. Diese beiden Stufen werden nicht betrachtet, da durch den Verkauf der Ware an den Endverbraucher die Wertschöpfungskette im engeren Sinne abgeschlossen ist. Auch der Rückfluss gebrauchter Kleidung wird hier nicht betrachtet, da er anderen Mechanismen und Einflüssen unterliegt.[54]

2.1.3 Supply Chain Management als Kooperationsmanagement

2.1.3.1 Optimierung der Schnittstellen zu Kunden und Lieferanten

Über dieses funktional orientierte Verständnis hinaus werden im Supply Chain Management auch die Beziehungen zu und insbesondere Kooperationen mit Kunden und Lieferanten entlang der gesamten Wertschöpfungskette einbezogen, deren Gestaltung häufig sogar als zentrale Aufgabe gesehen wird.[55] In diesem Sinne definieren Handfield und Nichols Supply Chain Management: „*The supply chain encompasses all activities associated with the flow and transformation of goods from raw materials stage (extraction), through to the end user, as well as the associated information flows. Material and information flow both up and down the supply chain. Supply chain management (SCM) is the integration of these activities through improved supply chain relationships, to achieve a sustainable competitive advantage*".[56]

---

[54] Vgl. insbesondere Enquete-Kommission 1994, 101-222; auch Morana 2000, 185-202.

[55] Vgl. z.B. Cooper/Ellram 1993, 16; Matthyssens/van den Bulte 1994, 72f; Ross 1997, 9; Johnson et. al. 1999, 5; Handfield/Nichols 1999, 2; Specht/Hellmich 2000, 94; Seuring/Schneidewind 2000, 239.

[56] Handfield/Nichols 1999, 2.

Deutlicher noch stellen Johnson et. al. dies in der Einleitung zu ihrem Logistiklehrbuch heraus: *„Supply Chain Management is a somewhat larger concept than logistics, because it deals with managing both the flow of materials [and information] and the relationships among channel intermediaries from the point of origin of raw materials through to the final customer.*“[57] Zur Optimierung der Material- und Informationsflüsse tritt damit das Kooperationsmanagement entlang der Kette. Stärker operativ ausgerichtete Literatur diskutiert dabei, wie später ausführlich dargelegt wird, die Optimierung der Schnittstellen zwischen den einzelnen Unternehmen. Hier besteht erneut eine enge Verbindung zu den Überlegungen des Bullwhip Effektes, allerdings wird deutlich betont, dass Lösungen nicht nur durch eine Modellierung der Kette erfolgen können, sondern umfassend die Ziele und Bedürfnisse aller Kettenpartner zu berücksichtigen sind. Sowohl Risiken als auch Erträge der Kettenoptimierung sind zwischen den Unternehmen aufzuteilen,[58] um eine Integration der Kette zu erreichen. Dieses Leitthema des Supply Chain Managements[59] reicht bis zum Wettbewerb zwischen Wertschöpfungsketten, der den zwischen Unternehmen ablöst.[60] Letztlich wird das Ziel verfolgt, die traditionell durch Konkurrenz geprägten Beziehungen zwischen den einzelnen Unternehmen entlang der Kette hin zu kooperativen Beziehungen zu entwickeln.[61]

2.1.3.2 Auswahl der Partner in der Kette und Gestaltung der Beziehungen

Von diesem Ziel ausgehend wurden mittlerweile eine ganze Reihe von Modellen zur Entwicklung von Kooperationen im Supply Chain Management vorgestellt.[62] Diese Konzepte setzten verschiedene Schwerpunkte, die von der Gegenüberstellung klassischer und kooperativer Beziehungen[63] und der Ermittlung von Kosten bei der Zusammenarbeit mit Lieferanten,[64] über die Kategorisierung[65] bis zu Entwicklungs- und Einführungsmodellen für Partnerschaften[66] reichen. Während viele Arbeiten auf den in der Logistik und dem Produktionsmanagement „üblichen“ Methoden und Instrumenten beruhen,[67] ist es notwendig, für das Management der Kooperationen in der Kette auch weitere Konzepte zu berücksichtigen. Dazu gehören z.B. Überlegungen der Neuen Institutionenökonomie[68], insbesondere dem Transaktionskostenansatz,[69] oder auch psychologische Modelle.[70]

Insgesamt wird deutlich, dass Supply Chain Management in seiner weitesten Fassung eng mit Überlegungen aus vielen Funktionen und Prozessen des Managements verknüpft ist. Nachfolgend soll daher eine vereinfachte Systematik vorgestellt werden, mit der die Vielfalt der Themen erfasst werden kann.

---

[57] Johnson et. al. 1999, 5.
[58] Vgl. z.B. Monden/Nagao 1989, 182f; Fites 1996, 85f; Handfield/Nichols 1999, 67f; Handfield et. al. 1999, 62; National Reserach Council 2000, 59f.
[59] Vgl. Johnson/Pyke 2000b, 2.
[60] Vgl. z.B. Christopher 1998a, 28ff; Vollmann/Cordon/Raabe 1998, 374.
[61] Sehr anschaulich verdeutlichen dies Hughes/Ralf/Michels 1998, 9; auch Ross 1997, 4.
[62] Vgl. z.B. Matthyssens/van den Bulte 1994, 73; Lambert/Emmelhainz/Gardner 1996, 4; Cooper et. al. 1997, 69; Olsen/Ellram 1997, 101; Handfield/Nichols 1999, 67ff.; Friedrich/Hinterhuber 1999, 2.
[63] Vgl. Matthyssens/van den Bulte 1994, 73; Cooper et. al. 1997, 69; Hughes/Ralf/Michels 1998, 67.
[64] Vgl. Ellram 1993a, 49-60; Ellram 1994, 171-192.
[65] Vgl.Novack/Simco 1991, 151ff; Heim 1994, 29; Olsen/Ellram 1997, 107; Lambert/Emmelhainz/Gardner 1996, 8f.
[66] Vgl. Cooper et. al. 1997, 70f; Lambert/Emmelhainz/Gardner 1996, 8ff.
[67] Vgl. Johnson/Pyke 2000b, 3.
[68] Vgl. z.B. O‘Keeffe 1998, 6.
[69] Vgl. z.B. Ellram 1995a, 6; Hobbs 1996, 15-27; Loader 1997, 23-35; O‘Keeffe 1998, 6.
[70] Vgl. z.B. Blancero/Ellram 1997, 616ff.

Kasten 2: Koordinationsformen der textilen Kette

1. Traditionelle Marktkoordination in der textilen Kette

Die übliche Form der Koordination zwischen den einzelnen Verarbeitungsstufen der textilen Kette ist der freie Markt. Eine Koordination findet immer nur zwischen zwei Akteuren benachbarter Stufen der Wertschöpfungskette statt.71 Material- und Informationsflüsse werden nur von Stufe zu Stufe koordiniert. Vor allem für Massenware ist diese Form der Koordination üblich, die in Abbildung 3 dargestellt wird.

In der textilen Kette herrscht auf allen Stufen der Wertschöpfungskette ein intensiver, globaler Wettbewerbsdruck.72 Zu dieser Konkurrenzsituation kommt eine zunehmende Konzentration der Marktmacht im Handel,73 die unter anderem mit der Forderung nach kundenindividuellen Produkten74 bzw. kürzeren Produktlebenszyklen75 einhergeht.

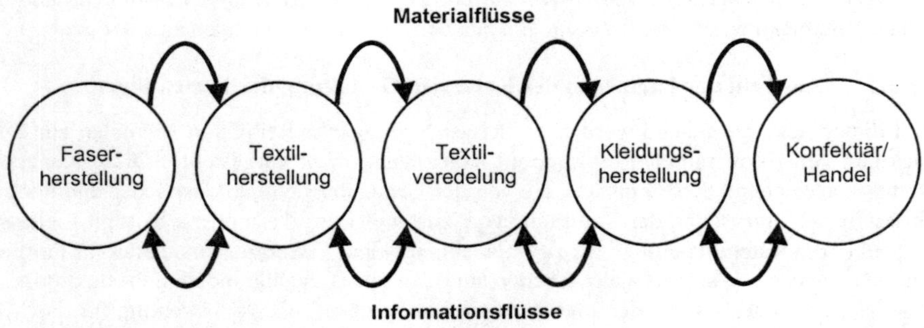

Abbildung 3: Stufenweise Marktkoordination in der textilen Kette
Quelle: Seuring/Schneidewind 2000, 238.

Insgesamt führt das dazu, dass die Beziehungen der Unternehmen zueinander durch den Konkurrenzdruck und unbeschränkten Wettbewerb der Branche geprägt sind. Unter diesen Rahmenbedingungen wird die Entstehung von Kooperationen und die Zusammenarbeit für ein Supply Chain Management nicht gewollt oder verhindert.

2. Kooperation in der textilen Kette

Die Marktkoordination funktioniert nicht oder nur ungenügend, wenn erhöhte Anforderungen an die Wertschöpfungskette gestellt werden, wie dies z.B. bei der Beachtung ökologischer Kriterien in der textilen Kette der Fall ist. Allerdings finden sich Kooperationsmodelle nicht nur bezüglich der Integration ökologischer Kriterien. Auch für die Durchsetzung technologischer Innovationen bedarf es häufig einer Kooperation in der Wertschöpfungskette. Auch die vorgenannten Quellen, die die Konkurrenzsituation in der Textilindustrie beleuchten, zeigen alle Wege auf, wie eine Zusammenarbeit oder zumindest

[71] Vgl. Horstmann 1998, 5.
[72] Vgl. Magretta 1998, 104.
[73] Vgl. LaLonde/Pohlen 1996, 1; Horstmann 1998, 1.
[74] Zum Mass Customisation von Bekleidung siehe Piller 1997a, 15-26; Piller 1997b, 70-75.
[75] Vgl. z.B. Fisher et al. 1994, 83ff.

eine effektive Koordination in der Kette aussehen kann, wobei auf den Wechsel der Partner von Saison zu Saison verzichtet wird. Dadurch entsteht die mehrfach erwähnte Konkurrenz von koordinierten Wertschöpfungsketten zueinander.

Selbst für die Durchsetzung von Marktinnovationen, wie sie z.B. das Unternehmen Hennes & Mauritz (H&M) betreibt, ist eine enge Koordination der Wertschöpfungskette notwendig. Hier sind nicht die qualitativen Anforderungen an das Produkt, sondern die sehr enge zeitliche Planung der Vermarktung die Ursache, da H&M die in der Bekleidungsbranche übliche Trennung in Sommer- und Winterkollektionen aufgegeben hat und statt dessen jeden Monat neue Ware in die Läden bringt.[76] *Abbildung 4 hebt die Integration der Material- und Informationsflüsse ebenso wie die notwendige, vertikale Kooperation hervor.*

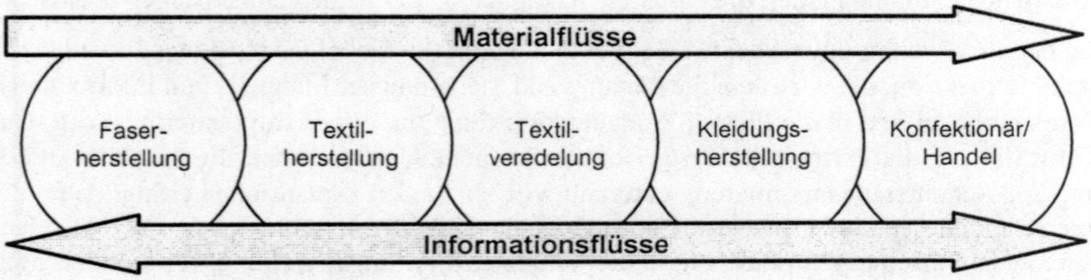

Abbildung 4: Der betrachtete Ausschnitt der textilen Kette
Quelle: Seuring/Schneidewind 2000, 240.

Für die Herstellung ökologisch optimierter Bekleidung ist es notwendig, die gesamte Kette zu koordinieren, da bisher kaum entsprechende Rohware und Verarbeitungsschritte zur Verfügung stehen. So werden zur Zeit nur ca. 0,05% der Baumwolle[77] *weltweit nach Kriterien des ökologischen Anbaus gewonnen. Bekleidungshersteller müssen daher große Anstrengungen unternehmen, um ein Angebot an Öko-Kleidung realisieren zu können.*[78] *Dies umfasst die Suche und Auswahl geeigneter Partner auf allen Stufen der Wertschöpfungskette. Oft müssen Lieferanten erst geschult und technisch entwickelt werden, bevor Öko-Produkte angeboten werden können, die auf allen Stufen der Kette ökologischen Anforderungen gerecht werden.*[79]

---

[76] Vgl. Horstmann 1998, 2.
[77] Angaben auf der Basis einer Auswertung des verfügbaren Angebots an Öko-Textilien. Auskunft von Herrn Arnt Meyer, Universität St. Gallen, 14.08.2000.
[78] Vgl. Ton et. al. 1999, 101-119.
[79] Vgl. Hummel 1997, 134ff; verschiedene Beiträge in Myers/Stolton 1999.

2.2 Der Gegenstandsbereich des Supply Chain Managements

2.2.1 Produkt- und Kooperationsdimension

Eine Systematisierung des Gegenstandsbereiches des Supply Chain Managements bieten Cooper und Slagmulder. Sie umfasst mit der Produktdimension sowohl die Material- und Informationsflüsse als auch mit der Kooperationsdimension die Zusammenarbeit in der Kette.[80] Diese Einteilung wurde in den vorstehenden Abschnitten bereits implizit genutzt und wird anschließend erläutert, begründet und weiter differenziert. Abbildung 5 veranschaulicht diesen Ansatz in der Produkt-Kooperations-Matrix des Supply Chain Managements und benennt gleichzeitig die Felder, die durch die Kombination der beiden Dimensionen entstehen.

Wie bereits erwähnt, unterscheiden Cooper und Slagmulder zwei Dimensionen, nämlich die Produktdimension, die vor allem die Planung und Steuerung der Material- und Informationsflüsse beinhaltet und in die Phasen Produktentwicklung und Produktion unterteilt wird. Dazu tritt die auf die Partnerschaften gerichtete Kooperationsdimension, die in Netzwerkbildung und Schnittstellenoptimierung unterteilt wird. In beiden Dimensionen erfolgt damit die Unterscheidung in die Phase der Entstehung, nämlich des Produktes oder der Kunden-Lieferanten-Beziehung, und die Phase der konkreten Leistungserstellung, für die eine optimal gestaltete Produktion sowie optimal organisierte Schnittstellen zwischen den einzelnen Gliedern der Wertschöpfungskette notwendig sind. Diese Unterteilung hebt hervor, dass sowohl für die Produkte als auch für die Zusammenarbeit mit anderen Unternehmen Entscheidungen getroffen werden, die dann die Basis für die operative Geschäftstätigkeit bilden. Die Einteilung verkürzt komplexe Lebenszykluskonzepte[81] auf zwei Phasen, was mit der notwendigen Reduktion der Komplexität begründet werden kann.

Die von Cooper und Slagmulder gegebenen Erläuterungen zu ihrem Konzept beschränken sich weitgehend auf diese grobe Übersicht, wobei auch die Unterteilung der Dimensionen in nur oder genau zwei Phasen nicht begründet wird[82]. Die weiteren Ausführungen in ihrem Buch beschränken sich weitgehend auf die Analyse oder Optimierung nur eines Feldes einer Dimension. Besondere Bedeutung kommt jedoch der Kombination der einzelnen Felder der Produkt- und der Netzwerkdimension zu.

Eine Zuordnung könnte auch entlang der Begriffe strategisches, taktisches und operatives Management vorgenommen werden. Dies wird an dieser Stelle vermieden, da damit oft auch Fristigkeiten von Entscheidungen verbunden sind, denen bei den gewählten Begriffen keine Bedeutung zukommt. Als Beispiel sei angeführt, dass in machen Branchen Produktwechsel sehr viel schneller erfolgen als der Aufbau von Lieferbeziehungen in der Kette. Verwiesen sei exemplarisch auf die Bekleidungsindustrie, die bei maximal halbjährlichen Produktzyklen oft längerfristige Lieferanten-Kunden-Beziehungen nutzt, insbesondere wenn Optimierungen in der Wertschöpfungskette erreicht werden sollen.[83] Daher wird die schon in Abbildung 5 enthaltene Systematik bevorzugt, so dass aus der Kombination der beiden Dimensionen vier Integrationsfelder resultieren.

---

[80] Vgl. Cooper/Slagmulder 1999, 10.

[81] Zum Produktlebenszyklus vgl. die frühe Arbeit von Levitt 1965, 81-94; zu Lebenszykluskonzepten insbesondere Höft 1992. Im folgenden Kapitel wird unter dem Stichwort der Lebenszykluskostenrechnung kurz auf solche Konzepte eingegangen.

[82] Vgl. Cooper/Slagmulder 1999, 10.

[83] Siehe z.B. das Beispiel bei: Fisher et. al. 1994, 83ff.

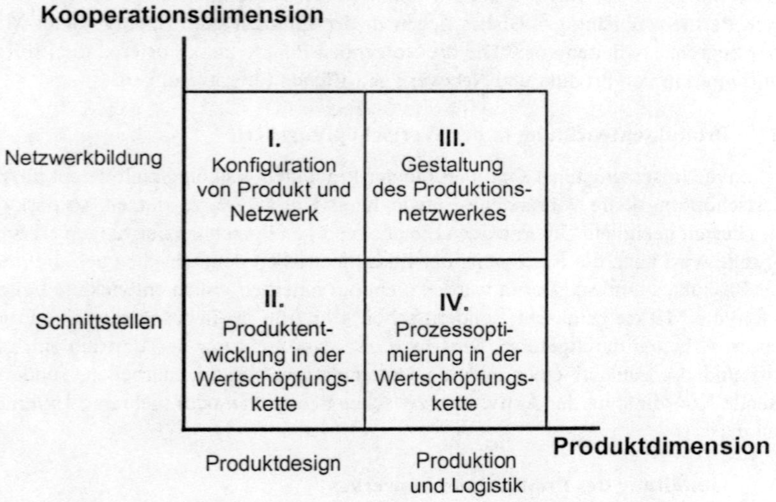

Abbildung 5: Die Produkt-Kooperations-Matrix des Supply Chain Managements
Quelle: eigene.

Diese vier Punkte werden kurz erläutert, wobei wesentliche Entscheidungsspielräume aufgezeigt werden. In der weiteren Folge des Kapitels erfolgt eine vertiefte Betrachtung, indem die Produkt- und die Kooperationsdimension sowie die vier Integrationsfelder mit existierenden Ansätzen verglichen werden.

2.2.1.1 Konfiguration von Produkt und Netzwerk

Die Konfiguration von Produkt und Netzwerk umfasst die wesentlichen Entscheidungen, welche Produkte oder Dienstleistungen im Verbund mit welchen Unternehmen angeboten werden.[84] Der damit grundsätzlich angesprochene Entscheidungsraum beinhaltet im weitesten Sinne auch die Wahl, welche Koordinationsform für die Gestaltung der zu vermarktenden Leistung optimal ist. Im Sinne des Transaktionskostenansatzes[85] ist dabei zwischen den Extremformen Markt und Hierarchie zu wählen. Märkte bilden eine der wesentlichen Formen, um Leistungen zwischen verschiedenen Wirtschaftseinheiten zu tauschen und zu koordinieren. Im Gegensatz dazu steht Hierarchie für die komplette Integration verschiedener getrennt erbringbarer Leistungen in einem Unternehmen. Im Supply Chain Management implizieren viele Autoren, dass keine dieser beiden Extremformen zu optimalen Lösungen führt, so dass hybride Lösungen bevorzugt werden. Statt dessen wird die Existenz von Wertschöpfungsketten vorausgesetzt, wobei auch in diesen verschiedene Ausprägungen von Koordinationsmechanismen vorliegen können. Die Arbeiten zur Erklärung dieser unterschiedlichen Koordinationsformen stehen in engem Zusammenhang zu anderen Konzeptionen, von denen einige im folgenden Abschnitt aufgegriffen werden. Insgesamt wird angenommen, dass Wertschöpfungsketten in der Lage sind, die Nachteile beider Extremformen zu vermeiden, so dass die Wettbewerbsfähigkeit der Kette höher ist, als die der einzelnen Unterneh-

[84] Vgl. Fine 2000, 213.
[85] Vgl. die Ausführungen zum Transaktionskostenansatz in Abschnitt 1.1.

men in der Kette.[86] Die dabei zu treffenden Entscheidungen sind in hohem Maße von der Machtverteilung[87] in der Kette und auch von weichen Faktoren wie Vertrauen[88] zwischen einzelnen Partnern abhängig.[89] Bisher liegen in der Literatur zum Supply Chain Management nur begrenzt Arbeiten vor.[90] Die drei folgenden Punkte konkretisieren die im Rahmen der Konfiguration von Produkt und Netzwerk getroffenen Entscheidungen.

2.2.1.2 Produktentwicklung in der Wertschöpfungskette

Die operative Umsetzung einer Optimierung der Produktentwicklung zielt darauf ab, dass in der Wertschöpfungskette vorhandene Entwicklungs-Know-how zu nutzen, so dass das jeweils am besten geeignete Unternehmen die notwendigen Forschungsleistungen erbringt. An dieser Stelle wird auch die Reichweite der Zusammenarbeit deutlich, die auch die Entwicklung des Produktes umfasst. Damit werden nicht nur innerbetrieblich entwickelte Leistungen über anonyme Märkte getauscht, sondern schon sehr früh im Lebenszyklus des Produktes gemeinsam Arbeiten durchgeführt. Dies zeigt auf, dass nicht nur der Vertrieb eines Unternehmens und der Einkauf eines anderen Unternehmens zusammenarbeiten, sondern eine umfassende Koordination der Aktivitäten zwischen den beiden oder mehreren Unternehmen erfolgen muss.

2.2.1.3 Gestaltung des Produktionsnetzwerkes

Bei der Gestaltung des Produktionsnetzwerkes geht es darum festzulegen, welches Unternehmen genau welchen Schritt des Produktionsprozesses übernimmt. Wie schon bei der vorhergehenden Produktentwicklung zielen diese Überlegungen auf die optimale Nutzung der Potentiale der einzelnen Unternehmen. Allerdings stehen nun die Möglichkeiten der Produktion und Logistik im Vordergrund, wobei Optimierungen nicht durch Verbesserungen bei einzelnen Systemelementen erreicht werden, sondern aus Veränderungen des Gesamtsystems resultieren. Dies betrifft z.B. die Anordnung der einzelnen Produktionsschritte oder auch die optimale Verteilung von Lagerbeständen entlang der Kette.

2.2.1.4 Prozessoptimierung in der Wertschöpfungskette

Durch Prozessoptimierungen in der Wertschöpfungskette sollen die Probleme traditioneller Ketten vermieden werden. Dabei steht die konkrete Gestaltung der Material- und Informationsflüsse zwischen den Unternehmen der Wertschöpfungskette im Mittelpunkt der Analyse und Optimierung. Bis zu diesem Punkt werden wesentliche Entscheidungen bereits getroffen, so dass der Schwerpunkt auf der Optimierung vorhandener Ketten liegt. Eine Vielzahl von Beiträgen zum Supply Chain Management beschreibt Beispiele, in denen Verbesserungen einzelner Aspekte zu einer optimierten Funktionsweise der Wertschöpfungskette geführt haben.

---

[86] Vgl. z.B. Vollmann/Cordon/Raabe1998, 378; Stadler 2000, 9.

[87] Vgl. z.B. Buzzell/Quelch/Salmon 1990, 141-148; Maloni/Benton 2000, 49-73.

[88] Vgl. z.B. Blois 1999, 197-215; Aulinger 2000, 123-149; Specht/Hellmich 2000, 104.

[89] Siehe auch die kritische Analyse der SCM-Literatur bei New 1997, 15-22.

[90] In dieser Arbeit wird von diesen Faktoren abstrahiert, obwohl sie für die Gestaltungsspielräume, die Unternehmen zur Verfügung stehen, von großer Bedeutung sind. Die damit angesprochene Literatur zur Wettbewerbstheorie oder auch zur Unternehmenstheorie ist sehr weitläufig und kann an dieser Stelle nicht berücksichtigt werden, zumal damit oft eine Kritik an der vorherrschenden Lehrmeinung einhergeht, nach der Unternehmen als Anpassungsoptimierer zu verstehen sind. Exemplarisch sei auf den Sammelband von Beschorner/Pfriem 2000 verwiesen, der einzelne Ansätze dazu enthält.

Die einzelnen Felder sind, wie schon die Beschreibungen zeigen, nur unscharf voneinander abgegrenzt. Dennoch stellt die genannte Reihenfolge auch eine vereinfachte zeitliche Abfolge dar. Bei der späteren Diskussion ausgewählter Instrumente des Supply Chain Managements wird dies noch deutlicher werden, so dass dafür idealtypische Zuordnungen zu treffen sind, ohne gleichzeitig die Auswirkungen bzw. Anwendbarkeit einzelner Instrumente auf andere Felder zu vergessen.

2.2.2 Grundprinzipien und Zielgrößen des Supply Chain Managements

2.2.2.1 Grundprinzipien des Supply Chain Managements

Auf der Basis der zuvor dargestellten Ansätze sollen nun Grundprinzipien und Zielgrößen des Supply Chain Managements vorgestellt werden, bevor auf einzelne Methoden genauer eingegangen wird. Bei den Grundprinzipien besteht trotz der Vielfalt der genutzten Begriffe eine recht große Übereinstimmung. Die Analyse der Literatur lässt sich dabei auf drei Punkte verdichten.

1. Marketing- bzw. Kundenorientierung:

Alle Aktivitäten in der Wertschöpfungskette dienen letztlich der Bedienung eines Kundennutzens. Diesem Prinzip kommt eine zentrale Bedeutung zu, da es ohne die Kundenbedürfnisse keine Wertschöpfungskette und die damit verbundenen Aktivitäten gäbe.[91]

2. Integrations- und Effektivitätsprinzip:

Dieses Prinzip wird mit einer Vielzahl anderer Begriffe umschrieben. Ohne Anspruch auf Vollständigkeit seien genannt: Systemdenken,[92] Integrations- und Kooperationsprinzip,[93] Single Entity Überlegungen.[94] Hinter all diesen Termini steht der Gedanke, dass die gesamte Wertschöpfungskette als eine Einheit zu analysieren und zu gestalten ist, da Wettbewerb nicht mehr zwischen Unternehmen sondern zwischen Wertschöpfungsketten stattfindet, so dass effektiv arbeitende Ketten gestaltet werden.[95] Die so angestrebten Optimierungen leiten zum dritten Prinzip über.

3. Effizienzprinzip:

Für diesen Begriff finden sich ebenfalls vielfältige Synonyme: z.B. Prozessdenken,[96] Gesamtkostendenken,[97] Informationsprinzip[98] oder Querschnittsdenken.[99] Das Effizienzprinzip steht für die konkrete Ausgestaltung der Wertschöpfungskette. Zusammen mit dem Integrationsprinzip soll erreicht werden, dass nicht einzelne Funktionen oder Unternehmen optimiert werden, sondern die gesamte Supply Chain. Dadurch sollen suboptimale Lösungen vermieden werden.[100]

---

[91] Vgl. z.B. Jones/Riley 1985, 17; Stevens 1989, 3; Christopher 1998a, 23ff; Kuglin 1998, 9; Stadler 2000, 10f.

[92] Vgl. z.B. Scott/Westbrook 1991, 23; Bechtel/Jayaram 1997, 15ff; Chase/Aquilano/Jacobs 1998, 466; Handfield/Nichols 1999, 1ff.

[93] Vgl. z.B. Houlihan 1985, 27; Christopher 1998a, 15; Handfield/Nichols 1999, 1ff; Waller 1999, 496; Johnson/Pyke 2000b, 2; Stadler 2000, 12; National Reserach Council 2000, 27.

[94] Vgl. z.B. Scott/Westbrook 1991, 23; Cooper/Ellram 1993, 14; Towill 1996b, 41; Cohen/Mallik 1997, 193; Lummus/Vokurka 1999, 12; Mason-Jones/Towill 1999, 62.

[95] Vgl. z.B. Christopher 1998a, 28ff; Vollmann/Cordon/Raabe 1998, 374; Krüger/Steven 2000, 548; Speckman /Kamauff/Myhr 1998, 53; Johnson/Pyke 2000b, 3.

[96] Vgl. Cooper/Lambert/Pagh 1997, 2; Stewart 1997, 62; Beamon 1999, 275.

[97] Vgl. Stevens 1989, 3; Bechtel/Jayaram 1997, 21; Beamon 1999, 277.

[98] Vgl. Cohen/Mallik 1997, 193; Christopher 1998a, 16.

[99] Vgl. Ross 1997, 13; Bechtel/Jayaram 1997, 22; Chandra/Kumar 2000, 102.

[100] Vgl. Sterman 1989, 321-339; Lee/Padmanabhan/Whang 1997b, 93-112; Wilding 1998, 599-616.

2.2.2.2 Zielgrößen des Supply Chain Managements

Wie in der betriebswirtschaftlichen Literatur üblich werden Sachziele und Formalziele unterschieden. Wiederum können die vielfältigen Begriffe auf wenige zentrale Aspekte verdichtet werden, die sich unmittelbar aus den eben beschriebenen Grundprinzipien ableiten.

Das Formalziel des Supply Chain Managements kann beispielhaft in der folgenden Form formuliert werden: Supply Chain Management zielt darauf ab, die Gesamtheit der Ressourcen zu minimieren, die notwendig sind, um Kundenbedürfnisse in einem Segment zu bedienen.[101] Häufig finden sich auch Beschreibungen, die auf die niedrigsten Gesamtkosten bzw. die Sicherung der Wettbewerbsfähigkeit und die Verbesserung der Leistungsfähigkeit in der Wertschöpfungskette abzielen, worauf gerade mit dem Integrationsprinzip hingewiesen wurde. Sachziele werden stärker an den konkreten Material- und Informationsflüssen festgemacht, die mit Lieferanten und Kunden koordiniert werden, so dass minimale Lieferzeiten, geringe Bestände und ein optimaler Servicelevel erreicht werden.[102]

Eine Unterteilung der Zielgrößen und der davon abgeleiteten Planungs- und Steuergrößen kann dabei in Anlehnung an die formulierten Grundprinzipien bezüglich des Outputs und des Inputs der Wertschöpfungskette[103] vorgenommen werden, die in gegenseitiger Abhängigkeit zueinander stehen:

- Output: Das Ziel der Wertschöpfungskette ist die optimale Befriedigung der Kundenbedürfnisse, z.B. durch hohe Lieferbereitschaft, geringe Lieferzeit oder kundenindividuelle Produkte.[104]
- Input: Ziel ist die Minimierung der zur Erstellung einer Leistung notwendigen Ressourcen wie Material, Bestände, Personal und Kapazitäten. Häufig wird dies unter möglichst niedrigen Gesamtkosten zusammengefasst.[105] Gleichzeitig soll eine hohe Flexibilität in der Wertschöpfungskette erreicht werden. Dies betrifft gleichermaßen die Produktionskapazität in der Kette vorhandener Produkte wie die Fähigkeit, veränderte oder neue Produkte anbieten zu können.[106]

Die vorstehend gewählten Bezeichnungen werden jeweils als Optimierungsvorschriften formuliert. Dabei ist selbstverständlich zu berücksichtigen, dass entweder der Minimal- oder der Maximalausprägung des Wirtschaftlichkeitsprinzips gefolgt werden kann, so dass Übereinstimmungen und Konflikte zwischen den Zielen zu berücksichtigen sind.[107]

---

[101] Nach Kotzab 2000, 34; Originalzitat bei Cooper/Lambert/Pagh 1997, 2f.

[102] Diese Ziele sind durchaus identisch mit solchen, die für einzelne Unternehmen oder Funktionen formuliert werden. Für PPS-Systeme sind dies z.B. kurze Durchlaufzeit, hohe Kapazitätsauslastung, geringe Bestände und hohe Lieferbereitschaft und Termintreue. Siehe z.B. Steven/Meyer 1998, 21.

[103] Vgl. die Zielgrößen, die z.B. in den folgenden Beiträgen genannt werden: Ross 1997, 247ff; Cooper/Lambert/Pagh 1997, 3; Christopher 1998a, 23ff; Evans/Danks 1998, 24ff; Beamon 1999, 280ff.

[104] Vgl. Stevens 1989, 3; Ellram 1991, 13; Cooper/Ellram 1993, 14; Abrahamson/Brege 1997, 35; Cooper/Lambert/Pagh 1997, 2; Bechtel/Jayaram 1997, 16; Ganeshan et. al. 1998, 843; Christoper 1998a, 23; Lambert/Cooper/Pagh 1998, 1; Tyndall et. al. 1998, 9; Beamon 1999, 277ff; Kansky/Weingarten 1999, 87; Kotzab 2000, 34; Krüger/Steven 2000, 547; Brewer/Speh 2000, 75; Chandra/Kumar 2000, 100-113.

[105] Vgl. Stevens 1989, 3; Ellram 1991, 13; Cooper/Ellram 1993, 14; Hewitt 1994, 2; LaLonde/Pohlen 1996, 1; Abrahamson/Brege 1997, 35; Christoper 1998a, 25; Tyndall et. al. 1998, 11; Ganeshan et. al. 1998, 845; Beamon 1999, 277ff; Mason-Jones/Towill 1999, 62; Brewer/Speh 2000, 75; Chandra/Kumar 2000, 100-113; National Reserach Council 2000, 54.

[106] Vgl. Stevens 1989, 3; Cooper/Lambert/Pagh 1997, 1; Christoper 1998a, 27; Beamon 1999, 284; Handfield et. al. 1999, 59ff; Krüger/Steven 2000, 547.

[107] Vgl. z.B. Stevens 1989, 3; Cooper/Lambert/Pagh 1997, 3; Christopher 1998a, 23.

Kasten 3: Grundprinzipien des Supply Chain Managements bei Sport Obermeyer[108]

Am Ende der Saison kann modische Bekleidung nur mit großen Preisnachlässen verkauft werden. Dadurch entsteht ein hoher Druck auf die Wertschöpfungskette, der bei Spezialbekleidung noch durch weitere Faktoren erhöht werden kann. So ist z.B. der Verkauf von Wintersportbekleidung zusätzlich vom Wetter abhängig. Gleichzeitig gilt bei dieser Bekleidung, dass ein Verkauf nur möglich ist, wenn die Ware konkret vorhanden ist, da Kunden sonst auf andere Geschäfte ausweichen. All diese Faktoren führen dazu, dass Verkaufsprognosen und die davon abhängige Planung der Produktion sehr schwierig sind. In klassischen Wertschöpfungsketten liegen die Risiken nicht bedienter Kunden und obsoleten Inventars wesentlich beim Handelsunternehmen.

Sport Obermeyer, ein Konfektionär von Wintersportbekleidung, stand vor der Herausforderung, diese Probleme alle auf einmal anzugehen. Dafür wurde ein neues Prognoseverfahren entwickelt, das auf die enge Zusammenarbeit mit den Verkäufern in den Sportgeschäften und mit den Lieferanten setzt.

Die Planung der neuen Saison wurde verbessert, indem die Verkäufer in den einzelnen Geschäften in die Prognose einbezogen wurden. Zusätzlich wurde in den Geschäften neben den ohnehin erfassten Kosten für nicht verkaufte Ware ein System eingeführt, das darauf abzielt, die Anzahl nicht bedienter Kunden zu dokumentieren.

Diese kundenahen Maßnahmen wurden durch eine engere Zusammenarbeit mit den Lieferanten ergänzt. Eine frühzeitige Reservierung von Produktionskapazitäten garantiert, dass Ware rechtzeitig gefertigt werden kann. Durch diese Reservierung können aber auch spätere Fertigungstermine realisiert werden. Da die Lieferanten sicher sind, dass die Produktionskapazitäten genutzt werden, sind sie bereit, hochmodische Produkte kurzfristiger zu fertigen. Durch zusätzliche Veränderungen in der Logistik konnten insgesamt geringere Fertigungs- und Lieferzeiten realisiert werden.

Das Beispiel zeigt, wie die drei Grundprinzipien der Markt- und Kundenorientierung, das Integrationsprinzip und das Effizienzprinzip ineinander spielen. Signifikante Verbesserungen der Zusammenarbeit in der Wertschöpfungskette wirken oft positiv auf alle drei Grundprinzipien.

2.2.3 Konzepte, Modelle und Instrumente im Supply Chain Management

In den weiteren Abschnitten dieses Kapitels wird der Gegenstandsbereich des Supply Chain Managements schrittweise erfasst. Dazu werden der Reihe nach drei Ebenen gewählt: zuerst die der Konzepte, dann die der Modelle und zuletzt die instrumentelle Ebene. Diese Einteilung folgt im weiteren Sinne dem St. Galler Managementkonzept, das in der Ausgestaltung auf diese drei Ebenen konkretisiert wird.[109]

Konzepte umfassen grundlegende Systematisierungen und erschließen ein breites Thema. Modelle versuchen innerhalb eines Themas eine Ordnung oder Strukturierung zu entwickeln, während Instrumente Ansätze zur Lösung spezieller Fragestellungen bieten.[110] Dabei wird keine vollständige Erfassung, sondern eine schrittweise Erörterung des Themas angestrebt, die insgesamt dazu dient, den Gegenstandsbereich des Supply Chain Managements zu beschreiben. Insbesondere die Ebene der Modelle und der Instrumente greift die bestehende Literaturbasis zum Supply Chain Management auf. Die Anzahl verfügbarer Modelle

[108] Das Beispiel basiert auf den Beiträgen von Fisher et. al. 1994, 83-93; Fisher et. al. 1998, 211-225.
[109] Vgl. Bleicher 1996, 72ff.
[110] Vgl. Seghezzi 1996, 198; Pischon 1999, 98.

im Supply Chain Management ist bisher noch begrenzt. Trotzdem bieten die vorhandenen Beiträge eine gute Möglichkeit, den für diese Arbeit gewählten Gegenstandsbereich des Supply Chain Managements zu überprüfen. Bei der Darstellung der Instrumente liegt die Zielsetzung darin, einen Überblick zu geben, da eine vollständige Erfassung auf dieser Ebene aufgrund der Fülle des vorliegenden Materials nicht möglich ist. Es sei betont, dass diese Dreiteilung sicherlich nicht unkritisch ist, da die Abgrenzungen zwischen den einzelnen Ebenen unscharf sind. So wird in den unter dem Begriff Modell erfassten Beiträgen teilweise auch von Konzeptionen gesprochen.[111] Damit könnte auch von Meta-Konzepten auf der Ebene des Supply Chain Managements sowie von Konzepten innerhalb des Supply Chain Managements die Rede sein. Um diese sprachliche Unklarheit zu vermeiden, wird die Einteilung in Konzepte, Modelle[112] und Instrumente[113] bevorzugt.

2.3 Vergleich des Supply Chain Managements mit anderen Konzepten

Das Supply Chain Management steht zu weiteren Konzepten in enger Beziehung. Indem das Supply Chain Management von diesen abgegrenzt wird, gelingt es, seinen Gegenstandsbereich konkreter zu fassen. Dazu soll kurz auf das Kooperationsmanagement, virtuelle Unternehmen, Lean Management und Stoffstrommanagement eingegangen werden. Die Auswahl dieser Konzepte begründet sich daraus, dass sie in der Literatur zum Supply Chain Management angeführt werden, so dass sie geeignet sind, dessen Erklärungsinhalt herauszuarbeiten. Die eigentliche Erklärung für die Auswahl dieser vier Konzepte erfolgt daher immanent durch ihre Beschreibung und Abgrenzung in den folgenden Abschnitten.

2.3.1 Kooperationsmanagement

2.3.1.1 Begriffsbestimmung

Wie bereits ausgeführt, sind Kooperationen Koordinationsformen, die zwischen den Extremen Markt und Hierarchie liegen.[114] Markt steht dabei für die reine Koordination über Marktmechanismen, während Hierarchie dies innerhalb von vertikal integrierten Unternehmen beschreibt. Kooperation kann wie folgt definiert werden: *„Kooperation dient der Steigerung der Effizienz bei dem Erreichen von Zielen mehrerer Beteiligter, wenn zwischen den Zielen der Beteiligten gleichgerichtete Wechselbeziehungen bestehen.“*[115] Enger auf die wirtschaftliche Ebene bezogen definiert Knoblich die Kooperation als *„auf freiwilliger, vertraglicher Vereinbarung beruhende Zusammenarbeit mindestens zweier rechtlich und wirtschaftlich selbständig bleibender Unternehmungen in bestimmten Teil bereichen“*.[116]

Eine umfassende Beschreibung von Kooperationen zwischen Unternehmen ermöglicht z.B. der von Aulinger vorgestellte morphologische Kasten zur Typologisierung von Kooperationsformen.[117] Eine Analyse industrieller Beziehungen aus der Sicht verschiedener Theorien

---

[111] Als prägnantes Beispiel siehe: Kotzab 2000, 21-47.
[112] Zur Verwendung des Begriffs im SCM Kontext siehe z.B.: Kotzab 2000, 27.
[113] Zur Verwendung des Begriffs im SCM Kontext siehe z.B.: Hahn 2000, 17.
[114] Vgl. Sydow 1992, 98ff; Picot/Dietl 1990, 178.
[115] Aulinger 1996, 31.
[116] Knoblich 1969, 503; siehe auch Pampel 1993, 9ff; Aulinger 1996, 30ff und Horstmann 1998, 32ff.
[117] Vgl. Aulinger 1996, 77.

bietet Stölzle.[118] Diese Arbeiten stehen exemplarisch für die inhaltliche Ausgestaltung, die das Kooperationsmanagement in den letzten Jahren erfahren hat.

2.3.1.2 Einordnung im Verhältnis zum Supply Chain Management

Das Supply Chain Management schließt damit an die aktuelle Forschung zu Unternehmensnetzwerken[119] und Kooperationen[120] an. Im Supply Chain Management werden nur Kooperationen entlang der Wertschöpfungskette, d.h. vertikale Kooperationen, betrachtet. Daneben können in anderen Kontexten auch horizontale oder laterale Kooperationen beobachtet werden.[121]

Während vertikale Kooperationen unmittelbar auf die Gestaltung von Marktleistungen Einfluss nehmen, zielen horizontale Kooperationen, die Unternehmen einer Branche miteinander eingehen, darauf ab, Branchenstrukturen und Rahmenbedingungen zu beeinflussen.

Verbände oder Industrievereinigungen sind ein typisches Beispiel. Hauptziele sind dann z.B. (1) die Vertretung der Mitglieder gegenüber Gesetzgeber, Institutionen und Öffentlichkeit, (2) Informationen der Verbraucher und anderer Anspruchsgruppen oder (3) der Verbesserung der Kommunikation zwischen den Mitgliedsunternehmen.

Eine Erweiterung horizontaler Kooperationen stellen laterale oder gesellschaftsbezogene Kooperationen dar, bei denen nicht nur Unternehmen einer Branche, sondern verschiedene Akteure, z.B. auch Nicht-Regierungs-Organisationen, zusammenarbeiten. Aus Sicht der Unternehmen fällt hierunter die Kooperation mit (nicht-marktlichen) Anspruchsgruppen, d.h. politischen Institutionen (Behörden, Gesetzgeber), Nicht-Regierungs-Organisationen und Umweltgruppen.

Ein bekanntes Beispiel einer gesellschaftsbezogenen Kooperation war die Zusammenarbeit des BUND (Bund für Umwelt und Naturschutz Deutschland) mit der Kaufhausgruppe Hertie, bei der Teile des Hertie-Sortiments von Mitarbeitern beider Organisationen auf ihre ökologische Verträglichkeit untersucht wurden. Erfüllten die Produkte die angelegten Kriterien nicht, so wurden sie konsequent aus dem Sortiment von Hertie ausgelistet.[122]

Aus diesen kurzen Ausführungen wird die Bedeutung ersichtlich, die dem Management von Kooperationen für Unternehmen zukommt. Bei der Diskussion der Instrumente des Supply Chain Managements werden weitere Aspekte des Themas im engeren Fokus dieser Arbeit aufgegriffen.

2.3.2 Virtuelles Unternehmen

2.3.2.1 Begriffsbestimmung

Der Begriff des Virtuellen Unternehmens hat in letzter Zeit große Bedeutung gewonnen. Virtuell steht für eine „als-ob-Realität",[123] so dass virtuelle Unternehmen nach außen hin zwar als Unternehmen auftreten, ohne nach innen hin real vorhanden zu sein.[124] Dabei werden eine funktionale und eine institutionale Sichtweise unterschieden. In funktionaler Sicht bezeichnet Virtualität als Gestaltungs- und Organisationsprinzip die räumliche und zeitliche

---

[118] Vgl. Stölzle 1999.
[119] Vgl. Sydow 1992, Wildemann 1996.
[120] Vgl. Pampel 1993; Aulinger 1996; Frigo-Mosca 1998; Horstmann 1998; Schneidewind 1998.
[121] Vgl. Schneidewind 1995, 16; Aulinger 1996, 77ff.
[122] Vgl. Schneidewind 1995, 18.
[123] Vgl. Davidow/Malone 1993, 13.
[124] Vgl. z.B. Scholz 1996, 204; Kaluza/Blecker 1999, 3.

Entkopplung von Prozessen. Bei einer institutionalen Betrachtung bezeichnen Virtuelle Unternehmen Gebilde aus rechtlich und wirtschaftlich selbständigen Unternehmen, die als zeitlich begrenzte Netzwerke auftreten.[125] Eine umfassende Charakterisierung Virtueller Unternehmen bietet Blecker:[126]

- *„Intendiert temporärer Zusammenschluss,*
- *Verflechtung rechtlich und wirtschaftlich selbständiger Unternehmen,*
- *Konzentration der Akteure auf ihre Kernkompetenzen sowie zeitlich begrenzte und auftragsbezogene Bündelung dieser Kernkompetenzen,*
- *Gegenseitige Ergänzung der Akteure bei der Leistungserstellung,*
- *Zielkongruenz der Akteure,*
- *Hohes gegenseitiges Vertrauen,*
- *Hoher Stellenwert der Kundenorientierung,*
- *Keine zentralisierte und/oder formalisierte Aufbauorganisation,*
- *Reale Strukturen des Virtuellen Unternehmens und seiner Akteure sind von den Marktpartnern nicht oder nur begrenzt wahrnehmbar,*
- *Intensiver Einsatz moderner Informations- und Kommunikationstechnologien,*
- *Individualisierte Produkte.*“

Bis auf den ersten Punkt treffen alle so beschriebenen Eigenschaften auch auf die Zusammenarbeit von Unternehmen im Supply Chain Management zu, was bereits zum Vergleich der beiden Konzepte überleitet.

2.3.2.2 Einordnung im Verhältnis zum Supply Chain Management

Eine Abgrenzung und Integration der beiden Konzepte leisten Kaluza und Blecker[127]. In ihrer Arbeit stellen sie die Gemeinsamkeiten der beiden Konzepte heraus, die beide als *„interorganisationale Ansätze eine intensive Abstimmung ökonomischer Aktivitäten über Unternehmensgrenzen hinweg in den Mittelpunkt der Betrachtung stellen*“.[128] Das gemeinsame Ziel besteht darin, kooperativ Wettbewerbsvorteile zu erreichen, so dass für alle beteiligten Unternehmen win-win-Situationen entstehen, wofür ein Abweichen von einzelwirtschaftlichen Optima notwendig sein kann, da diese im Gesamtzusammenhang zu suboptimalen Lösungen führen.[129] Als abgrenzendes Kriterium wird der unterschiedliche Zeithorizont der Konzepte herausgestellt. Das Supply Chain Management ist eher auf mittel- bis langfristige Kooperationen gerichtet, während die Zusammenarbeit in Virtuellen Unternehmen zeitlich klar begrenzt ist.[130] Dieser Widerspruch löst sich darüber auf, dass Virtuelle Unternehmen nur auf Basis eines Beziehungsnetzwerkes etabliert werden können bzw. auch im Supply Chain Management kurzfristige Anpassungen notwendig sind. Daher kommen Kaluza und Blecker zum Schluss, dass von einem hohen strategischen Fit des Supply Chain Managements und der Virtuellen Unternehmung auszugehen ist.[131]

---

[125] Vgl. z.B. Scholz 1996, 204f; Kaluza/Blecker 1999, 3.
[126] Blecker 1999, 30.
[127] Vgl. Kaluza/Blecker 1999; Kaluza/Blecker 2000.
[128] Kaluza/Blecker 1999, 10.
[129] Vgl. Kaluza/Blecker 1999, 10.
[130] Vgl. Kaluza/Blecker 1999, 17. Siehe auch Picot/Reichwald/Wigand 1998, 15.
[131] Vgl. Kaluza/Blecker 1999, 18.

Weniger deutliche Trennungen der beiden Konzepte finden sich bei anderen Autoren, die in ihren Beiträgen keine Abgrenzung vornehmen und damit implizieren, dass Supply Chain Management und Virtuelle Unternehmen zumindest komplementär sind. Dies begründet sich z.B. aus Überlegungen der Wettbewerbsfähigkeit. Da Wettbewerb zunehmend zwischen Wertschöpfungsketten stattfindet,[132] müssen sich diese flexibel und damit im Sinne Virtueller Unternehmen organisieren,[133] wobei auch internet-basierten Lösungen eine besondere Bedeutung zukommt.[134]

2.3.3 Lean Management

2.3.3.1 Begriffsbestimmung

Ein weiteres Konzept, dass für die Entwicklungen im Supply Chain Management von Bedeutung ist, liegt mit dem Lean Management vor. Lean Management, übersetzt mit schlankes oder auch straffes Management,[135] zielt darauf ab, alle nicht notwendigen Prozesse sowohl aus der Produktion[136] als auch aus dem gesamten Management zu entfernen. Eine Abgrenzung erfolgt dabei insbesondere zur klassischen Massenproduktion.[137] Diese Überlegungen wurden zuerst in japanischen Unternehmen angestellt, wobei insbesondere das Toyota Production System eine zentrale Rolle spielte.[138] Lean Management basiert dabei auf den Prinzipien Teamarbeit, Kommunikation, effizienter Gebrauch von Ressourcen und Beseitigung von Verschwendung sowie der kontinuierlichen Verbesserung.[139] Diese Prinzipien werden auch in den „Five Zeros" zum Ausdruck gebracht: Null Lagerbestände, Null Maschinenausfälle, Null Fehler, Null Verspätungen, Null Papier.[140]

Auf der Basis der integrierten Anwendung dieser Prinzipien steht Lean Management für Methoden und Maßnahmen zur effektiven und effizienten Planung, Gestaltung und Kontrolle der gesamten Wertschöpfungskette von Gütern und Dienstleistungen[141]. Das dabei übergeordnet verfolgte Ziel liegt darin, die Systemwirtschaftlichkeit kurz-, mittel- und langfristig zu optimieren.[142]

Die Untersuchungsprinzipien werden dabei in inhaltliche (auf das Ergebnis bezogene) und prozessuale unterschieden, so dass es möglich wird, alle Gestaltungsfaktoren des Unternehmens (Input, Output, Personal, Technologie und Organisation) zu optimieren.[143] Als Beispiel wird auf Materialbestände verwiesen. Bei hohen Materialbeständen werden ineffiziente Prozesse unter dieser „Oberfläche" verborgen. Erst wenn die Bestände reduziert werden, kommen die eigentlichen Probleme zum Vorschein, nämlich Maschinenausfall- und Rüstzeiten, verspätete, falsche oder qualitativ ungenügende Anlieferung, Änderungen der Produkte oder

---

[132] Siehe die Ausführung in Abschnitt 1.1 und die dort angegebenen Quellen.
[133] Vgl. Vollmann/Cordon/Raabe 1998, 380; Tyndall et. al. 1998, 17; Köpfli 1997, 32ff; National Reserach Council 2000, 29.
[134] Vgl. z.B. Graham/Hardaker 2000, 286-295; National Reserach Council 2000, 72-78.
[135] Vgl. Jürgens 1994, 371.
[136] Das Konzept des Lean Management ist zuerst als Lean Production entstanden. Vgl. z.B. Womack/Jones 1994, 93-103.
[137] Vgl. Womack/Jones/Ross 1991, 19ff.
[138] Vgl. Womack/Jones/Ross 1991; Hines 1998, 911-918.
[139] Vgl. Womack/Jones/Ross 1991, I.
[140] Vgl. Waller 1999, 449.
[141] Vgl. Pfeiffer/Weiß 1996, 1047.
[142] Vgl. Pfeiffer/Weiß 1996, 1048.
[143] Vgl. Pfeiffer/Weiß 1996, 1047ff; Lewis 2000, 962.

der Auftragsreihenfolge.[144] Viele dieser Überlegungen werden auch im Supply Chain Management aufgegriffen.

2.3.3.2 Einordnung im Verhältnis zum Supply Chain Management

Unter dem Titel „Supply Chain Development for the Lean Enterprise" ist 1999 eine Arbeit von Cooper und Slagmulder erschienen, die Lean Management und Supply Chain Management (siehe Abschnitt 1.1) integriert.[145] Eine wesentliche Überlegung dieser schon im vorhergehenden Abschnitt aufgegriffenen Publikation besteht darin, dass sich Firmen im als „Survival Triplet" bezeichneten Spannungsfeld von Kosten, Funktionalität und Qualität ihrer Produkte bewegen müssen, wobei für jede dieser Einflussgrößen sowohl minimale Anforderungen eingehalten werden müssen als auch nur begrenzt maximale Verbesserungen erreicht werden können, wie Abbildung 6 aufzeigt.[146]

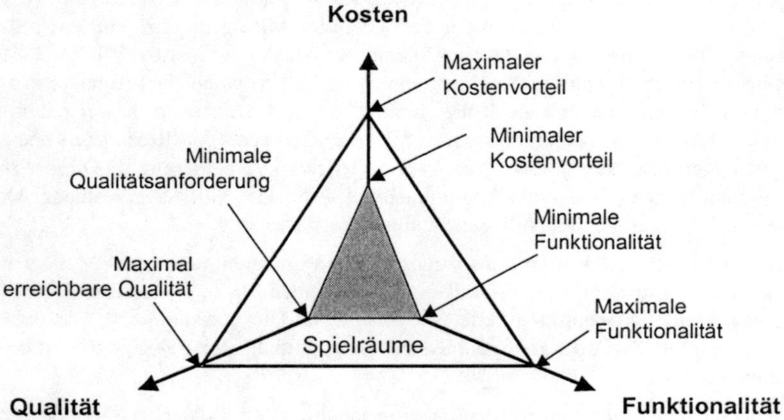

Abbildung 6: Spielräume im Lean Management
Quelle: Leicht verändert nach: Cooper/Slagmulder 1999, 7.

Um im damit geschaffenen Entscheidungsraum zusammen mit den anderen Unternehmen einer Wertschöpfungskette agieren zu können, unterscheiden die Autoren zwei wesentliche Dimensionen, nämlich die „Product Dimension", die aus den Phasen Produktdesign und Produktion (und Logistik) besteht, und die „Relationship Dimension", die in Netzwerke und Schnittstellen unterteilt wird. Als weiteres wichtiges Element werden in diesem Konzept „disciplining" und „enabling mechanisms" eingeführt.[147] Disziplinierende Mechanismen sollen dazu dienen, den jeweiligen Prozess möglichst konstant zu halten, um z.B. zu verhindern, dass eine Kunden-Lieferanten-Beziehung auseinander bricht.

---

[144] Siehe die Darstellungen in Lehrbüchern zum Produktionsmanagement: Chase/Aquilano/Jacobs 1998, 328; Waller 1999, 440.

[145] Daneben wird das Lean Management auch von anderen Autoren mit dem SCM verknüpft. Siehe z.B. Botta 1996, 169-189; Lamming, 1996, 183-196; Levy 1997, 94-102; Abrahamson/Brege 1997, 35.

[146] Vgl. Cooper/Slagmulder 1999, 7. Das Konzept wurde bereits in einem früheren Buch vorgestellt: Cooper/Slagmulder 1997, 5. Siehe auch schon ältere, vergleichbare Ausführungen bei: Hammel/Kopczak 1993, 63.

[147] Vgl. Cooper/Slagmulder 1999, 10f. Eine ähnliche Begriffsbildung findet sich mit „standard maintaining systems" und „continuous improvement systems" schon bei Bessant et. al. 1994, 12.

Um die weitere Entwicklung genutzter Managementinstrumente zu fördern, dienen die fördernden (enabling) Mechanismen dazu, Verbesserungen zu initiieren. Ob diese radikal oder schrittweise erfolgen, hängt dabei vom jeweiligen Kontext ab.[148]

In ähnlicher Weise setzt sich Levy mit der Integration der beiden Konzepte auseinander.[149] Als zentrale Ansatzpunkte für das Lean Management, die auch in die Supply Chain hineinwirken, benennt er dabei: Design for Manufacture (DFM), Just-in-Time (JiT) Anlieferung und geringe Bestände, flexible Produktionseinheiten und enge Beziehungen zu Kunden und Lieferanten.[150] Zudem wird die Bedeutung der kontinuierlichen Verbesserung[151] betont. Sowohl Cooper/Slagmulder als auch Levy unterstreichen die Kongruenz der beiden Ansätze bzw. sehen diese als ein integriertes Konzept an.[152] Dabei greifen sie auf die Prinzipien des Lean Management zurück. Lamming führt aus, dass schon die ersten Untersuchungen zum Lean Management[153] eine ausführliche Thematisierung des Beschaffungs- und Lieferantenmanagements enthalten.[154] Supply Chain Management kann damit in seinen grundlegenden Überlegungen auf die „Philosophie" des Lean Management zurückgeführt werden, erstreckt sich dabei aber auf die gesamte Wertschöpfungskette, während im Lean Management das einzelne Unternehmen im Vordergrund der Betrachtungen steht.

2.3.4 Stoffstrommanagement

2.3.4.1 Begriffsbestimmung

Ökologische Probleme spielen zwar keine zentrale Rolle im Supply Chain Management, doch werden sie regelmäßig thematisiert.[155] So spricht die angeführte Definition von Handfield und Nichols die Bestandteile der Wertschöpfungskette, die sich an die Ge- oder Verbrauchsphase eines Gutes anschließen, nicht explizit an, obwohl auch diese Teile des Lebenszykluses in ihrem Buch behandelt werden.[156] Dieses Verständnis stimmt mit dem Begriff des ökologischen Lebenszykluses überein, wie er im Kontext der Ökobilanzierung[157] oder des Stoffstrommanagement[158] benutzt wird.

Die Enquete-Kommission „Schutz des Menschen und der Umwelt" definiert Stoffstrommanagement (SSM) wie folgt: „*Unter dem Management von Stoffströmen der beteiligten Akteure wird das zielorientierte, verantwortliche, ganzheitliche und effiziente Beeinflussen von Stoffsystemen verstanden, wobei die Zielvorgaben aus dem ökologischen und dem ökonomischen Bereich kommen, unter Berücksichtigung von sozialen Aspekten. Die Ziele werden auf betrieblicher Ebene, in der Kette der an einem Stoffstrom beteiligten Akteure oder auf der staatlichen Ebene entwickelt.*"[159]

---

[148] Vgl. Cooper/Slagmulder 1999, 10f.
[149] Vgl. Levy 1997, 94-102.
[150] Vgl. Levy 1997, 95; siehe auch MacDuffie/Helper 1997, 118; Liker/Wu 2000, 81-93.
[151] Vgl. Cooper/Slagmulder 1999, 287ff; siehe auch Bessant et. al. 1994, 7-17.
[152] Dies wird z.B. durch den gewählten Buchtitel deutlich: Cooper/Slagmulder 1999.
[153] Siehe insbesondere Womack/Jones/Ross 1991, 148.
[154] Vgl. Lamming 1996, 183.
[155] Siehe z.B. die explizite Berücksichtigung bei Bloemhof-Ruwaard et. al. 1995 sowie die Hinweise bei Thomas/Griffin 1996, 11 und Johnson/Pyke 2000b, 4. Letztere bezeichnen ökologische Problemstellungen sogar als eines von zwölf Kernelementen des SCM (vgl. Abschnitt 2.4.4.3.).
[156] Vgl. Handfield/Nichols 1999, 2 und 159.
[157] Vgl. ISO 14040 1997, 5; siehe exemplrarisch auch Schaltegger/Müller/Hindrichsen 1996, 168; Seuring 1999b, 9; Schaltegger/Burrit 2000, 232f.
[158] Vgl. Enquete-Kommission 1994, 549.
[159] Enquete-Kommission 1994, 549.

Davon ausgehend haben sich im Stoffstrommanagement verschiedene Linien entwickelt,[160] die den Anschluss an Entwicklungen im betrieblichen Management herstellen. Zum Supply Chain Management ist diese Anbindung bisher jedoch nicht erfolgt.

2.3.4.2 Einordnung im Verhältnis zum Supply Chain Management

Sowohl die Definition des Supply Chain Managements als auch die des Stoffstrommanagements integrieren das Management von Stoff- und Informationsströmen sowie die Gestaltung von Kooperationen im Stoffstromnetzwerk bzw. der Wertschöpfungskette.[161] Die Informationsflüsse werden nur in der Definition des Supply Chain Managements explizit angesprochen, obwohl mit Stoffströmen notwendigerweise immer auch Informationsflüsse verbunden sind. Die beiden Ansätze unterscheiden sich im Umfang der Kooperationen. Im Supply Chain Management werden in der Regel nur vertikale Kooperationen betrachtet, während das Stoffstrommanagement auch horizontale und laterale anspricht. Außerdem werden im Stoffstrommanagement die drei Dimensionen der nachhaltigen Entwicklung, Ökologie, Ökonomie und Soziales, berücksichtigt.[162]

Der Vergleich der beiden Konzepte zeigt auf, wo vorhandene Instrumente wechselseitig nutzbar gemacht werden können. Gleichzeitig werden Lücken in der methodischen Entwicklung und der praktischen Anwendung deutlich, die gemeinsam gefüllt werden können. Als Beispiel sei auf das Management von (Produktions-)Prozessen verwiesen. Supply Chain Management und Stoffstrommanagement erweitern hier die Perspektive auf die integrierte Betrachtung von Liefer- oder Stoffstromketten, bei denen nicht eine (übliche) Optimierung der einzelnen Produktionsstätte erfolgt, sondern Verbesserungsmaßnahmen immer im Gesamtzusammenhang der Kette und den damit verbundenen Potentialen gesehen werden.[163]

Merkmal	Stoffstrommanagement	Supply Chain Management
Physische Basis	Stoffflüsse	Material- und Informationsflüsse
Konzeptionelle Basis	Ökobilanzen	Logistik
Akteure	Unternehmen und Stakeholder	Unternehmen
Kooperationen	vielfältig	Vertikal in der Kette
Zielsetzung	Umweltbelastungen senken	Lieferkette optimieren

Tabelle 1: Vergleich von Stoffstrom- und Supply Chain Management
Quelle: Seuring 2000, 30.

2.3.5 Vergleichende Übersicht

Um diesen Abschnitt abzuschließen, soll die gewählte Konzeption des Supply Chain Managements mit den vorgestellten Konzepten des Kooperationsmanagements, der Virtuellen Unternehmung, des Lean Managements und des Stoffstrommanagements verglichen werden. Dazu wird die Unterteilung in die Produkt- und die Netzwerkdimension aufgegriffen, so dass herausgearbeitet werden kann, an welcher Stelle die anderen Konzepte Überschneidungen mit dem Supply Chain Management aufweisen.

---

[160] Vgl. Henseling/Schneidewind/Seuring 2000, 29-31.
[161] Vgl. Seuring 2000, 30.
[162] Vgl. Enquete-Kommission 1994, 549.
[163] Vgl. Schneidewind/Seuring 2000, 55-71.

SCM	**Produkt-dimension**		**Kooperations-dimension**		**Integrationsfelder der beiden Dimensionen**			
Konzept	Pro-duktde-sign	Produk-tion / Logistik	Netz-werk-bildung	Schnitt-stellen	Produkt und Netz-werk	Produk-tentwick lung	Produk-tions-netz-werk	Pro-zessop-timie-rung
Koope-rationsm.			X	(X)				
Virtuelles Untern.		X	X	X			X	
Lean Manage.	X	X		X		X	X	X
Stoff-stromm.	X	X		X		X	X	X

Tabelle 2: Vergleich des Supply Chain Managements mit anderen Konzepten
Quelle: eigene.

Tabelle 2 fasst dies anhand der beiden Dimensionen Produkt und Netzwerk sowie deren Kombination zusammen. Die Zusammenstellung in der Tabelle zeigt nicht auf, welche Aspekte die ausgewählten Konzepten beinhalten, auf die das Supply Chain Management nicht eingeht.[164] Daher darf nicht die Schlußfolgerung gezogen werden, dass das Supply Chain Management so vollständig ist, dass alle anderen Konzepte integriert werden. Als Beispiel sei kurz in einem Rückgriff auf das Kooperationsmanagement verwiesen, da Kooperationen von Unternehmen deutlich mehr umfassen als nur solche entlang der Wertschöpfungskette.

Die Ausführungen verdeutlichen jedoch auch die enge Verbindung des Supply Chain Managements zu diesen Konzepten. Als nächster Schritt werden einzelne Modelle des Supply Chain Managements vorgestellt, die die bisherigen Ausführungen ergänzen.

2.4 Ausgewählte Modelle des Supply Chain Managements

Nach dieser Fassung des Begriffes Supply Chain Management über den Vergleich zu anderen Managementkonzepten geht der folgende Schritt stärker ins Detail. Da Supply Chain Management noch ein sehr junges Thema ist, liegt bisher keine einheitlich akzeptierte Konzeption vor. Vorschläge reichen dabei von erweiterten Logistikkonzeptionen, wie vorstehend besprochen, bis zur neuen strategischen Ausrichtung für das Management[165] und die Bildung strategischer Allianzen.[166] Übersichten und Systematisierungen zu den bisherigen Arbeiten im Supply Chain Management wurden bisher von verschiedenen Autoren(teams) vorgelegt. Daher werden solche Arbeiten skizziert, die darauf abzielen, die Breite der vorliegenden Ansätze zu untersuchen und modellhaft zu systematisieren. Ziel ist es, alle rele-

[164] Siehe dazu die vorhergehenden Ausführungen.
[165] Siehe Bechtel/Jayaram 1997, 15ff; sowie die Übersicht bei Ganeshan et. al. 1998, 848.
[166] Vgl. z.B. Underhill 1996; Cooper et. al. 1997, 67-90.

vanten Beiträge zu erfassen.[167] Entsprechende Arbeiten liegen insbesondere mit den Aufsätzen von Bechtel/Jayaram (1997), Cooper/Lambert/Pagh (1997) sowie Ganeshan et. al. (1998) vor.[168] Im letzten Abschnitt werden dann noch drei Beiträge berücksichtigt, die dieses Ziel bezüglich einer spezielleren Themenstellung innerhalb des Supply Chain Managements verfolgen.[169] Die vorgestellten Modelle und ihre Vorgehensweise werden jeweils in die in dieser Arbeit gewählte Systematisierung eingeordnet, so dass deutlich wird, welche Ansätze für den Fortgang der Arbeit von Nutzen sind und welche ausgeschlossen werden können. Dies ermöglicht insgesamt eine Überprüfung der gewählten Beschreibung des Gegenstandsbereiches des Supply Chain Managements.

2.4.1 Die Fünf Schulen von Bechtel/Jayaram

Die Autoren entwickeln in ihrem Aufsatz eine Systematik, in der die bisherigen Arbeiten zum Supply Chain Management fünf Schulen zugeordnet werden, wie Abbildung 7 veranschaulicht.

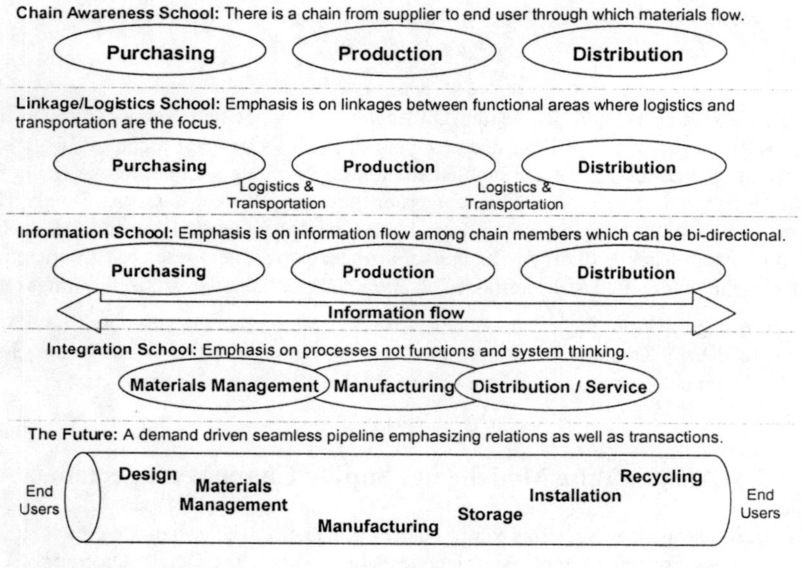

Abbildung 7: Supply Chain Management Schools of Thought
Quelle: Bechtel/Jayaram 1997, 19.

Damit schließen sie an frühere Arbeiten an. Insbesondere ist der Beitrag von Stevens zu erwähnen, der vier Entwicklungsstufen zur integrierten Wertschöpfungskette beschreibt,[170] jedoch nur in der vierten Stufen überhaupt eine externe Integration thematisiert. Das dieser

[167] Aufgrund umfassender Literaturrecherchen lagen bis zum Dezember 2000 keine weiteren Beiträge vor, die zu berücksichtigen wären.
[168] Vgl. Bechtel/Jayaram 1997, 15-34; Cooper/Lambert/Pagh 1997, 1-14; Ganeshan et. al. 1998, 839-879.
[169] Vgl. Thomas/Griffin 1996, 1-15; Kotzab 2000, 21-47; Johnson/Pyke 2000b, 2-18.
[170] Vgl. Stevens 1989, 7.

Einteilung zugrunde liegende Kriterium ist dabei die zunehmende Integration von einzelnen Elementen der Wertschöpfungskette, die in die Analyse und Gestaltung eingeschlossen werden.[171]

2.4.1.1 Abgrenzung der einzelnen Schulen

Die einzelnen Schulen werden folgendermaßen abgegrenzt, wobei eine schrittweise Erweiterung der Reichweite des Supply Chain Managements die zentrale Idee bildet:

1. In der „(Functional) Chain Awareness School" beschränkt sich das Verständnis darauf, dass es eine Kette von Aktivitäten gibt, in der Materialflüsse vom ersten Lieferanten bis zum Endkunden reichen. Die einzelnen Funktionen bleiben jedoch voneinander getrennt.[172]
2. In der zweiten Schule, der „Linkage/Logistics School", treten Logistik und Transport als wesentliche betrachtete Elemente dazu, so dass eine durchgängige Verbindung der Materialflüsse zwischen den einzelnen Funktionen bestehen. Dabei spielen logistische Lösungen eine entscheidende Rolle.[173]
3. In der „Information School" wird die Bedeutung der Informationsflüsse in den Mittelpunkt der Betrachtung gestellt, die entlang der gesamte Wertschöpfungskette bidirektional, d.h. vorwärts und rückwärts entlag der gesamten Kette, optimiert werden müssen. Dadurch sollen Rückkopplungen innerhalb der Kette erreicht werden.[174]
4. Die „Integration/Process School" betont die Bedeutung integrierter Geschäftsprozesse entlang der Kette, deren Gestaltung die Optimierung innerbetrieblicher Funktionen ablöst. Dadurch kann das Gesamtsystem optimiert werden, auch wenn traditionelle Abteilungen bzw. Unternehmen noch bestehen bleiben.[175]
5. Auch diese Grenze fällt schließlich in der „Future School", so dass die Wertschöpfungskette als eine Einheit betrachtet wird. Angetrieben von den Kundenwünschen werden in einer „seamless demand pipeline" alle notwendigen Schritte zur Erfüllung dieser Kundenbedürfnisse integriert und optimal aufeinander abgestimmt.[176]

Ergänzend zu dieser Einteilung bieten Bechtel und Jayaram eine Analyse der Literatur, wobei sie zwischen den funktionalen und prozessoralen Beiträgen unterscheiden. Innerhalb der funktionalen Aspekte stellen sie heraus, dass drei Punkte thematisiert werden:

1. Die große Bedeutung einzelner Funktionen für das Supply Chain Management, wozu insbesondere Produktdesign, Einkauf, Produktion und Distribution zählen.
2. Die Integration zweier oder mehrerer Funktionen im Supply Chain Management, so dass z.B. Produktion und Distribution gemeinsam geplant und ausgeführt werden, um so eine größere Effektivität des Systems zu erreichen.

---

[171] Vgl. Bechtel/Jayaram 1997, 16-19 sowie die nachfolgend angegebenen Beiträge.
[172] Vgl. Jones/Riley 1985, 16-26; Houlihan 1985, 22-38; Stevens 1989, 3-8; Cavinato 1991, 10-15; Lee/Billington 1992, 65-73.
[173] Vgl. Scott/Westbrook 1991, 23-33; Turner 1993, 52-55.
[174] Vgl. Johannson 1994, 521-530; Towill 1996a, 23-42; Towill 1996b, 41-53.
[175] Vgl. Cooper/Ellram 1993, 3-24; Ellram/Cooper 1993, 1-12; Hewitt 1994, 1-10.
[176] Vgl. Cavinato 1992, 285-301; Vollmann/Cordon/Raabe 1998, 374-381; Christopher 1998a, 18; Johnson/Pyke 2000b, 3.

3. Einbindung der Kunden in die Wertschöpfungskette,
da nur durch eine hohe Kundenorientierung die Kette zielgerichtet arbeiten kann bzw. im Kunden sowohl ihren Start- als auch Zielpunkt findet.[177]

2.4.1.2 Prozessgestaltung im Supply Chain Management

Gewichtiger sind die Ausführungen zu fünf Prozessbereichen im Supply Chain Management, nämlich Planung, Einführung, Informationstechnologie, Erfolgsmessung und interorganisationale Strukturen, für die jeweils einzelne Unterpunkte ausgeführt werden.[178]

1. Planung im Supply Chain Management
Durch Supply Chain Management werden neue Anforderungen an die unternehmerische Planung gestellt, die an der Philosophie und Strategie des Unternehmens ausgerichtet werden müssen. Insbesondere das Denken in komplexen Systemen spielt für die Planung eine zentrale Rolle, die sich dann auf die weiteren Elemente der umfassenden Kostenanalyse und -modellierung,[179], das Total Quality Management[180] und die Gestaltung von Geschäftsprozessen[181] auswirkt.

2. Einführung des Supply Chain Managements
Bei der Einführung des Supply Chain Managements werden vor allem zwei Aspekte gesehen. So spielt die Vorgehensweise im Projektmanagement eine wichtige Rolle.[182] Gleichzeitig müssen die Mitarbeiter entsprechend eingebunden werden,[183] so dass ein erfolgreicher Übergang von der Funktions- zur Prozessorientierung[184] erreicht wird.

3. Informationstechnologie
Der Einsatz von Informationstechnologien spielt eine große Bedeutung für den operativen Erfolg von Supply Chain Management-Systemen. Ziel ist es dabei, durch informationstechnische Unterstützung zu besseren Entscheidungen zu kommen. Die Arbeiten zu diesen Fragen beginnen schon in den 50er Jahren, worauf im Abschnitt 2.1.2.1 hingewiesen wurde.[185] Dabei sind Lösungen sowohl für die Gewinnung und Speicherung als auch für die Auswertung der Daten zu finden,[186] so dass der Modellierung der Wertschöpfungskette[187] eine große Bedeutung zukommt.

4. Erfolgsmessung
Als Erfolgsgrößen werden im Supply Chain Management ebenso vielfältige Begriffe gehandelt wie sonst in der Managementliteratur. Als Einzelgrößen werden u.a. Service(grad), Kosten, Produktivität, (Durchlauf-)Zeit und verschiedene Kombinationen davon genannt.[188] Die Spezifizierung der Zielgrößen gilt dabei ebenso als Problem wie die konkrete Kontrolle der Größen, insbesondere wenn firmenübergreifende Prozesse analysiert werden sollen.[189]

---

[177] Vgl. Bechtel/Jayaram 1997, 20.
[178] Vgl. Bechtel/Jayaram 1997, 20.
[179] Vgl. Cavinato 1992, 285-301; Carter/Ferrin 1995, 189-212; Ellram 1995b, 22-30; Cooper/Slagmulder 1999.
[180] Vgl. Bessant et.al. 1994, 7-17.
[181] Vgl. Stewart 1997, 62-67.
[182] Vgl. Stevens 1989, 3-8; Lee/Billington 1992, 65-73; Hewitt 1994, 1-10.
[183] Vgl. Jones/Riley 1985, 16-26; Lee/Billington 1992, 65-73; Hewitt 1994, 1-10.
[184] Siehe die vorstehenden Angaben zur Integration/Process School, sowie Stevens 1989, 3-8.
[185] Vgl. Forrester 1961 und 1978, 37-65.
[186] Vgl. Bechtel/Jayaram 1997, 23 mit Verweis auf Houlihan 1985, 33; Hewitt 1994, 2.
[187] Vgl. Scott/Westbrook 1991, 23-33; Davis 1993, 35-46; Lee/Billington 1995, 42-63.
[188] Vgl. Bechtel/Jayaram 1997, 26.
[189] Vgl. Hewitt 1994, 1-10.

5. Interorganisationale Strukturen
An mehreren Stellen klang bereits die Bedeutung von Kooperationen an.[190] Die hier thematisierten Punkte reichen von der optimalen Partnerwahl,[191] über das Verhältnis der Partner[192] untereinander, bis zur schrittweisen Entwicklung der Kooperationsbeziehung.[193]

Wie die Zusammenfassung zeigt, gibt es eine Vielzahl von Überschneidungen zwischen den einzelnen Bereichen. Damit bieten Bechtel und Jayaram eine recht anschauliche Übersicht zu Ansätzen im Supply Chain Management. Kritisiert werden kann jedoch, dass die einheitliche Linie der Beschreibung zwar mit den fünf Schulen angedacht wird, allerdings keine stringenten Kriterien für die Abgrenzung der Schulen untereinander herausgearbeitet werden. Auch die anschließenden Gliederungen folgen eher einer losen Zusammenstellung als einer in sich schlüssigen Struktur.

Insgesamt führt das dazu, dass bezogen auf die Produktdimension nur die Phase der Produktion und in der Kooperationsdimension lediglich die Phase der Schnittstellenoptimierung im Modell von Bechtel und Jayaram erfasst werden.[194] Als Folge davon bleibt die Analyse der Integrationsfelder auf die Gestaltung des Produktionsnetzwerks und die Prozessoptimierung in der Wertschöpfungskette beschränkt.

2.4.2 Die Systematik von Cooper/ Lambert/Pagh

Ausgangspunkt des Ansatzes von Cooper, Lambert und Pagh ist die Abgrenzung des Supply Chain Managements von der Logistik, die vor allem in der umfassenderen Integration aller Geschäftsprozesse gesehen wird und nicht nur der Logistikprozesse.[195] Die Analyse der Wertschöpfungskette wird dabei anhand von vier Kriterien herausgearbeitet.[196]

1. Der Umfang der Supply Chain beschreibt die Anzahl der Firmen sowie die eingebunden Funktionen oder Prozesse.[197]
2. Durch gemeinsame Ziele in der Supply Chain sollen insgesamt weniger Ressourcen verbraucht sowie Bestände und Durchlaufzeiten reduziert werden.[198]
3. Die interorganisationale Integration in der Supply Chain geht wiederum vom einzelnen Unternehmen aus. Durch diese Prozessintegration wird Suboptimierung[199] vermieden. Gleichzeitig verlagern sich Wettbewerbsbeziehungen hin zu solchen zwischen Supply Chains.[200]
4. Als weiterer Aspekt spielt die Implementierung des Supply Chain Managements auch in diesem Beitrag eine Rolle. Dazu wurden verschiedene Modelle entwickelt, welche Stufen nacheinander bis zu einer integrierten Wertschöpfungskette zu durchlaufen sind.[201]

---

190 Vgl. Cooper/Ellram 1993, 13-24; Matthyssens/van den Bulte 1994, 72-83.
191 Vgl. Vollmann/Cordon/Raabe 1998, 380.
192 Vgl. Friedrich/Hinterhuber 1999, 2-8.
193 Vgl. Fites 1996, 84-95; Lambert/Emmelhainz/Gardner 1999, 165-181; Liker/Wu 2000, 81-93; Handfield et. al. 2000, 37-50.
194 Bezüglich des Produktdesign erfolgt ein Hinweis, dass dies zukünftig zu integrieren ist Bechtel/Jayaram 1997, 25.
195 Vgl. Cooper/Lambert/Pagh 1997, 5.
196 Vgl. Cooper/Lambert/Pagh 1997, 2.
197 Vgl. Stevens 1989, 7.
198 Vgl. Jones/Riley 1985, 21; Houlihan 1985, 26; Lee/Billington 1992, 68.
199 Vgl. die schon erwähnte Literatur zum Bullwhip-Effekt, z.B. Lee/Padmanabhan/Whang 1997b, 98f.
200 Vgl. Christopher 1998a, 28ff; Vollmann/Cordon/Raabe 1998, 374; Speckman/Kamauff/Myhr 1998, 53; Johnson/Pyke 2000b, 3.
201 Vgl. Stevens 1989, 6; Cooper/Ellram 1993, 13; Hewitt 1994, 5.

Für die anschließende Entwicklung eines eigenen Modells schließen Cooper, Lambert und Pagh an die vorgenannten Punkte an und stellen, wie schon erwähnt, wesentlich auf die Geschäftsprozesse und deren Integration in der Wertschöpfungskette ab. Insgesamt baut das Modell auf drei Elementen auf: Geschäftsprozesse, Management-Komponenten und Struktur der Wertschöpfungskette.[202]

2.4.2.1 Geschäftsprozesse und Komponenten der Supply Chain

Ihre Erläuterung zu dieser Konzeption beginnt mit den Geschäftsprozessen. Dazu arbeiten die Autoren sieben Basisprozesse heraus, die über die Funktionen hinweg zu integrieren sind (siehe Abbildung 8).

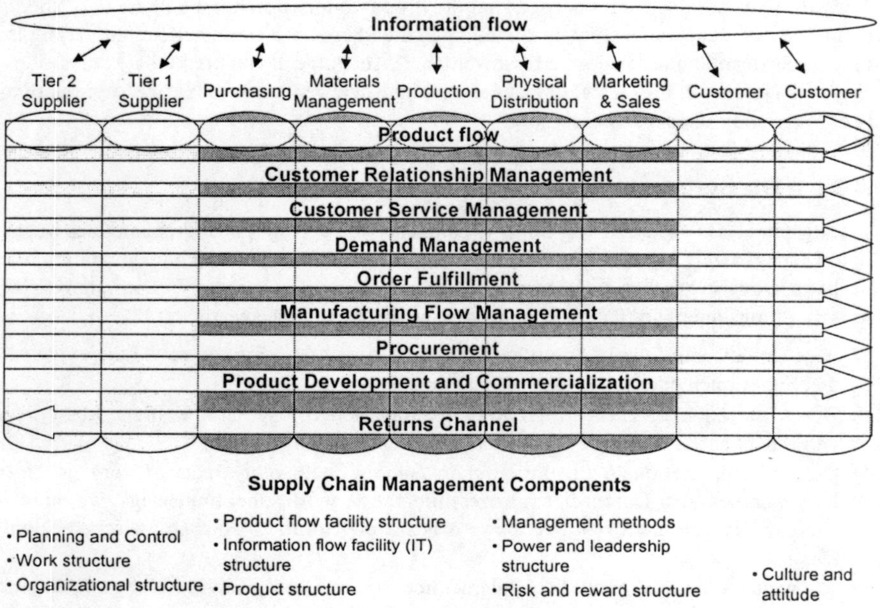

Abbildung 8: A Framework of Supply Chain Management
Quelle: Cooper/Lambert/Pagh 1997, 10.[203]

Die anschließende Erläuterung zu den Management-Komponenten enthält eine tabellarische Zuordnung Literaturbeiträge zu zehn Management-Komponenten des Supply Chain Managements.[204] Die dabei berücksichtigten Komponenten reichen von der Produktentwicklung über Planung und Kontrolle bis zur Machtverteilung in der Kette und zu Aspekten der Unternehmenskultur. Zwar werden die Kriterien einzeln begründet, jedoch wird keine weitergehende Systematik herausgearbeitet.

---

202 Vgl. Cooper/Lambert/Pagh 1997, 6; auch Lambert/Cooper 2000, 70.
203 In einem jüngeren Beitrag modifizieren Lambert und Cooper die Abbildung, indem alle „funktionalen Silos" eines Unternehmens von einem Kreis umschlossen werden: Lambert/Cooper 2000, 67.
204 Vgl. Cooper/Lambert/Pagh 1997, 8.

Die Zuordnung zu einzelnen Feldern ist dabei nicht immer eindeutig lösbar, insbesondere in Bezug auf so übergeordnete Kriterien wie Managementmethoden, Unternehmenskultur sowie Macht- und Risikoverteilung im Netzwerk. Diese drei wurden dem Feld der Konfigurationsentscheidungen zugeordnet, da sie sehr grundlegende Aussagen zur Gestaltung der Beziehung zwischen Unternehmen treffen, die aber nur schwer zu operationalisieren sind.[205]

Die Schwierigkeit, die einzelnen Komponenten einzuordnen, wird auch durch deren unzureichende Abgrenzung untereinander bedingt. Als Beispiel sei darauf verwiesen, dass Macht- und Risikoverteilung unterschieden werden. Die von den Autoren tabellarisch ausgewertete Literatur führt kein Beispiel auf, in dem nur die Machtstrukturen untersucht werden. Das Kriterium Risikostruktur hätte daher zur Beschreibung dieses Aspektes ausgereicht.

2.4.2.2 Struktur der Supply Chain

Das dritte Element des Modells wird von den Autoren nur kurz dargestellt. Die Struktur der Wertschöpfungskette wird nur vorsichtig mit einzelnen Kriterien umschrieben, die dazu dienen können, die Komplexität des Produktes und der notwendigen Kooperationsbeziehungen einzuschätzen. Dieses Element ist daher mit den Konfigurationsentscheidungen vergleichbar, während die Gestaltung der Geschäftsprozesse bei den operativen Entscheidungen einzuordnen ist. Das dritte Element der Management-Komponenten kann nicht klar eingeordnet werden. Hier werden konfigurative und prozessurale Aspekte ebenso angesprochen wie Aspekte, die sicherlich das Verhalten des Unternehmens in der Wertschöpfungskette mitbestimmen, dem Supply Chain Management jedoch nicht direkt zuzuordnen sind. Beispielhaft sei auf die Unternehmenskultur verwiesen, die insbesondere dann relevant ist, wenn Supply Chain Management als Konzeption verstanden wird, die auch auf die Unternehmensphilosophie ausgerichtet ist. Der Beitrag von Cooper/Lambert/Pagh greift diese Überlegung allerdings nicht auf.

In Summe werden die beiden Dimensionen des Supply Chain Managements damit im Beitrag jeweils bezüglich beider Phasen adressiert. Allerdings erfolgt keine konsequente Verknüpfung, so dass die Bereiche der Konfiguration von Produkt und Netzwerk sowie der Produktentwicklung in der Wertschöpfungskette nicht betrachtet werden.

2.4.3 Die Taxonomie von Ganeshan/Jack/Magazine/Stephens

Der Aufsatz von Ganeshan et. al. entstammt dem umfangreichen Sammelband von Tayur/Ganeshan/Magazine,[206] der auf über 850 Seiten in 27 Einzelbeiträgen eine Fülle an Informationen zu quantitativen Modellen im Supply Chain Management liefert.[207]

Ganeshan, Jack, Magazine und Stephens wollen mit ihrem Beitrag eine Taxonomie für das Supply Chain Management vorstellen.[208] Ihr wesentliches Anliegen besteht darin, historische und zukünftige Entwicklungslinien des Supply Chain Managements aufzuzeigen, weshalb für eine erste Übersicht das Kriterium Zeit als eine der Achsen für die Kategorisierung gewählt wird.

---

[205] Dies betonen auch die Autoren: Cooper/Lambert/Pagh 1997, 7.

[206] Vgl. Tayur/Ganeshan/Magazine 1998, 1-6.

[207] Da an dieser Stelle Übersichtsbeiträge und Konzeptionen zum SCM betrachtet werden, kann auf eine Auswertung des ganzen Sammelbandes verzichtet werden.

[208] Vgl. Ganeshan et. al. 1998, 841.

Verortet im Systemdenken, das alle notwendigen Material- und Informationsflüsse[209] berücksichtigt, tritt dazu eine schon klassische Dreiteilung der hier so genannten „Problemkategorien“ in strategische, taktische und operative[210] Managementansätze,[211] für die jeweils einzelne Aufgaben abgegrenzt werden.

2.4.3.1 Problemkategorien

1. Wettbewerbsstrategische Ausrichtung:

Auf dieser Ebene werden die Ziele und das Design der Wertschöpfungskette herausgestellt, die für die gesamte Supply Chain herausgearbeitet werden sollen, wobei das Zusammenspiel mit den Aktivitäten des einzelnen Unternehmens zu beachten ist. Insgesamt dient dies der Erzielung von Wettbewerbsvorteilen für das einzelne Unternehmen und die gesamte Supply Chain.

2. Taktische Umsetzung:

In der konkreten Umsetzung im einzelnen Unternehmen, die im Mittelpunkt dieser Kategorie steht, werden vier Punkte hervorgehoben. So zielt (1) die Entwicklung von Partnerschaften entlang der Kette noch sehr auf übergreifende Entscheidungen, andererseits betonen die Autoren die notwendige Integration von (2) Produktion, (3) Logistik und (4) Informationssystemen. Dabei werden die unterschiedlichen Ebenen dieser Entscheidungen jedoch nicht berücksichtigt.[212]

3. Operative Effizienz:

Diese Integration führt zu operativer Effizienz, bei der Bestände gemeinsam geführt und die Produktionsplanungen aufeinander abgestimmt werden. Dazu ist es notwendig, Informationen entlang der Kette auszutauschen, so dass z.B. gemeinsam operative Tools genutzt werden, um zu einer Optimierung von Beständen und Lieferzeiten im Gesamtsystem zu gelangen.

Auffällig ist bei allen drei Dimensionen, dass die jeweils genannten Stichpunkte nicht äquivalent zueinander sind, sondern teilweise ähnliche Sachverhalte mehrfach erfasst werden. So sind z.B. die operativen Instrumente, die die Steuerung der Bestände, der Produktion und der Informationsflüsse ermöglichen, nicht mit diesen auf einer Stufe zu nennen, da ihre Wahl von den zu steuernden Größen abhängig ist. Die Einteilung in die drei Ebenen selbst ist in der betriebswirtschaftlichen Literatur breit etabliert. Die Autoren geben Hinweise, wie einzelne Beiträge innerhalb dieser Dreiteilung klassifiziert wurden.[213] Ob diese Einteilung wirklich hilfreich ist, darf aufgrund der damit verbundenen Unschärfe und den schon beschriebenen Problemen bezweifelt werden.

---

[209] Die Autoren differenzieren die Materialflüsse in insgesamt „fünf Flüsse jeder ökonomischen Aktivität (Geld, Aufträge, Material, Personal und Maschinen), die von einem Informationsnetzwerk verknüpft werden“. Da die Autoren diese Unterscheidung in ihrem Beitrag nicht weiter ausführen oder zum Bestandteil ihrer Analyse machen, kann auf diese Differenzierung verzichtet werden; vgl. Ganeshan et. al. 1998, 843.

[210] Siehe z.B. den Eintrag zu Unternehmensplanung in Gablers Wirtschaftslexikon 1997, 3929.

[211] Vgl. Ganeshan et. al. 1998, 847.

[212] Vgl. Ganeshan et. al. 1998, 850.

[213] Vgl. Ganeshan et. al. 1998, 847ff.

2.4.3.2 Lösungsmethoden

Interessant ist vielmehr die weitere gewählte Systematisierung, für die die methodische Basis der jeweils untersuchten Beiträge in vier Gruppen unterteilt wurden:[214]

1. konzeptionelle, nicht quantitative Modelle, die Ansätze im Supply Chain Management beschreiben oder erläutern, ohne quantitative Daten zu nutzen;
2. Fallstudien und empirische Untersuchungen, in denen spezielle Daten oder Konstellationen in Firmen und Wertschöpfungsketten analysiert werden;
3. Übersichtsbeiträge, die Konzepte im Supply Chain Management erklären oder kategorisieren, um so zum Verständnis der Tiefe und Breite des Supply Chain Managements beizutragen;
4. quantitative Modelle, die auf der Basis von Optimierungen, Simulationen, stochastischen Modellen oder Heuristiken die Methoden des Supply Chain Managements bereichern.

In der konkreten Anwendung ordnen die Autoren insgesamt 83 Beiträge in die von den beiden Achsen Problemkategorie und Lösungsmethode ausgespannte Tabelle ein.[215] Die Plazierung der Punkte zwischen einzelnen Kategorien deutet die Schwierigkeit an, die auch mit dieser Einteilung verbunden ist.

Mit dem gewählten Erklärungsbereich bleiben Ganeshan, Jack, Magazine und Stephens ebenfalls bei der Phase der Produktion und Logistik sowie der damit eng verbundenen Optimierung der Schnittstellen bzw. den beiden Integrationsfeldern Produktionsnetzwerk und Prozessoptimierung in der Wertschöpfungskette stehen. Damit deckt auch dieser Beitrag den Gegenstandsbereich des Supply Chain Managements nicht umfassend ab.

2.4.4 Weitere Übersichtsbeiträge

Neben den aufgeführten Beiträgen liegt noch eine begrenzte Anzahl weiterer Übersichtsbeiträge zum Thema Supply Chain Management vor, die nur kurz erwähnt seien, da ihre Ausrichtung wesentlich spezieller ist. Die Menge des vorliegenden Materials verhindert, dass ein Anspruch auf Vollständigkeit erhoben werden kann. Daher soll eine Beschränkung auf drei Beiträge erfolgen, deren thematische Schwerpunkte bisher nicht berücksichtigt wurden. Am Beginn steht ein Beitrag, der eine Abgrenzung von Logistikkonzeption und Supply Chain Management vornimmt und damit die Diskussion um die Definition des Supply Chain Managements reflektiert. In den anderen Arbeiten werden mathematische Modelle und Unterrichtskonzepte im Supply Chain Management betrachtet. Diese Auswahl begründet sich damit, dass diese Aspekte für die Entwicklung des Supply Chain Managements relevant sind. Mathematische Modelle bilden einen wichtigen Bestandteil des Produktions- und Logistikmanagements, so dass diese Ansätze auch im Supply Chain Management umfassend aufgegriffen werden. Die Abbildung eines Themas in der Lehre an Hochschulen bietet einen interessanten Ausgangspunkt, da damit der Gegenstandsbereich erfasst wird, der von so zentraler Bedeutung ist, dass er in der Lehre an Studenten vermittelt wird.

2.4.4.1 Logistikkonzeption und Supply Chain Management bei Kotzab

Der einzige in diesem Abschnitt berücksichtigte Beitrag, der einen Überblick zum Supply Chain Management gibt, liegt mit der Arbeit von Kotzab vor. Kotzab zielt durch seinen

---

[214] Vgl. Ganeshan et. al. 1998, 853.
[215] Vgl. Ganeshan et. al. 1998, 857-873.

Vergleich der betriebswirtschaftlichen Logistikkonzeption mit Ansätzen des Supply Chain Managements darauf ab, letzteres schärfer zu fassen.[216]

Einen Einstieg in die Zusammenfassung des Beitrages bietet die von Kotzab gewählte Definition des Supply Chain Managements[217], die dem Verständnis von Handfield und Nichols[218] entspricht:

- *„Supply Chain Management versteht sich als eine strategische, kooperationsorientierte und unternehmensübergreifende (=integrationsorientierte) (Logistik-) Managementkonzeption, die zu einer Verbesserung der Logistikleistung auf allen Stufen der Supply Chain führt.*
- *Die Forderung nach Integration durch Kooperation geht über die Logistik-Dimension hinaus.*
- *Die Steuerung aller Aktivitäten erfolgt durch die Nachfrage (= durch den Endverbraucher).*"

Der Beitrag zeigt verschiedene Modelle des Supply Chain Managements auf. Dazu greift er explizit auf die an dieser Stelle schon besprochenen Artikel von Bechtel/Jayaram und Cooper/Lambert/Pagh sowie an das SCOR-Modell zurück, das gleichzeitig einen der Bezüge zur empirischen Relevanz herstellt. Zusätzlich werden Definitionen des Begriffes Supply Chain Management aus verschiedenen Quellen aufgelistet.

Wesentlicher Teil des Artikels ist die „Einordnung von Supply Chain Management in die betriebswirtschaftlichen Logistikkonzeptionen",[219] wozu einerseits die Entwicklungspfade von der Beschaffung und den Marketing Channels zum Supply Chain Management aufgezeigt werden und andererseits ein Vergleich zwischen Supply Chain Management und Logistik durchgeführt wird. Dazu werden Objekte, Aufgaben, Sach- und Formalziel der Logistik und des Supply Chain Managements sowie Charakteristika der Logistikkonzeptionen und des Supply Chain Managements gegenüber gestellt, wobei einzelne Unterschiede und Gemeinsamkeiten herausgearbeitet werden. Schließlich prüft der Autor, ob Supply Chain Management als interorganisatorisches Logistikmanagement oder auch als Führungslehre verstanden werden kann. Das damit verbundene Anliegen besteht darin, die Vielfalt der Ansätze deutlich zu machen. Die abschließenden Folgerungen des Autors zum Verhältnis der beiden Konzeptionen nicht eindeutig, obwohl er feststellt: *„Im Gegensatz zur breiten US-amerikanischen Auffassungen von Supply Chain Management bleibt die deutschsprachige Logistikkonzpetion bei ihrem Fokus auf die Gestaltung von logistikbezogenen Objektflüssen.*"[220] Kotzab schließt mit der Aussage, dass im Supply Chain Management weitere theorieorientierte und konzeptionelle Forschungsarbeiten notwendig sind, um die Einordnung des Supply Chain Managements in der Betriebswirtschaftslehre voranzutreiben.[221]

Wie schon aufgrund der Themenstellung des Beitrages zu vermuten ist, beschreibt auch Kotzab lediglich die operativen Phasen der Produkt- und der Kooperationsdimension sowie die Optimierung von Produktionsnetzwerk und Prozessen in der Kette.

---

[216] Vgl. Kotzab 2000, 21-47. Kotzab spricht auch explizit von Konzeption. Das belegt exemplarisch die zuvor thematisierte unterschiedliche Verwendung des Begriffes Konzept. Insofern ist die Nutzung dieses Begriffes an dieser Stelle nicht vermeidbar.

[217] Kotzab 2000, 27.

[218] Vgl. Kotzab 2000, 24 bezieht sich explizit auf die Definition von Handfield/Nichols 1999, 2.

[219] Vgl. Kotzab 2000, 30.

[220] Kotzab 2000, 41.

[221] Vgl. Kotzab 2000, 41.

2.4.4.2 Mathematische Modellierungen in der Übersicht von Thomas und Griffin

Insbesondere mit der mathematischen Modellierung der Wertschöpfungskette setzt sich der Beitrag von Thomas und Griffin auseinander.[222] Ausgehend von den „drei traditionellen Stufen der Supply Chain", nämlich Beschaffung, Produktion und Distribution, unterscheiden Thomas und Griffin zwischen Modellen für die operative und die strategische Planung sowie solchen, die Umweltaspekte berücksichtigen.

Innerhalb der operativen Modelle werden verschiedene Varianten der Koordination zwischen zwei Stufen oder Elementen der Wertschöpfungskette behandelt. Dazu gehören:[223]

- Koordination zwischen Kunden und Lieferanten,
- Koordination zwischen Produktion und Distribution,
- Koordination zwischen Lagerhaltung und Distribution.

Operative Entscheidungen werden, wie üblich, auf der konkreten Entscheidungsebene bestehender Systeme verortet. Die Beispiele für strategische Entscheidungen umfassen Standortwahl, Allokation von Maschinenausstattung zu bestimmten Standorten oder die Evaluation von Veränderungen der Material- und Informationsflüsse bei Produkt- oder Produktionsänderungen.[224] Gleichzeitig wird die enge Verknüpfung zum Business Process Reengineering hervorgehoben.

Die Einteilung der Modelle erfolgt einerseits nach der Art der mathematischen Modellierung, wobei insbesondere gemischt ganzzahlige Optimierungen von anderen Problemformulierungen (z.B. stochastische Modelle) abgegrenzt werden.[225] Andererseits werden methodisch orientierte, Fallstudien basierte und Diskussionsbeiträge unterschieden.[226]

Erneut zielt die Mehrzahl der Modelle auf eine Optimierung von Beschaffung, Produktion, Lagerhaltung und Distribution ab, wobei jetzt umfassendere Entscheidungsräume berücksichtigt werden. Beispielhaft sei auf das schon erwähnte Beispiel der Hewlett Packard Drucker und den damit verbunden Prinzipien des Postponement und des Mass Customisation verwiesen.

Wie schon erwähnt, grenzen Thomas und Griffin daneben Modelle ab, die sie mit umweltorientiertem Supply Chain Management überschreiben. Anknüpfungspunkte sehen sie dabei zuerst zur ISO 14001 Norm für Umweltmanagementsysteme[227] sowie zu Konzepten der ökologischen Produkt und Prozessoptimierung, wie Design for Environment (DfE) und Life-Cycle Assessment (LCA). Ihre Darstellung kommt dabei jedoch über die Nennung einzelner Beiträge nicht hinaus.[228] Um den weiteren Forschungsbedarf aufzuzeigen, benennen die Autoren einzelne Problemfelder, die bis zum Zeitpunkt des Reviews nicht bearbeitet wurden, ohne dass die aufgeführten Punkte begründet werden.[229] Der Beitrag von Thomas und Griffin beansprucht nicht, eine echte Systematisierung vorzunehmen. Entsprechend ist es eher eine lose gekoppelte Aneinanderreihung von Kurzbesprechungen.

Letztlich sehen die Autoren die mathematische Modellierung von Supply Chains (selbst-) kritisch, da „... *the quality of data and the complexity of the supply chain make global formulation of the supply chain problem very difficult. Not surprisingly, the research commu-*

---

[222] Vgl. Thomas/Griffin 1996, 1-15.
[223] Vgl. Thomas/Griffin 1996, 3.
[224] Vgl. Thomas/Griffin 1996, 7.
[225] Vgl. Thomas/Griffin 1996, 8 und 10.
[226] Siehe Tabelle 2 in Thomas/Griffin 1996, 9.
[227] Vgl. ISO 14001 1996.
[228] Vgl. z.B. Bloemhoff-Ruwaard et. al. 1995.
[229] Vgl. Thomas/Griffin 1996, 12.

nity has spent more energy modelling smaller sections of the supply chain."[230] Dies wird auch am erfassten Gegenstandsbereich des Artikels deutlich, der lediglich stärker die operativen Phasen des Supply Chain Managements beachtet, so dass nur das Integrationsfeld Prozessoptimierung in der Wertschöpfungskette berücksichtigt wird.

Da die hier vorgelegte Arbeit auf einen weiten Gegenstandsbereich des Supply Chain Managements abzielt, bieten mathematische Modellierungen, für die Problemstellungen exakt zu definieren sind, kein geeignetes Instrument und finden daher keine weitere Beachtung.

2.4.4.3 Die Übersicht zu Unterrichtskonzepten von Johnson und Pyke

Der Einfluss des Supply Chain Managements auf die Lehre an Hochschulen wurde bereits kurz angesprochen. Johnson und Pyke entwickeln in ihrem Aufsatz einen Rahmen für den Unterricht in Supply Chain Management,[231] der in enger Verbindung zu Curricula des Produktionsmanagements steht.[232]

Trotz der konstatierten Unterschiedlichkeit, mit der das Thema Supply Chain Management behandelt wird, werden zwölf Kernelemente herausgestellt, die sich auch daraus begründen, dass Supply Chain Management in der Regel im Kontext von Vorlesungen in Logistik oder Produktionsmanagement unterrichtet wird.[233] Jedes der nachfolgend aufgeführten Kernelemente stellt dabei spezielle Anforderungen an Unternehmen und ihre Integration in die Wertschöpfungskette:

1. Standortwahl,
2. Transport und Logistik,
3. Lagerhaltung und Prognosen,
4. Marketing und die Restrukturierung von Vertriebskanälen,
5. Beschaffung und Lieferantenmanagement,
6. Informationstechnologie,
7. Produktdesign und Neuprodukteinführung,
8. Dienstleistungen und After Sales Support,
9. Entsorgungslogistik und ökologische Anforderungen,
10. Outsourcing und Strategische Allianzen,
11. Kennzahlen und Anreizsysteme,
12. Globale Fragen.

Wie schon angesprochen, sind diese Kernelemente vor allem aus Logistik und Produktionsmanagement heraus entwickelt. Insgesamt geben sie einen breiten Überblick über das Thema Supply Chain Management, wobei die Autoren u.a. durch die detaillierte Auflistung von Kursinhalten aufzeigen,[234] wie unterschiedlich einzelne Kurse gestaltet sein können.

Der dadurch angesprochene Gegenstandsbereich des Supply Chain Managements greift die Bedeutung der Produktentwicklung auf, so dass diese zusätzlich zu den in allen Beiträgen erörterten operativen Phasen und Integrationsfelder betrachtet wird.

---

[230] Thomas/Griffin 1996, 2.
[231] Vgl. Johnson/Pyke 2000b, 2-18.
[232] Siehe die verschiedenen Beiträge in Johnson/Pyke 2000a.
[233] Vgl. Johnson/Pyke 2000b, 3.
[234] Vgl. Johnson/Pyke 2000b, 12-14.

2.4.5 Einordnung der Supply Chain Management-Modelle

Eine Einordnung der vorgestellten Modelle entlang der Produkt- und Netzwerkdimension wird auch an dieser Stelle vorgenommen. Dabei werden die Zuordnungen zuerst zu den einzelnen Dimensionen und dann zu den Integrationsfeldern der beiden Dimensionen vorgenommen.

Die Tabelle zeigt für jeden Beitrag den Umfang der Modelle auf, die zum Supply Chain Management vorgestellt werden. Keiner dieser Beiträge bildet das Konzept des Supply Chain Managements entsprechend des in dieser Arbeit gewählten Gegenstandsbereichs ab. Vielmehr wird deutlich, dass das Supply Chain Management immer noch ganz in seiner logistischen Verortung, vor allem im Bereich der Produktion und der Schnittstellenoptimierung gesehen wird bzw. am bestehenden Produktionsnetzwerk und der Prozessoptimierung in der Wertschöpfungskette ansetzt. Alle Autoren berücksichtigen diese Punkte in ihren Arbeiten. Allerdings führt dies immer noch zu einer sehr engen Sichtweise des Supply Chain Managements. Insbesondere der Konfiguration von Produkt und Netzwerk wird bisher kaum Aufmerksamkeit geschenkt, obwohl gerade dieser Punkt die regelmäßig erwähnte strategische Ausrichtung des Supply Chain Managements ausmacht.

SCM	**Produkt-dimension**		**Kooperations-dimension**		**Integrationsfelder der beiden Dimensionen**			
Konzept	Pro-dukt-design	Produk-tion / Logistik	Netz-werkbil-dung	Schnitt-stellen	Produkt und Netz-werk	Produk-tentwick lung	Produk-tions-netz-werk	Pro-zessop-timie-rung
Bechtel/ Jayaram		X		X			X	X
Cooper/ Lam-bert/ Pagh	X	X	X	X			X	X
Ganes-han et. al.		X		X			X	X
Kotzab		X		X			X	X
Tho-mas/ Griffin		X		X				X
John-son/ Pyke	X	X		X		X	X	X

Tabelle 3: Einordnung der SCM-Modelle entlang der beiden Dimensionen
Quelle: eigene.

Die entwickelte Systematik wird nun dazu genutzt, um die Diskussion einzelner Instrumente des Supply Chain Managements zu strukturieren.

2.5 Instrumente des Supply Chain Managements

Die im Supply Chain Management genutzten Instrumente sind mittlerweile so vielfältig, dass keine vollständige Auflistung erfolgen kann. Die entworfene Systematik der Produkt- und Netzwerkdimension bzw. ihrer Integrationsfelder wird hier aufgegriffen. Für die einzelnen Integrationsfelder werden beispielhaft Instrumente vorgestellt. Wie die vorstehenden Abschnitte aufgezeigt haben, entstehen die besonderen Lösungen des Supply Chain Managements durch die Kombination dieser beiden Dimensionen, so dass diese Systematik für die Gliederung der folgenden Abschnitte verwendet wird.

2.5.1 Konfiguration von Produkt und Netzwerk

Diese Kombination der Phasen des Produktdesigns und der Netzwerkbildung umfasst die wesentlichen Konfigurationsentscheidungen des Supply Chain Managements, indem festgelegt wird, welche Produkte mit welchen Partnerunternehmen für welche Kundenbedürfnisse zur Verfügung gestellt werden.[235] Einstiege in dieses Thema können dabei sowohl von der Seite des Produktdesigns als auch von der Seite der Netzwerkbildung gewählt werden, die kurz einzeln betrachtet werden.

Die Produktdimension unterteilt sich in die Produktentwicklung und die Produktion. Sie steht daher in engem Zusammenhang zum Produktions- und Dienstleistungsmanagement. Übliche funktionale Untergliederungen schließen Forschung und Entwicklung, Standortwahl und Technologiemanagement, das operative Produktionsmanagement[236] sowie die Logistik[237] ein. Instrumente aus diesem Kanon sind im Supply Chain Management in umfassendem Maße nutzbar gemacht worden.

Das Produktdesign legt bedeutende Grundlagen für alle weiteren Entscheidungen in der Produktion,[238] die Zusammenarbeit in der Wertschöpfungskette[239] oder auch die ökologischen Wirkungen entlang des Produktlebenszykluses.[240] Die dazu vorgestellten Instrumente sind vielfältig und umfassen eine Vielzahl technischer Aspekte und Managementüberlegungen. Daraus speisen sich Überlegungen für ein „Design for Supply Chain Management".[241]

Die schon angeführten Verweise auf die Literatur zum Postponement und zum Mass Customisation sowie die folgende Darstellung der Produktentwicklung in der Wertschöpfungskette rechtfertigen, diesen Punkt nicht weiter auszuführen.

2.5.1.1 Kategorisierung der Kooperationsbeziehungen

Die Netzwerkbildung steht in enger Beziehung zu den Ausführungen zum Kooperationsmanagement in Abschnitt 2.3.1. An dieser Stelle stehen konkrete Umsetzungen im Vorder-

---

[235] Vgl. Fine 2000, 218. Wesentlichen Überlegungen dieser Art spielen in jüngeren Arbeiten zum strategischen Produktionsmanagement eine wichtige Rolle, siehe z.B.: Drucker 1990, 94-102; Clark 1996, 42-58; Safizadeh/Ritzman/Mallick 2000, 111-127.

[236] Siehe Lehrbücher des Produktionsmanagements: Chase/Aquilano/Jacobs 1998; Waller 1999; Zäpfel 1996.

[237] Siehe Lehrbücher der Logistik: Bowersox/Closs 1996; Johnson et. al. 1999; Schulte 1999.

[238] Siehe z.B. einschlägige Kapitel in Lehrbüchern zum Produktionsmanagement: Chase/Aquilano/Jacobs 1998, 82-118; Waller 1999: 145-163.

[239] Vgl. z.B. Levy 1997; Handfield et. al. 1999.

[240] Siehe z.B. die Literatur zur Ökobilanzierung oder zum Design for Environment: Keoleinan 1996, 6.1-6.34; Fiskel 1996. Zum ökologischen Produktdesign in der Kette siehe Ebinger 2000, 325-350.

[241] Vgl. Handfield/Nichols 1999, 166.

grund. Daher wird auf die Kategorisierung von Kooperationsbeziehungen einerseits sowie den Vergleich traditioneller und partnerschaftlicher Beziehungen andererseits eingegangen. Dadurch kann aufgezeigt werden, mit denen sich Firmen auseinander setzen müssen, die sich den Herausforderungen des Supply Chain Managements stellen.

Einen einfachen Ansatz, um die Netzwerkbildung zu strukturieren, stellen Vollmann, Cordon und Raabe vor. Dabei übertragen sie die Vorgehensweise der ABC-Analyse[242] auf die Zusammenarbeit mit anderen Unternehmen in der Wertschöpfungskette, so dass drei Arten von Beziehungen abgegrenzt werden, wie Abbildung 9 veranschaulicht. Das dafür gewählte Unterscheidungsmerkmal zielt auf die Bedeutung der Kompetenzen ab, die mit der Zusammenarbeit für das Unternehmen verbunden sind, wodurch die Überlegungen an den Kernkompetenzansatz des strategischen Managements anschließen.[243]

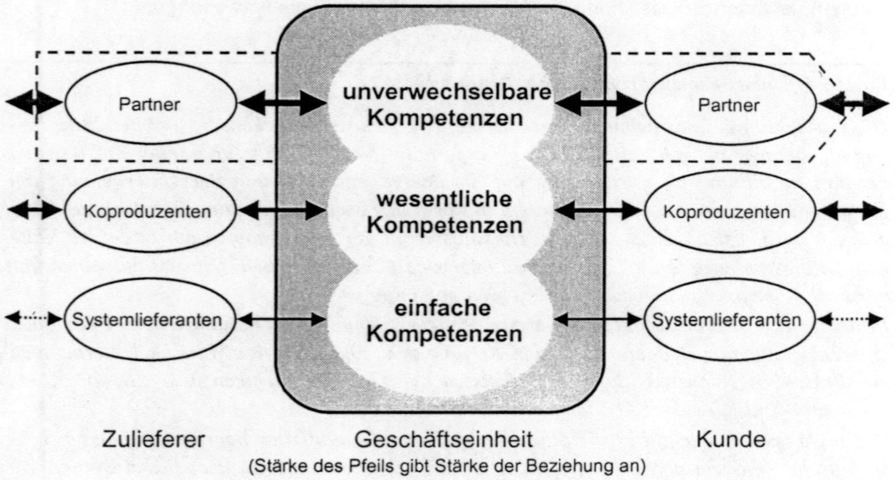

Abbildung 9: ABC-Analyse von Partnerbeziehungen
Quelle: Vollmann/Cordon/Raabe 1998, 380.

Daraus werden drei Arten von Beziehungen zu anderen Unternehmen in der Wertschöpfungskette abgeleitet, wobei betont wird, dass es sich dabei um Idealfälle entlang eines Kontinuums handelt:[244]

- Partner:

In der Zusammenarbeit mit Partnern werden unverwechselbare Kompetenzen der einzelnen Unternehmen kombiniert, so dass durch die daraus entstehenden Synergien einzigartige Produkte und Dienstleistungen für den Markt entstehen. Die Zusammenarbeit mit den Partnern ist so eng, dass von virtuellen Geschäftseinheiten gesprochen werden kann.[245]

---

[242] Die ABC-Analyse ist ein ursprünglich in der Materialwirtschaft entwickeltes Instrument, mit dem Lagergüter entsprechend ihrer Teilezahl und ihrem Wert klassifiziert werden. In der Regel sind 80% der gelagerten Werte in 20% der Teile gebunden, so dass Optimierungen der Lagerhaltung vor allem bei diesen sogenannten A-Gütern ansetzten müssen. Sieh z.B. Planer 1995, 382-385.

[243] Siehe z.B. Prahalad/Hamel 1990, 79-91.

[244] Vgl. Vollmann/Cordon/Raabe 1998, 379.

[245] Vgl. Vollmann/Cordon/Raabe 1998, 379-381.

- Koproduzenten:

Die in dieser Kategorie kombinierten Kompetenzen sind wesentliche Eintrittsvoraussetzungen, um am Markt bestehen zu können. Dazu zählen z.B. ein zertifiziertes Qualitätsmanagementsystem, das in einigen Märkten eine unabdingbare Voraussetzung ist, um überhaupt als Zulieferer in Betracht zu kommen.[246]

- Systemlieferanten:

Diese Stufe beinhaltet Kompetenzen und Aufgaben, die keinen direkten Einfluss auf die Produkte und Dienstleistungen haben. Dazu zählen vor allem Aufgaben des administrativen Supports, deren effiziente Abwicklung keine Bedeutung für die strategische Position des Unternehmens hat.[247]

Diese einfache Kategorisierung bietet damit einen Ansatzpunkt für das einzelne Unternehmen, mit welchen Unternehmen in der Kette intensiver zusammen gearbeitet werden sollte, wozu ein verändertes Verständnis der Kooperationsbeziehungen notwendig wird.

Kasten 4: Unternehmensgrößen in der textilen Kette

Die Größe eines Unternehmens, stark vereinfacht gemessen am Umsatz und der Mitarbeiterzahl, bedingt oft seine Machtstellung innerhalb der Wertschöpfungskette. Am Beispiel der Automobilindustrie wird häufig auf die überragende Stellung der Unternehmen am Ende der Kette verwiesen, die vor allem aus dem direkten Kontakt zum Kunden heraus begründet wird. Durch die zusätzliche Einkaufsmacht der Unternehmen am Ende der Kette können diese häufig ihren Lieferanten Lieferkonditionen vorgeben. Dies ist um so stärker der Fall, je mehr der Lieferant vom Kunden abhängig ist.

In der textilen Kette kommt, wie bereits dargelegt, dem Konfektionär / Handel ebenfalls eine entscheidende Bedeutung für den Kontakt zum Endkunden zu. Etliche Unternehmen der Bekleidungsindustrie zählen ebenfalls zu den Großunternehmen, wie z.B. die Klaus Steilmann GmbH & Co. KG oder der Otto Versand.

Trotzdem ist die Macht dieser Unternehmen in der Kette oft klar begrenzt, so dass z.B. ökologische Anforderungen nicht beliebig auf die Lieferanten abgewälzt werden können. An zwei Beispielen wird dies verdeutlicht.

Der Otto Versand lässt Textilien u.a. in der Türkei fertigen. Viele Unternehmen der Textil- und Bekleidungsbranche in der Türkei sind insgesamt kleiner als der Otto Versand. Da die meisten Lieferanten weniger als 10% ihres Umsatzes mit dem Otto Versand tätigen, besteht nur eine geringe Abhängigkeit. Der Wunsch des Otto Versandes, kbA-Bauwolle für bestimmte Produkte einzusetzen, kann daher nicht einfach an diese Lieferanten „durchgedrückt" werden. Eine intensive Zusammenarbeit, die auch den Lieferanten Vorteile bringt, ist daher eine wesentliche Voraussetzung. Dazu zählen z.B. Beratungsleistungen für die Optimierung der Produktion, die der Otto Versand auf seine Kosten durch einen Unterauftragnehmer erbringen lässt.

In der Wertschöpfungskette für Polyester sind die Größenunterschiede noch deutlicher. Der Wunsch von Steilmann, Futterstoffe aus antimonfreiem Polyester einzusetzen, führt dazu, dass alle Vorlieferanten entsprechende Umstellungen vornehmen müssen. Eine komplette Umstellung von Steilmann bedeutet, dass ca. 400 t Polyester pro Jahr in antimonfreier Qualität benötigt werden. Auf der Vorstufe entspricht diese Menge etwa 12% der Jahresproduktion an Futterstoffen, sofern nur ein Lieferant betrachtet wird.

---

[246] Vgl. Vollmann/Cordon/Raabe 1998, 379. Beispiele dafür sind die Bedeutung von Qualitätsmanagementzertifizierungen in der Automobil- oder Offshore-Industrie.

[247] Vgl. Vollmann/Cordon/Raabe 1998, 379.

Geht man in der Kette noch weiter zurück bis zur Herstellung des Polyesters, dann stellen die 400 t nur etwa 1% der Produktionsmenge oder etwa den Output einer Anlage in einer Woche dar. Die wenigen Zahlen machen deutlich, dass bezogen auf ein konkretes Produkt durchaus Größenverhältnisse in der textilen Kette herrschen können, die es dem Konfektionär nicht erlauben, zusätzliche Forderungen z.B. an die ökologische Qualität, an die Lieferanten einfach weiterzugeben. In folgenden Kästen wird insbesondere am Beispiel der Futterstoffe erörtert, welche Lösungen durch Kooperationen zwischen den Unternehmen der Wertschöpfungskette möglich werden.

2.5.1.2 Von traditionellen zu partnerschaftlichen Beziehungen

Mehrere Autoren haben eine einfache Zweiteilung in traditionelle und partnerschaftliche[248] bzw. antagonistische und kooperative[249] Beziehungen vorgenommen.[250]

Element	Traditionell	Partnerschaftlich
Lagerhaltungspolitik	Unabhängige Optimierung	Gemeinsame Reduktion der Bestände entlang der Kette
Gesamtkosten-betrachtung	Minimierung der Unternehmenskosten	Kettenweite Kosteneffizienz
Zeithorizont	Kurzfristig	Langfristig
Bedeutung des Informationsaustausches	Begrenzt auf die aktuellen Transaktionen	So umfangreich, wie für gemeinsame Planung und Steuerung notwendig.
Gemeinsame Planung	Transaktionsorientiert	Kontinuierlich
Kompatibilität der Unternehmensphilosophien	Nicht relevant	Kompatibel innerhalb der wichtigsten Beziehungen
Breite der Lieferantenbasis	Groß, um Wettbewerb zu erhöhen / Risiken zu reduzieren	Gering, um Koordination zu verbessern
Führungsanspruch im Absatzkanal	Nicht notwendig	Notwendig, um gemeinsame Fokussierung zu erreichen
Bedeutung von Risiko- und Erlösteilung	Jeder für sich	Risiko- und Erlösteilung über längere Zeiträume
Geschwindigkeit der Produktion sowie von Material- und Informationsflüssen	Lagerhaus orientiert (Lagerung, Sicherheitsbestände), unterbrochene Materialflüsse, die auf einzelne Beziehungen begrenzt sind	Distributionszentrum orientiert (Umschlagshäufigkeit), verbundene Flüsse, JiT, Quick Response in der gesamten Kette
Informationstechnische Systeme	Unabhängig	Kompatibel, Schlüssel zur Kommunikation

Tabelle 4: Vergleich traditioneller und partnerschaftlicher Ansätze
Quelle: Cooper/Ellram 1993, 10.

[248] Vgl. Cooper/Ellram 1993, 10.
[249] Vgl. Matthyssens/van den Bulte 1994, 73; Specht/Hellmich 2000, 104.
[250] Siehe auch die Ausführungen bei: Stevens 1989, 7; Helper 1991, 15-28; Helper/Sako 1995, 77-84; Friedrich/Hinterhuber/Rodens 1995, 44; Underhill 1996, 31ff.; Frigo-Mosca 1998, 24ff; Hughes/Ralf/Michels 1998, 59ff.; Christopher 1998b, 278; Albright/Davis 2000 172.

Dabei werden die notwendigen Veränderungen anhand verschiedener Kriterien eingeordnet, wie Tabelle 4 zusammenfasst. Weiter veranschaulicht wird diese Veränderung durch den Hinweis, dass in traditionellen Beziehungen Verkauf und Einkauf der beiden Unternehmen auf dem Markt aufeinandertreffen. Im Gegensatz dazu bestehen in Kooperationen vielfältige Beziehungen zwischen allen Abteilungen der Unternehmen, da die jeweils betroffenen Abteilungen im Sinne gemeinsamer Zielerreichung oder Problemlösung zusammenarbeiten.[251] Dabei werden die Vorteile der partnerschaftlichen Beziehungen für beide Seiten betont, die entsprechend der vorstehenden Tabelle alle Ebenen des Managements umfassen.

2.5.1.3 Integration von Produktdesign und Netzwerkbildung

Bisher liegen nur wenige Beiträge vor, die sich explizit diesem Thema widmen.[252] Eine Systematisierung leistet der Betrag von Handfield, Ragatz, Petersen und Monczka, in dem ein umfassendes Modell für die Lieferanteneinbindung an verschieden Stellen des Produktentwicklungsprozesses dargestellt wird.[253] Darin wird auch die Eignung des Lieferanten überprüft, wie Abbildung 10 darstellt.

Dieses Modell geht von der Steuerung des gesamten Prozesses durch ein Unternehmen aus. Für eine echte Integration entlang der Wertschöpfungskette werden alle wichtigen Partner gemeinsam an den Lösungen arbeiten müssen. Trotzdem wird häufig ein Unternehmen eine Vorrangstellung innehaben, die entweder durch Macht oder besondere Kundennähe bedingt wird.[254] Damit sind auch die Kunden in die Wertschöpfungskette zu integrieren. Dies wird an Beispielen deutlich, bei denen die Kunden selbst an wertschöpfenden Schritten beteiligt werden, wie es z.B. beim Angebot von Dienstleistungen per Internet der Fall ist.[255] Dies weist auf die radikalen Veränderungen hin, die durch die Integration von Produktdesign und Netzwerkbildung erzielt werden können, so dass Wertschöpfungsketten völlig neu konfiguriert werden. Damit finden sich bereits Anklänge an stärker operative Konzepte, wie sie in den weiteren Integrationsfeldern zu finden sind.

Kasten 5: Zertifizierung von Lieferanten bei Klaus Steilmann[256]

Das Unternehmen Klaus Steilmann GmbH & Co. KG gehört zu den größten europäischen Konfektionären von Bekleidung. Steilmann verkauft fast die gesamte Ware an Einzelhändler. Dafür werden eigene Kollektionen entwickelt. Bis vor wenigen Jahren erfolgte meist nur eine einzelfallbezogene Zusammenarbeit mit Lieferanten, so dass diese von Saison zu Saison häufig gewechselt wurden. Als Folge davon betrug zu Beginn des Jahres 1999 der Gesamtbestand mehr als 1300 Lieferanten bei Steilmann. Der erhöhte Wettbewerbsdruck hat dazu geführt, dass das Unternehmen ein Programm aufgelegt hat, das gleichzeitig der Reduktion des Lieferantenstammes und dessen Qualifizierung und Zertifizierung dient. Der damit verbundene hohe Aufwand lohnt sich nur, wenn die Zusammenarbeit mit den Lieferanten dauerhaft erfolgt. Neben ökonomischen Kriterien wie Qualität, Zuverlässigkeit,

[251] Cooper et. al. 1997, 77.

[252] Vgl. z.B. Levy 1997, 94-102; Cooper/Slagmulder 1999, 10 und 145ff; Tyndall et. al. 1998, 209ff; Handfield et. al. 1999, 59-82; sowie weitere Hinweise im letztgenannten Beitrag.

[253] Vgl. Handfield et. al. 1999, 65.

[254] Vgl. Bhattacharya et. al. 1996, 40.

[255] Als Beispiel sei auf eine Buchbestellung oder eine Überweisung per Internet verwiesen. Der Kunde gibt dabei die Bestellung bzw. Überweisung ins System ein. Im zweiten Fall erfolgen alle weiteren Prozesse automatisch, so dass kein Mitarbeiter einer Bank mehr am Prozess beteiligt ist.

[256] Die Darstellung beruht auf einem Gespräch mit Frau Nicole Hölter, Umweltabteilung der Klaus Steilmann GmbH & Co KG, Wattenscheid am 27.07.2000 sowie der Auswertung von Dokumenten des Unternehmens.

Innovationspotential und Preis-Leistungs-Verhältnis spielen ökologische Kriterien eine wichtige Rolle in der Beurteilung der Lieferanten. Als Folge dieses Programms konnte die Lieferantenzahl innerhalb eines halben Jahres unter 1000 gesenkt werden, was zu verminderten Kosten für die Administration des Lieferantenstamms und einer höheren Qualität der Lieferbeziehungen führen soll.

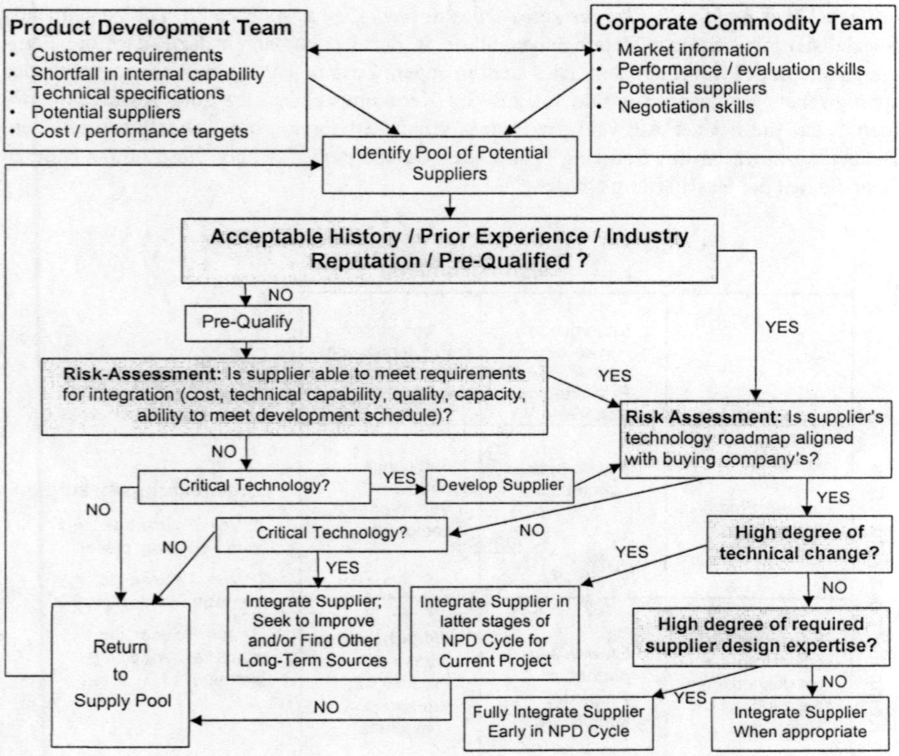

Abbildung 10: Prozessmodell für die Integration von Lieferanten in die Entwicklung neuer Produkte
Quelle: Handfield et. al. 1999, 65.

2.5.2 Produktentwicklung in der Wertschöpfungskette

Die Bedeutung der Produktentwicklung für das Produktionsmanagement kann schon daraus abgelesen werden, dass dieser Punkt in jedem Lehr- oder Handbuch zum Produktionsmanagement thematisiert wird.[257] Daher sollen allgemeine Aspekte und Instrumente nicht weiter behandelt werden. Die besondere Bedeutung der Produktentwicklung und ihre Integration in die Kette wurde zudem bereits in Abschnitt 2.5.1 erörtert. Nachfolgend werden daher Sourcing und Outsourcing sowie Lieferpyramide und Systemlieferanten betrachtet.

257 Vgl. z.B. Kern/Schröder/Weber 1996, 1439-1451; verschiedene Beiträge in Corsten 1994; Chase/Aquilano/Jacobs 1998, 82-118; Waller 1999, 145-163.

2.5.2.1 Sourcing und Outsourcing

Gleichzeitig erfolgt mit diesen Überlegungen ein Rückgriff auf die Frage der „Make-or-Buy“ Entscheidung und damit der Festlegung der Fertigungstiefe,[258] die zu den klassischen Untersuchungsgegeständen der Betriebswirtschaftslehre zu rechnen ist. Davon ausgehend ist die Beschaffung des Unternehmens zu gestalten, „*die sämtliche unternehmens- und/oder marktbezogenen Tätigkeiten umfasst, die darauf gerichtet sind, einem Unternehmen die benötigten, aber nicht selbst hergestellten Objekte verfügbar zu machen*“[259]. Die zunehmende Spezialisierung einzelner Unternehmen führte in den letzten Jahren dazu, dass die Fertigungstiefe in der Regel abnahm. Dies steht in engem Zusammenhang mit Überlegungen des strategischen Managements, wie sie z.B. im Kernkompetenzansatz zum Ausdruck kommen,[260] auf die bei der Auswahl der Partner schon verwiesen wurde. Dies führt zu einem Bedeutungszuwachs des Sourcing[261] bzw. des Outsourcing,[262] wobei diese umfassenderen Begriffe den der Beschaffung ablösen.[263]

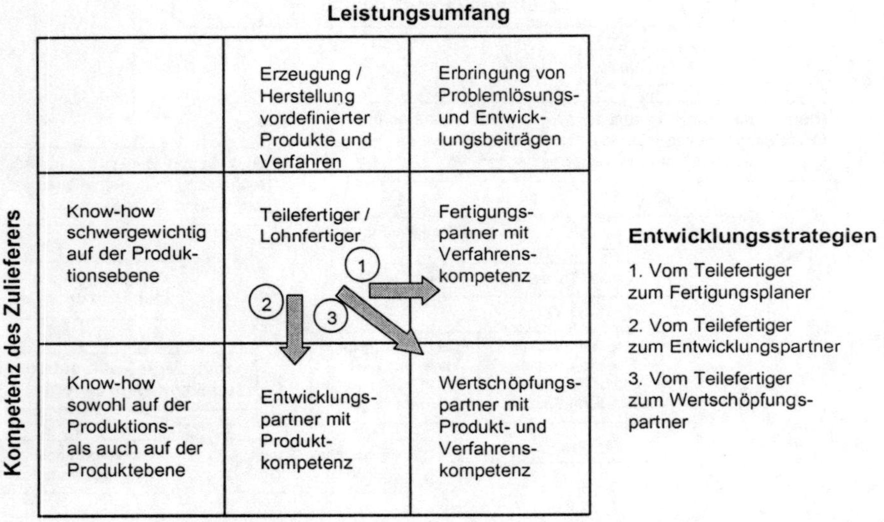

Abbildung 11: Entwicklungsstrategien für Zulieferer
Quelle: Heim 1994, 29.

In diesem Kontext sind Entscheidungen über die eigene Fertigungstiefe und daraus resultierend die Zusammenarbeit mit Kunden und Lieferanten zu treffen, woraus sich die Art und

[258] Vgl. Arnold 1997, 13.
[259] Arnold 1997, 3.
[260] Vgl. z.B. Prahalad/Hamel 1990, 79-91; für eine Anwendung auf das Sourcing siehe z.B. Monczka/Trent/Handfield 1997, 213ff.
[261] Vgl. z.B. Venkatesan 1992, 98-107; Kaufmann 1995, 275-296; Arnold/Eßig 2000, 122-128.
[262] Vgl. z.B. Quinn/Hilmer 1994, 43-55; Heim 1994, 28-33; Bühner /Tuschke 1997, 20-29; Arnold 1999, 309-316; Quinn 2000, 13-28; National Reserach Council 2000, 16.
[263] Vgl. Kaufmann 1995, 276.

Anzahl der Partner ergibt.[264] Diesbezüglich leitet Heim anhand der beiden Dimensionen Leistungsumfang und Kompetenz des Zulieferers die folgende Klassifikation von vier Entwicklungsstufen bzw. drei Entwicklungsstrategien für Lieferanten ab, wie Abbildung 11 darstellt.[265]

Von besonderer Bedeutung ist dabei die Entwicklung entlang der Strategien 2 und 3. Für den letzten Fall spricht Kaufmann von know-how-integrierter Zulieferung, „*wenn auch produkt- und prozessbezogene Forschung und vor allem Entwicklung Teil des vom Zulieferer erbrachten (Zusatzdienst-) Leistungsbündels ist, wenn dieser also bereits in den Frühphasen des Produktlebenszyklus Beiträge erbringt*".[266]

Kasten 6: Technologieentwicklung für Textilprodukte bei bluesign[267]

Die bluesign AG ist ein im Jahr 2000 neu gegründetes Unternehmen, das das Ziel verfolgt, neue Technologie für die Textilindustrie zur Verfügung zu stellen. Dazu kauft oder least das Unternehmen Technologien von anderen Unternehmen. Diese werden zu einem eigenen Technologiekonzept zusammengeführt, das unter dem bluesign Label vermarktet wird, das gleichzeitig höchste technologische und ökologische Ansprüche verbindet. Die bluesign AG positioniert sich damit als Koordinator in der Wertschöpfungskette, die Technologiegeber und Technologienutzer zusammenbringt. Der Nutzen für die Technologiegeber liegt darin, dass bluesign als Multiplikator bei der Vermarktung auftritt. Da das Label stets für technologische Neuerungen offen ist, können innovative Prozesse unter einem etablierten Label leichter vermarktet werden. Die Nutzer des Labels erhalten Technologien, die auf dem neuesten Stand der Entwicklungen sind. Gleichzeitig garantiert bluesign für die ökologische Qualität der angebotenen Technologien.

Insgesamt erfolgt die Abstimmung mit den Lieferanten so eng, dass dann von einer Wertschöpfungspartnerschaft gesprochen wird[268] und damit sogar Innovationsprozesse zum Gegenstand des Outsourcing werden.[269] In diesem Fall erfolgt eine enge Koordination bereits in der Phase der Produktentwicklung, so dass entsprechende Instrumente, z.B. das Simultaneous oder Concurrent Engineering[270] eingesetzt werden. Diese sind dann in ihrer Anwendung eng mit den Lieferanten abzustimmen.[271] Aufgrund der Vielzahl an Vorprodukten und Lieferanten entsteht hier ein erhöhter Koordinationsbedarf, dem durch das Konzept des Systemlieferanten und dem Aufbau von Lieferpyramiden entgegengewirkt wird.

2.5.2.2 Lieferpyramide und Systemlieferanten

Durch die enge Zusammenarbeit mit A-Lieferanten und A-Kunden[272] kommt es zur Ausbildung einer hierarchischen Lieferpyramide. Dieser Begriff steht für die enge Koordination

---

[264] Vgl. Burt 1989, 127-135; Homburg 1995, 813-833; Ihde 1996, 1086-1095; Prabhu/Talpade/Ramarapu 1997, 269-278.

[265] Siehe auch die ähnliche Abbildung bei Wood/Kaufmann/Merenda 1996, 78 sowie die Tabelle bei Ansari/Bell 1997, 89.

[266] Vgl. Kaufmann 1995, 284.

[267] Die Darstellung beruht auf Gesprächen mit Herrn Hans-Jürgen Hübner, Schöller Textil, Sevelen, Schweiz, am 15.09.2000 sowie der Auswertung von Dokumenten des Unternehmens.

[268] Vgl. Heim 1994, 29; Wood/Kaufmann/Merenda 1996, 78; Swoboda 1997, 449-454.

[269] Vgl. Quinn 2000, 13-28.

[270] Vgl. z.B. O'Neal 1993, 3-9; Ehrlenspiel 1995, 313-320; Monczka/Trent/Handfield 1997, 164f; Waller 1999, 157; Cooper/Slagmulder 1999, 251ff.

[271] Siehe z.B. Anumba/Siemieniuch/ Sinclair 2000, 566-597.

[272] Vgl. die schon vorgestellte Einteilung von Vollmann/Cordon/Raabe 1998, 380.

mit den Lieferanten der ersten Stufe (first-tier-supplier), die ihrerseits als Knotenpunkt dienen und die darunter liegende Stufe (second-tier-supplier) koordinieren. Dies kann sich über mehrere Stufen bis hin zu den Zulieferern für Rohmaterial fortsetzen. Die erste Stufe, die Systemlieferanten,[273] liefert in solch einer Pyramide in der Regel ganze Systeme, die bereits komplexe Produkte sind und übernimmt die komplette Verantwortung für alle vorgelagerten Stufen. Insbesondere die Organisation von Liefer- und Wertschöpfungsketten in der japanische Industrie folgt seit langem diesem Muster.

Unter dem Begriff des Keiretsu bestehen dort sehr viel engere Vernetzungen, die auch eine wechselseitige Beteiligung der Unternehmen umfassen.[274] Mittlerweile versuchen westliche Unternehmen die Vorteile dieser Strukturen nachzubilden.[275]

Die Optimierung der Produktentwicklung in der Kette stellt die kooperierenden Unternehmen damit vor neue Herausforderungen. Durch diese Festlegung, die je nach Detailregelung auch mit einer Abnahmegarantie verbunden ist, entsteht eine sehr enge Bindung in der Kette. Bei der Komplexität der Produkte ist häufig eine Entwicklung des Zulieferteils durch mehrere Lieferanten ausgeschlossen, so dass zu einem sehr frühen Stadium bereits sehr wesentliche Entscheidungen zu treffen sind, die entscheidend für die Profitabilität des einzelnen Unternehmens und der ganzen Kette sind. Dies trifft gleichermaßen für die operativen Prozesse in der Kette zu, die nun betrachtet werden.

Kasten 7: Optimierung der Futterstoffbeschaffung bei Klaus Steilmann[276]

Während die Bekleidung insgesamt ständigen Modewechseln unterliegt, weisen einzelne Zutaten eine recht große Konstanz auf. Ein Beispiel für konstante Bedarfe in der textilen Kette sind die Futterstoffe, die in jeder Saison eingesetzt werden. Mengenabweichungen zwischen der Sommer- und der Wintersaison sind recht gut prognostizierbar. Die Farbpalette hängt wesentlich von den Farben der Oberstoffe ab. Da nur wenige Qualitäten eingesetzt werden, bildet die Anzahl der Farben eine wichtige Einflussgröße. Bis Mitte 1997 wurden bei Steilmann über 300 verschiedene Farben bei Futterstoffen verwandt. In einem unternehmensinternen Projekt wurden die verschiedenen Farbkarten abgeglichen. Als Folge wurde die Anzahl eingesetzter Farben auf ca. 30 reduziert, wodurch pro Farbe im Schnitt größere Mengen bezogen werden.

Diese interne Maßnahme wird durch eine Neugestaltung der Zusammenarbeit mit den Lieferanten ergänzt, so dass Futterstoffe nur noch von wenigen Lieferanten bezogen werden. Für Farben, die regelmäßig in großen Mengen benötigt werden (z.B. schwarz) hält der Lieferant ständig Mengen vor. Nach Abforderung der Menge wird innerhalb von maximal zwei Tagen geliefert. Der Lieferant hat den Vorteil, dass pro Saison die Gesamtmenge in etwa feststeht. Aufträge können dadurch flexibel in die Produktion eingelastet werden, wenn Kapazitäten zur Verfügung stehen.

Für andere Farben werden ebenfalls Gesamtmengen pro Saison vereinbart. Die dafür insgesamt reservierten Kapazitäten stellen sicher, dass Bestellungen beliebiger Farben aus dem vereinbarten Spektrum innerhalb von zwei bis drei Wochen geliefert werden können.

---

[273] Vgl. z.B. Boutellier et. al. 1995, 28-32; Dyer/Cho/Chu 1998, 57-77; Loebert 1998, 8ff.; Cooper/Slagmulder 1999, 87; Scannell/Vickery/Dröge 2000, 31.

[274] Siehe ausführlich dazu: Ellram/Cooper 1993, 1-12; auch: Bhattacharya et.al. 1996, 39-48; Pfaffmann 1998, 451-466.

[275] Vgl. Dyer 1996, 42-56; Bhattacharya et. al. 1996, 43f.

[276] Die Darstellung beruht auf einem Gespräch mit Lieferanten im Unternehmen Klaus Steilmann GmbH & Co.KG am 14.11.2000.

2.5.3 Gestaltung des Produktionsnetzwerkes

Produktionsnetzwerken kommt eine hohe Bedeutung im Supply Chain Management zu. Mit Bellmann kann formuliert werden, dass individuelle Kernkompetenzen mittels kollektiver Komplementaritätskompetenzen zu vernetzen sind.[277] Botta geht sogar so weit, dass er davon spricht, dass Netzwerke die Kosten treiben, so dass eine sachliche, zeitliche und inhaltliche Integration notwendig wird.[278] Mit der Abstimmung von Produkten und Netzwerken[279] und dem Postponement werden Beispiele für diese Integration vorgestellt.

2.5.3.1 Abstimmung von Produkten und Netzwerken

Einen Beitrag zur Kombination der Produktion und Logistik mit den Partnern in der Wertschöpfungskette bietet Fisher.[280] Dazu nimmt er einfache Klassifikationen für die Produkte und deren Anforderungen an die entsprechende grundsätzliche Netzwerkbildung vor.

Charakteristika der Nachfrage	**Funktional (Vorhersagbare Nachfrage)**	**Innovativ (Unvorhersehbare Nachfrage)**
Produktlebenszyklus	Mehr als 2 Jahre	3 Monate bis 1 Jahr
Erlösmarge	5 – 20 %	20 - 60 %
Vielfalt der Produktvarianten	Gering (10 - 20 Varianten pro Kategorie)	Hoch (oft mehrere Millionen Varianten pro Kategorie)
Durchschnittlicher Prognosefehler zum Zeitpunkt der Produktionsfreigabe	10 %	40 - 100 %
Durchschnittliche Rate an Lagerfehlmengen	1 – 2 %	10 - 40 %
Durchschnittliche Preisabschläge am Saisonende in % des Preises	0 %	10 - 25 %
Lieferzeit bei auftragsbezogener Fertigung	6 Monate bis 1 Jahr	1 Tag bis 2 Wochen

Tabelle 5: Abgrenzung funktionaler und innovativer Produkte
Quelle: Fisher 1997, 107.

Produkte werden dabei in funktionale, mit einer vorhersehbaren, eher konstanten Nachfrage und innovative, mit schwer prognostizierbarer Nachfrage unterschieden.[281] Für die dazugehörigen Supply Chains wird zwischen physisch effizienten und schnell an Marktbedingungen anpassbaren Ketten unterschieden. Die für die Abgrenzung benutzten Kriterien sind in den folgenden beiden Tabellen zusammengestellt.

Funktionale Produkte können verkürzt als solche charakterisiert werden, deren Bedarf über das Jahr oder Saisons hinweg weitgehend konstant bleibt. Als Beispiel sind z.B. (Standard-) Nahrungsmittel oder Basisteile der Bekleidung (einfache T-Shirts) zu nennen, bei denen nur geringe Margen zu erzielen sind. Innovative Produkte sind durch große Schwankungen und

---

[277] Vgl. Bellmann 1996, 53.
[278] Vgl. Botta 1996, 172.
[279] Für eine Klassifikation von Produktionsnetzwerken siehe: Pfohl/Buse 2000, 391-394.
[280] Vgl. Fisher 1997, 105-116.
[281] Vgl. auch McCutcheon/Raturi/Meredith 1994, 89-99.

kurze Lebenszyklen auf sich ständig verändernden Märkten gekennzeichnet (vgl. Tabelle 5). Dazu gehören z.B. hochmodische Bekleidung oder auch Computerequipment, bei denen zwar höhere Margen zu erzielen sind, deren Erfolg am Markt aber gleichzeitig von sofortiger Verfügbarkeit abhängt.

In ähnlicher Weise wird auch eine Unterscheidung für Wertschöpfungsketten getroffen, wie Tabelle 6 zusammenfasst. Effiziente Ketten sorgen dafür, dass bestimmte Produkte bei minimalen Kettenkosten ständig verfügbar sind. Dazu sind z.B. die Bestände in der Kette zu minimieren und Ausschläge in der Kette zu vermeiden, wie sie mit dem Bullwhip-Effekt beschrieben werden. Auslöser dafür können z.B. Sonderangebote sein, die nicht die Nachfrage nach dem Produkt erhöhen, sondern zu einer zeitlichen Verschiebung des Einkaufs durch die Kunden führen.[282] Im Gegensatz dazu kommt es bei responsiven Ketten darauf an, optimale Lieferzeiten bei hoher Variabilität in der Menge zu gewährleisten.[283]

Supply Chain	Physisch effiziente Prozesse	Markt responsive Prozesse
Primäre Zielsetzung	Effiziente Belieferung einer gut prognostizierbaren Nachfrage zu den niedrigst möglichen Kosten	Hohe Reaktionsbereitschaft auf schwer prognostizierbare Nachfrage bei der Minimierung von Fehlmengen, erzwungenen Preisabschlägen und obsoleten Lagermengen
Produktionsfokus	Hohe Kapazitätsauslastung	Bereithaltung zusätzlicher Pufferkapazität
Lagerhaltungsstrategie	Hohe Lagerumschlagsraten und minimale Lagermengen entlang der gesamten Kette	Bereithaltung signifikanter Lagermengen von Teilen oder Fertigprodukten
Lieferzeitfokus	Verkürze Lieferzeiten soweit dies nicht zu erhöhten Kosten führt	Investiere aggressiv in verkürzte Lieferzeiten
Vorgehensweise bei der Lieferantenauswahl	Auswahl erfolgt primär nach Kosten und Qualität	Auswahl erfolgt primär nach Lieferzeit, Flexibilität, Qualität
Strategie des Produktdesigns	Maximierung der Effizienz und Minimierung der Kosten	Modulares Design um Produktspezifikationen möglich lange offen zu halten

Tabelle 6: Abgrenzung effizienter und responsiver Wertschöpfungsketten
Quelle: Fisher 1997, 108.

Die so gewählte Einteilung in eine Dimension, die das Produkt und seine Produktion analysiert, sowie in eine Dimension, die die Schnittstellen in der Kette erfasst, erlaubt gemeinsam einen Abgleich, so dass für Produkte Ketten gefunden und optimiert werden, die diesen entsprechen, wie die folgende Abbildung 12 darstellt.

Die Interpretation dieses Schemas besteht nun darin, dass zu funktionalen Produkten nur effiziente Ketten sowie zu innovativen Produkten responsive Wertschöpfungsketten passen. Werden andere Kombinationen gewählt, kommt es automatisch zu Problemen, da effiziente

---

282 Vgl. Fisher 1997, 112; Cachon/Fisher 1997, 266-276.
283 Siehe auch: Fisher et. al. 1994, 83-93.

Ketten so stark optimiert sind, dass Anpassungen nicht kurzfristig möglich sind.[284] Eine wichtige Rolle dafür spielt z.B. die optimale Platzierung von Lagern in der Kette, die mit der Anpassung von Produkten an einzelne Absatzmärkte zum Postponement verknüpft werden.

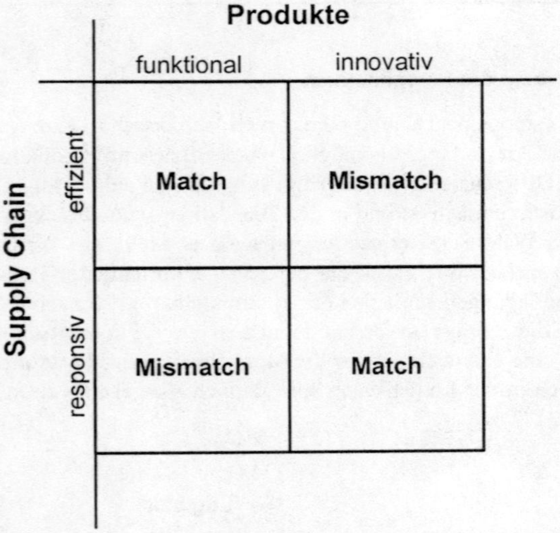

Abbildung 12: Abgleich von Produkten und ihren Lieferketten
Quelle: Fisher 1997, 109.

Kasten 8: Mass Customisation von Jeanshosen bei Levi Strauss[285]

Die wesentliche Überlegung des Mass Customisation liegt darin, Kunden individualisierte Produkte zu liefern, die in klassischer Massenfertigung hergestellt werden. Bekleidung bildet ein besonders interessantes Anwendungsfeld des Mass Customisation, da der Passform eine große Bedeutung zukommt. Levi Strauss hat auf diese Anforderung reagiert, indem Damen-Jeanshosen an die individuellen Maße der Kundinnen angepasst werden. Der Ablauf kann so zusammengefasst werden, dass die Kundin im Laden eine Grundform und eine Farbe wählt. Im zweiten Schritt werden Anpassungen der Hose an vier Maßpunkten vorgenommen, so dass die Hose in ihrer Passform an die Bedürfnisse der Kundin angepasst werden, wobei insgesamt über 4000 verschiedene Maßkombinationen möglich sind. Die Daten der individualisierten Hosen werden dann per Datenaustausch an eine Fabrikationsstätte übermittelt. Dort wird die Hose innerhalb von zwei Wochen gefertigt und an die Kundin ausgeliefert.

Der Vorteil des Mass Customisation für die Kundin liegen im passgenauen Produkt, das nicht oder nur unwesentlich teurer als ein Produkt von der Stange ist. Die Vorteile für das Unternehmen beruhen auf der großen Kundenorientierung, sowie verringerten Kosten für die Lagerhaltung und Fehlproduktion, die nicht abgesetzt werden kann. Der Erfolg des

[284] Eine Anwendung dieser Überlegungen für Dienstleistungen findet sich in: Cohen et. al. 2000, 98.
[285] Siehe die Ausführungen bei Piller 1997a, 15-26; Piller 1997b, 70-75.

Konzepts hängt entscheidend von der informationstechnischen Verknüpfung der Verkaufsstellen mit den Produktionsstätten ab.
Neue Technologien, z.B. dreidimensionale Scanner, die alle Maße eines Kunden in einem Arbeitsgang erfassen, werden die Möglichkeiten erweitern, so dass dem Mass Customisation von Bekleidung in wenigen Jahren eine große Bedeutung zukommen wird.

2.5.3.2 Das Prinzip des Postponement

Das Prinzip des Postponement wurde bereits mehrfach erwähnt. Kurz gefasst bezeichnet es Bestrebungen, Produkte so lange als möglich unspezifiziert im Produktionsprozess zu erhalten, so dass eine Differenzierung am spätest möglichen Punkt erfolgt.[286] Wenn die Basisüberlegung auch recht einfach ist und in den 20er Jahren schon beschrieben wurde,[287] so bereitet die konkrete Wahl Schwierigkeiten, an welcher Stelle der Wertschöpfungskette der Übergang von der spekulativen Push- zur postponementorientierten Pull-Steuerung der Kette erfolgt. Die Überlegungen schließen damit unmittelbar an Konzepte des Produktionsmanagements an, die diese Frage umfassend thematisieren.[288] Für Wertschöpfungsketten bieten Pagh und Cooper eine Übersicht, in der die Möglichkeiten des Postponement sowohl in der Produktion als auch in der Logistik von spekulativen Vorgehensweisen abgegrenzt werden (vgl. Abbildung 13).[289]

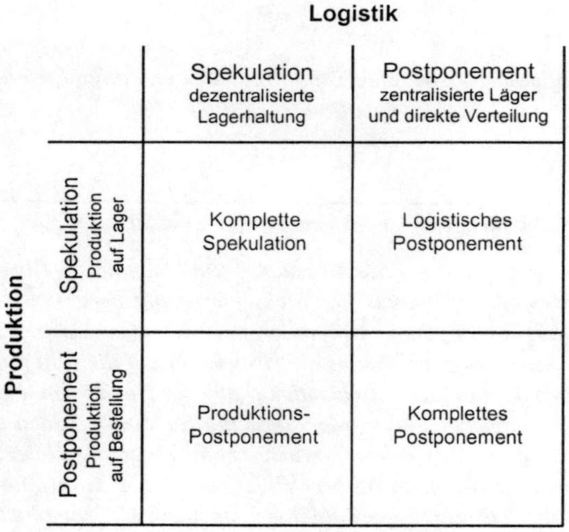

Abbildung 13: Spekulations- und Postponement-Strategien
Quelle: Pagh/Cooper 1998, 15.

[286] Vgl. Pagh/Cooper 1998, 14.
[287] Siehe die Hinweise bei Pagh/Cooper 1998, 13.
[288] Vgl. Chase/Aquilano/Jacobs 1998, 329ff; Waller 1999, 427ff.
[289] Die Autoren weisen darauf hin, dass dies Idealfälle sind und in der Realität auch Zwischenstufen beobachtbar sind. Siehe Pagh/Cooper 1998, 20.

Zudem beschreiben die Autoren die verschiedenen Strategien anhand der anfallenden Kosten für Produktion, Lagerhaltung und Distribution sowie dem Kundenservice.[290] Logistisches Postponement verringert zwar die Lagerkosten, führt aber zu höheren Distributionskosten und geringerem Kundenservice. Produktions-Postponement kann nur durch höhere Produktionskosten, z.B. für flexiblere Produktionseinheiten, realisiert werden. Bei komplettem Postponement fallen so im Vergleich zu einer Spekulationsstrategie höhere Kosten für Produktion und Distribution, aber niedrigere für die Lagerhaltung an.

Gleichzeitig ist auch von einem niedrigeren Kundenservice auszugehen. Für die Entscheidung des Unternehmens oder der Wertschöpfungskette sind das Produkt, die Markt- und Nachfragebedingungen und die vorhandenen Produktions- und Logistiksysteme zu berücksichtigen.[291] Nur indem diese Faktoren berücksichtigt werden, kann die optimale Entscheidung getroffen werden, an welcher Stufe der Wertschöpfungskette welche Produktions- und Logistikprozesse durchgeführt werden.

2.5.4 Prozessoptimierung in der Wertschöpfungskette

Die Masse der Arbeiten zum Supply Chain Management und vor allem der instrumentellen Entwicklung ist sicherlich diesem Integrationsfeld zuzuordnen. Insbesondere werden bei der Prozessoptimierung immer wieder daraus resultierende niedrigere Kosten oder eine verbesserte Leistungsfähigkeit der Kette angeführt.[292] Von wenigen Ausnahmen abgesehen, sind diese Kostenreduktionen in der Wertschöpfungskette eine Folge von Bemühungen, die darauf abzielen, andere Zielgrößen zu optimieren. Um die in diesem Kontext betrachteten Punkte zu erfassen, erfolgt deshalb eine zweistufige Betrachtung. Zuerst wird mit dem SCOR-Modell eine Modellierungsmethode für die Wertschöpfungskette vorgestellt, bevor dann verschiedene Optimierungsinstrumente angesprochen werden, die jeweils unterschiedliche Zielgrößen in den Vordergrund stellen. Beispielhaft sei auf den Lagerbestand[293] und die Durchlaufzeit[294] verwiesen, die in einer Vielzahl von Publikationen thematisiert werden und auf die auch schon mehrfach in diesem Kapitel eingegangen wurde.[295]

Insbesondere der Einsatz von Informationstechnologien, beispielsweise Electronic Data Interchange (EDI),[296] ermöglicht eine Zusammenarbeit in der Kette, die im Rahmen von Quick Response (QR) oder Efficient Consumer Response (ECR)[297] Lösungen erlauben, Lagerbestände und Durchlaufzeiten in der Wertschöpfungskette deutlich zu senken.

2.5.4.1 Das Supply Chain Operations Reference Modell

Die Bildung des Supply Chain Council im Jahre 1996 markiert einen wesentlichen Entwicklungsschritt auf der praktischen Seite. In dieser Vereinigung treffen sich Praktiker und Wissenschaftler, um gemeinsam Modellierungen der Wertschöpfungskette vorzunehmen. Aus diesen Anfängen heraus ist das Supply Chain Operations Reference (SCOR) Model formuliert worden, das als Meta-Modell zur Beschreibung von Wertschöpfungsketten geeignet

---

290 Vgl. Pagh/Cooper 1998, 20.
291 Vgl. Pagh/Cooper 1998, 22f.
292 Vgl. die in Abschnitt 2.2.2.2 bei der Diskussion der Zielgrößen angegebenen Quellen.
293 Vgl. Jones/Riley 1985; Lee/Billington 1992; Lee/Billington/Carter 1993; Farris 1996.
294 Vgl. z.B. Garigiet 1995, 135; Towill 1996b; Rich/Hines 1997; Mason-Jones/Towill 1999; Handfield/Nichols 1999, 53; sowie die Literaturauswertung bei Jayaram/Vickery/Droge 2000, 318.
295 Eine umfassende Aufzählung von Zielgrößen findet sich bei: Meyr et. al. 2000, 29-36.
296 Vgl. Monczka/Trent/Handfield 1997, 649-659; Lummus/Vokurka 1999, 13.
297 Vgl. zur Abgrenzung zwischen QR und ECR: Chase/Aquilano/Jacobs 1998, 488; Lummus/Vokurka 1999, 13.

ist[298] und repräsentativ für die Vielzahl der existierenden Modelle[299] vorgestellt wird. Die grundlegende Systematisierung des SCOR-Modells ist der üblichen Einteilung aller Prozesse im Produktionsmanagement entnommen.[300] Darin werden Einsatzstoffe, Produktionsprozesse und Produkte unterschieden. Übersetzt in die Begriffe des SCOR-Modells sind das die Ausführungsprozesse Beschaffen, Herstellen und Liefern. Übergeordnet ist diesen operativen Prozessen ein Planungsprozess, wie die folgende Abbildung 14 zusammenfasst. In dieser Systematik lassen sich sowohl ganze Wertschöpfungsketten als auch jeder einzelne Prozess selbst beschreiben.

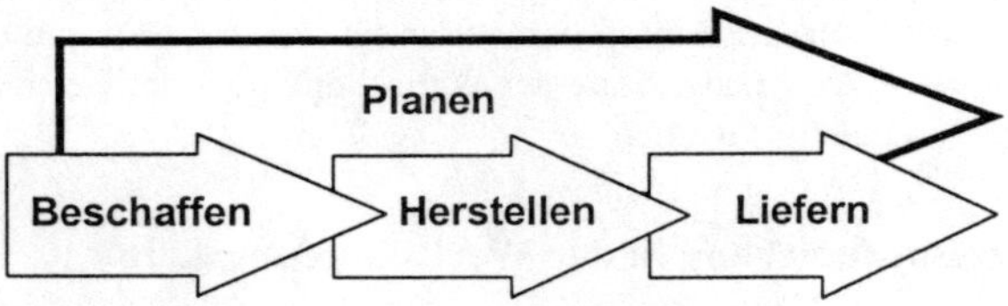

Abbildung 14: Die Basisprozesse des SCOR-Modells
Quelle: Supply Chain Council 1997, Folie 42.

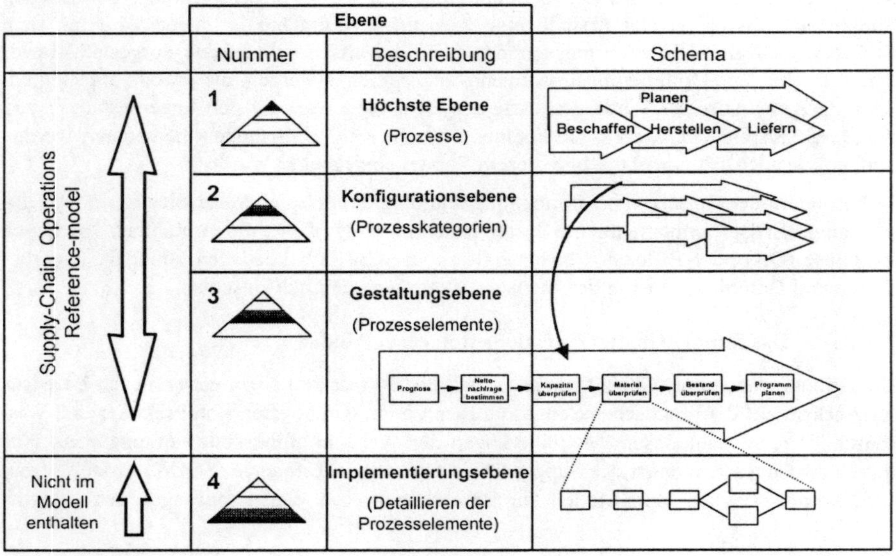

Abbildung 15: Prozessebene des SCOR-Modells
Quelle: Vereinfacht aus Supply Chain Council 1997, Folie 7.

[298] Vgl. Stewart 1997, 62-67; Kloth 1999, 9-23; Meyr et. al. 2000, 36-55.
[299] Weitere Modelle zur Analyse der Wertschöpfungskette siehe z.B. Hewitt 1994, 1-10; Lee/Billington 1995, 42-63; Farris 1996, 35-62; Thomas/Griffin 1996, 1-15; Towill 1996, 23-42; Shapiro 1998, 737-759; Swaminathan/Smith/Sadeh 1998, 607-632; Tsay/Nahamias/Agrawal 1998, 299-336; Li/O'Brien 1999, 147-157.
[300] Vgl. z.B. Quellen zur deutschsprachigen und zur englischsprachigen Literatur.

Ausgehend von diesen vier Basisprozessen bietet das SCOR-Modell eine Anleitung zur Beschreibung von Prozessen auf vier Ebenen, wobei die vierte Ebene die konkrete Anpassung an das einzelne Unternehmen beinhaltet und nicht Gegenstand des SCOR-Modells ist[301]:

Diese schrittweise Detaillierung ermöglicht eine Prozessbeschreibung bis hin zu einzelnen Aktivitäten, so dass eine Abbildung, Analyse und Messung der Supply Chain Konfiguration möglich wird (vgl. Abbildung 15).[302] Daher bilden Modellierungen der Wertschöpfungskette in der Regel den Ausgangspunkt für konkrete Optimierungen, die dann oft an den beiden Kriterien Lagerbestand und Durchlaufzeit festgemacht werden.

2.5.4.2 Optimierung des Lagerbestandes und der Durchlaufzeit

Die Optimierung des Lagerbestandes wurde bereits mehrfach innerhalb dieses Textes thematisiert. An erster Stelle sind dabei die Überlegungen zum Bullwhip-Effekt zu nennen.[303] Die mathematische Modellierung einfacher Supply Chains gelang bereits Forrester in den 50er Jahren.[304] Umfassendere Anwendung auf der methodischen Basis der Industrial oder System Dynamics scheiterten seinerzeit an nur begrenzten Rechenkapazitäten von Computern. Unmittelbar haben sich diese Überlegungen dann auch in der universitären Lehre zum Produktionsmanagement niedergeschlagen, wo das „Beer Game" in einer Vielzahl von Arbeiten[305] beschrieben wird, sowie seine Anwendung in der Ausbildung oder auch einzelne Optimierungsalgorithmen[306] erörtert werden.

Die Überlegungen wurden in jüngerer Zeit wieder aufgegriffen und sowohl bezüglich der mathematischen Modellierung der Verhaltensannahmen[307] als auch der daraus abzuleitenden Folgerungen für das Supply Chain Management erweitert.[308]

Der Modellbildung liegt die Optimierung der Produktion und Lagerhaltung in der Kette zugrunde. In der Spielsituation wird dabei unterstellt, dass die einzelnen Unternehmen nicht kooperieren, so dass aus geringen Schwankungen der Nachfrage erhebliche Schwankungen in Produktion und Lagerhaltung resultieren. Die folgende Abbildung veranschaulicht dies, wobei nur eine einstufige Lieferkette und eine einmalige Erhöhung der Nachfrage um 20% zugrunde gelegt wird und keine weiteren Restriktionen bestehen. Gleichzeitig gilt für das Auslieferungslager ein Sollbestand von 4 Verkaufsraten pro Periode.

Selbst in diesem einfachen System dauert es ca. 26 Perioden, bis nach der einmaligen Änderung der Verkaufsrate in Periode 4 wieder eine stabile (statische) Situation erreicht ist. Im „Beer Game" wird eine vierstufige Kette abgebildet, so dass die resultierenden Effekte sich entsprechend multiplizieren. Die Bedeutung einer Steuerung der Lagerbestände sowie einer Modellierung der Wertschöpfungskette wird daran ersichtlich. Daher werden verschiedene Wege vorgeschlagen, die beispielsweise mit den Postponement-Strategien auch schon in diesem Abschnitt erläutert wurden. Einzelne weitere Vorschläge umfassen die folgenden Maßnahmen:

---

[301] Vgl. Supply Chain Council 1997, Folie 7.
[302] Vgl. Supply Chain Council 1997, Folie 40.
[303] Siehe Abschnitt 2.1.2.1.
[304] Vgl. Forrester 1961; Forrester 1978.
[305] Vgl. z.B. Jacobs 2000 31-39; Simchi-Levi/Kaminsky/Simchi-Levi 2000, 275-292.
[306] Vgl. z.B. Milling 1999, 1-14.
[307] Vgl. Sterman 1989, 321-339; Lee/Billington/Whang 1997a, 93-112; Cachon 1999, 843-856.
[308] Vgl. Lee/Billington 1992, 65-73; Lee/Billington/Carter 1993, 1-11; Lee/Billington 1995, 42-63; Lee/Billington/Whang 1997b, 93-112; Wilding 1998, 599-616.

- *Design for Supply Chain Management,*
- *Integrated Databases throughout the Supply Chain,*
- *Integrated Control and Planning Support Systems,*
- *Redesign organisational incentives,*
- *Institute Supply Chain Performance Metrics,*
- *Expanded View of Supply Chains.*[309]

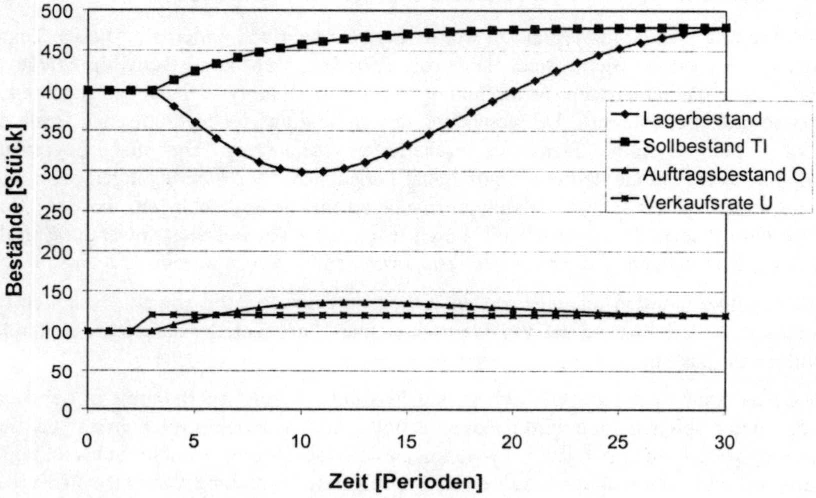

Abbildung 16: Der Bullwhip-Effekt bei einer einstufigen Lieferkette
Quelle: Forrester 1978, 34.

Eng damit verknüpft wird gleichzeitig die Verkürzung der Durchlaufzeit.[310] So wird diese häufig als zweites Kriterium für die Verbesserung der Leistungsfähigkeit einer Wertschöpfungskette herangezogen.[311] Insbesondere die Arbeiten von Towill und seinem Team setzten dabei an Modellierungen der Wertschöpfungskette mit Hilfe von Methoden des System Dynamics an.[312] Damit werden Bestände und Durchlaufzeiten quantitativ modelliert, um dann Möglichkeiten der Optimierung aufzuzeigen.[313] Diese Überlegungen werden auch mit neuen Planungstechniken verknüpft[314] oder auf die Steuerung der Wertschöpfungskette mit modernen Instrumenten des Controlling, z.B. die Balance Scorecard,[315] ausgedehnt.[316]

---

[309] Lee/Billington 1992, 71ff.
[310] Vgl. Farris 1996, 37, der ausgehend von einer Durchlaufzeitanalyse eine Optimierung der Lagerbestände in der Kette vorschlägt.
[311] Vgl. z.B. Towill 1996b, 44f.; Handfield/Nichols 1999, 53ff.; Mason-Jones/Towill 1999, 64f.
[312] Vgl. z.B. Towill 1996a, 23-41; Towill 1996b, 41-52; Mason-Jones/Towill 1999, 61-73.
[313] Vgl. Towill 1996a, 38; Towill 1996b, 44.
[314] Vgl. Fleischmann/Meyr/Wagner 2000, 57-71.
[315] Vgl. Kaplan/Norton 1996a; Kaplan/Norton 1996b, 75-85.
[316] Vgl. Brewer/Speh 2000, 75-94.

Auch die Ausführungen im letzten Abschnitt zeigen, wie schwer es ist, die einzelnen Aspekte des Supply Chain Managements zu systematisieren. Die Zuordnung zu einem der vier Integrationsfelder der Produkt-Kooperations-Matrix ist dabei oft nur schwer möglich, da in der Regel mehrere Felder gleichzeitig berührt werden.

Kasten 9: Geringe Lieferzeiten und Lagerbeständen durch Quick Response[317]

Die Entwicklung von Quick Response Systemen wurde in der Bekleidungsindustrie entscheidend vorangetrieben. In diesen Systemen arbeiten Händler und Lieferanten zusammen, um durch Informationsaustausch schneller auf Kundenwünsche reagieren zu können. Dazu werden umfangreiche Verkaufs- und Lagerhaltungsdaten ausgewertet, so dass z.B. Maßnahmen der Verkaufsförderung oder Angebote in der Planung der Produktion und Distribution berücksichtigt werden.[318]

Im ersten Schritt werden konkrete Daten der Lieferkette erhoben, z.B. wieviel Zeit jede Verarbeitungsstufe benötigt oder welche Bestände auf jeder Verarbeitungs- und Handelstufe vorhanden sind. Diese können in Form von Lieferzeitdiagrammen (Pipeline Map) dargestellt werden.[319] *Im zweiten Schritt werden die Produkte nach der Nachfrageschwankung klassifiziert. Durch diese beiden Schritte werden die wesentlichen Ansatzpunkte für Optimierungen in der Kette ermittelt.*

Für Produkte mit großen Nachfrageschwankungen werden verbesserte Informationsaustausche, z.B. durch Electronic Data Interchange, eingeführt. Nachlieferungen werden dann im System automatisch angestoßen. Eine weitere Verbesserung wird durch eine höhere Frequenz der Lieferungen erreicht.

Dieses Kapitel hat den Begriff des Supply Chain Managements definiert und eine Reihe von Grundlagen zum Thema erörtert. Daran schließt sich nun eine Betrachtung des Kostenmanagements an.

---

[317] Lummus/Vokurka/Alber 1998, 49-58; Lummus/Vokurka 1999, 11-17; Ko/Kincade/Brown 1999, 1093-1111.

[318] Vgl. Lummus/Vokurka 1999, 13.

[319] Vgl. Scott/Westbrook 1991, 25f.

3 Kostenmanagement

Kapitelzusammenfassung

Die Defizite der klassischen Kostenrechnung haben zur Entwicklung des Kostenmanagements geführt. Fehlerhafte Zurechnungen von Kosten auf Produkte bildet dabei einen wesentlichen Ausgangspunkt. Das Kostenmanagement umfasst Maßnahmen, die der frühzeitigen und antizipativen Kostenbeeinflussung dienen. Die bestehenden Entwicklungen im Kostenmanagement werden durch vier Entwicklungslinien erfasst: instrumentelle Differenzierung, strategieorientierte Ausrichtung, transaktionskostenorientierte Erweiterung und bestehende Ansätze zum Kostenmanagement in Wertschöpfungsketten. Bei den Instrumenten des Kostenmanagements wird auf das Life-Cycle Costing, das Target Costing und die Prozesskostenrechnung eingegangen, da diese drei Instrumente in Summe geeignet sind, Kosten von Unternehmen und Wertschöpfungsketten zu analysieren und zu gestalten. Das Ziel des strategieorientierten Kostenmanagements besteht darin, Kosteninformationen für strategische Entscheidungen der Unternehmung zur Verfügung zu stellen, indem wesentliche Kostentreiber identifiziert werden. Die bisher bestehenden Überlegungen zu Transaktionskostenrechnungen versuchen die Kosten der Koordination von Unternehmen abzubilden. Mit dem Total Cost of Ownership und dem Interorganisational Cost Management stehen bereits zwei Ansätze zur Verfügung, die Teilbereiche des Supply Chain Costing abdecken. Als wesentlicher Beitrag wird eine Dreiteilung des Kostenbegriffs in Einzel-, Prozess- und Transaktionskosten entwickelt (vgl. Abbildung), da diese Dreiteilung in der Lage ist, auf die Wertschöpfungskette bezogene Anforderungen aus vier Entwicklungslinien zu integrieren.

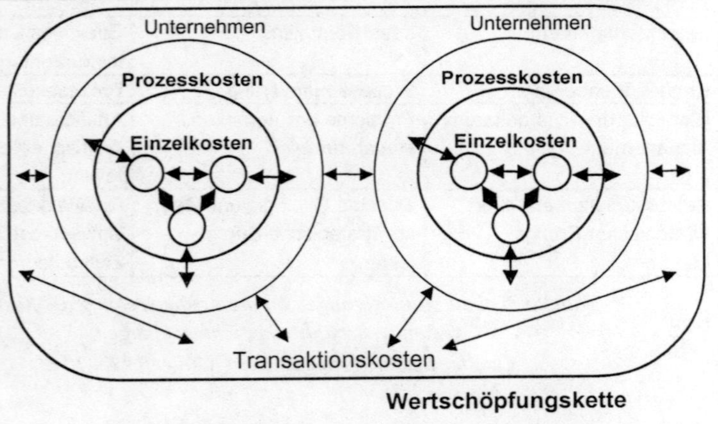

Kostenebenen in der Wertschöpfungskette

3.1 Definition und Grundlagen des Kostenmanagements

Wie schon beim Supply Chain Management, werden auch für die Entstehung des Kostenmanagements gesamtwirtschaftliche Entwicklungen angeführt, die auf Unternehmen einwirken und damit Veränderungen in der Kostenrechnung bzw. dem Kostenmanagement hervorrufen. Eine Auflistung von Entstehungsgründen und ihrer Wirkungen auf die Kostenrechung bietet Günther in der folgenden Tabelle.

Gesamtwirtschaftliche Tendenzen	**Herausforderungen an die Unternehmenssteuerung**	**Neue Anforderungen an die Kostenrechung**
Liberalisierung Globalisierung Sättigung Schwellenländer	Wettbewerbsdruck ⇒ Kostendruck	Kostenmanagement: • Kostenhöhe • Kostenstruktur • Kostenverlauf
Automatisierung Nischenpolitik High Tech Komplexität	Anstieg der Gemeinkosten Anstieg der Fixkosten	Gemeinkostenmanagement Fixkostenmanagement
Lean Management	Lean Controlling	Effektives Controlling-instrumentarium
Kundenorientierung	Prozessorientierung	Prozesskostenmanagement
Einbezug der Mitarbeiter ins Management	Probleme der Verhaltens-steuerung	Ansätze der Theorie asymmetrischer Informationsverteilung
Betrachtung zusätzlicher strategischer Erfolgs-faktoren	Qualität, Ökologie und Zeit als strategische Erfolgs-faktoren	Qualitätskostenrechung Umweltkostenrechung Zeitkostenrechung

Tabelle 7: Neue Anforderungen an die Kostenrechung als Resultat gesamtwirtschaftlicher Entwicklungen
Quelle: Leicht verändert aus Günther 1997, 101.

Von diesen gesamtwirtschaftlichen Tendenzen ausgehend werden als Ursache für die Entwicklung des Kostenmanagements insbesondere die Defizite der klassischen Kostenrechung angeführt, die in der Diskussion um die Entwicklung der Prozesskostenrechung umfassend thematisiert worden sind.[320] Wesentliche Argumente werden dabei von Johnson, Kaplan und Cooper in die Diskussion eingebracht, die in den folgenden Abschnitten aufgegriffen werden.[321] All diese Entwicklungslinien führen, wie schon Tabelle 7 aufzeigt, dazu, dass neue Instrumente des Kostenmanagements entstehen. Ansatzpunkte zum Kostenmanagement finden sich insbesondere in der von japanischen Autoren dargelegten Aufgabe, dass Kosteninformationen verstärkt der Beeinflussung des unternehmerischen Geschehens dienen sollen.[322] Kostenmanagement ist damit insbesondere von der Kostenrechnung abzugrenzen.

---

[320] Diese Debatte soll hier nicht breit wiedergegeben werden. Daher sei auf umfangreiche Darstellungen verwiesen, die sich z.B. bei Johnson/Kaplan 1987, 125ff oder Fröhling 1994a, 14ff finden.

[321] Vgl. Kaplan 1984, 95-101; Johnson/Kaplan 1987; Cooper/Kaplan 1988, 96-103.

[322] Vgl. Hiromoto 1988, 22; Hiromoto 1989, 319; Makido 1989, 6; Hasegawa 1994, 5.

So entsteht das Kostenmanagement bzw. entstehen die verschiedenen Instrumente des Kostenmanagements erst aus der Diskussion um die Leistungsfähigkeit klassischer Systeme der Kostenrechung.[323]

Davon ausgehend hat sich mittlerweile eine Definition des Kostenmanagements herausgebildet, die Dellmann und Franz wie folgt formulieren: "*Kostenmanagement umfasst die Gesamtheit aller Steuerungsmaßnahmen, die der frühzeitigen und antizipativen Beeinflussung von Kostenstruktur und Kostenverhalten sowie der Senkung des Kostenniveaus dienen*".[324] Weiter kann ergänzt werden: „*Ziel des Kostenmanagements ist es damit, durch konkrete Maßnahmen die Kosten von Produkten, Prozessen und Ressourcen derart zu beeinflussen, dass ein angemessener Unternehmenserfolg erzielt und die Wettbewerbsfähigkeit des Unternehmens nachhaltig verbessert wird.*"[325] Beide Zitate verdeutlichen, wie sehr sich das Kostenmanagement gegenüber der „traditionellen" Kostenrechnung[326] weiterentwickelt hat.

3.1.1 Von der Kostenrechnung zum Kostenmanagement

Kosten werden definiert als bewerteter sachzielbezogener Güterverbrauch einer Periode.[327] Davon ausgehend wird die Kostenrechung in den Gesamtzusammenhang des betrieblichen Rechnungswesens gestellt.[328] Wesentliche Aufgaben der Kostenrechnung bestehen darin, die in einer Periode angefallenen Kosten zu erfassen und auf bestimmte Kostenträger, z.B. zur Bestandbewertung und Preisermittlung sowie zur laufenden Erfolgskontrolle und zur Entscheidungsunterstützung zu verrechnen,[329] so dass auch von Dokumentation, Wirtschaftlichkeitskontrolle und Entscheidungsvorbereitung gesprochen wird.[330] Seit längerem wird von verschiedenen Autoren herausgearbeitet, dass die Kostenrechnung keine Hauptaufgabe der Unternehmensführung ist, sondern eine Nebenaufgabe mit der alleinigen Funktion, die Durchführung der Hauptaufgabe zu unterstützen.[331] Kosten zu erfassen, bildet damit nur einen ersten, wichtigen Schritt.

Der 1988 von Cooper und Kaplan veröffentlichte Beitrag „Measure Costs Right"[332] kann dabei als ein wesentlicher Ausgangspunkt einer intensiven Diskussion um die Ausgestaltung einer Kostenrechung bzw. die Entwicklung von Instrumenten des Kostenmanagements gesehen werden. Dominieren in englischsprachigen Beiträgen von Beginn an die Fragen zur Ausgestaltung alternativer Rechungssysteme, insbesondere um das von den beiden Autoren entwickelte System des Activity Based Costing, so folgt in Deutschland eine ausführliche Debatte, ob und wie dieses System Fehler bisheriger Kostenrechungssysteme beheben bzw. diese Systeme erweitern kann.[333]

---

[323] Vgl. Kaplan/Johnson 1987, 125ff.; Hiromoto 1988, 22ff.

[324] Dellmann/Franz 1994b, 17; vgl. auch Reiß/Corsten 1990, 390; ähnliche Definitionen finden sich auch in der angloamerikanischen Literatur: vgl. z.B. Hilton/Maher/Selto 2000, 8.

[325] Franz/Kajüter 1997b, 8.

[326] Unter „traditionell" wird dabei die dominierende Praxis verstanden. Vgl. Küting/Lorson 1991, 1421; Günther 1997, 101.

[327] Zu den verschiedenen Kostenbegriffen siehe Lehrbücher der Kostenrechung: z.B. Zimmermann 1996, 11ff; Freidank 1997, 3ff; oder Berens/Schmitting 2000, 53-77.

[328] Siehe z.B. die Darstellungen bei Zimmermann 1996, 3.

[329] Vgl. Kaplan 1988, 99; Franz/Kajüter 1997b, 8; Weber/Aust 1998, 133.

[330] Vgl. Rautenberg 2000, 27.

[331] Vgl. z.B. Bohr/Schwab 1984, 139; Bleicher 1986, 381 sowie die vorgenannte Literatur.

[332] Vgl. Cooper/Kaplan 1988, 96-103; siehe auch Cooper 1988, 45-54.

[333] Vgl. beispielhaft die kontroverse Diskussion um den Beitrag von Coenenberg/Fischer 1991a, 21-38 in den Anmerkungen von Eversheim/Caesar 1991, 533-536; Franz 1991, 536-539; Horváth/Mayer 1991, 540-542; Mertens/Back-Hock 1991, 542-543; Maier-Scheubeck 1991, 543-547 sowie die zusammenfassende Stellungnahme von Coenenberg/Fischer 1991b, 547-548.

Bis zu diesem Zeitpunkt wird die Entwicklung von Kostenrechungssystemen verkürzt in einer detaillierten Ausgestaltung derselben gesehen.[334] Insbesondere die Werke Kilgers[335] zur flexiblen Plankosten- und Deckungsbeitragsrechung sowie Riebels zur Einzelkosten- und Deckungsbeitragsrechung[336] bieten dabei eine große methodische Tiefe und konzeptionelle Ausgestaltung, die z.B. in der englischsprachigen Literatur nicht in diesem Maße erreicht wird.[337] Entsprechend konstatieren Horváth und Mayer, dass die Entwicklung des Activity Based Costing vor diesem Hintergrund zu sehen ist, da amerikanische Betriebe in den 80er Jahren nicht über ähnlich differenzierte Systeme der Kostenrechung verfügen, wie dies im deutschen Sprachraum der Fall ist.[338] Daher besteht in diesen Unternehmen (früher) die Notwendigkeit, alternative Instrumente zu entwickeln. Mittlerweile ist diese Debatte der Integration und Weiterentwicklung von Kostenrechung und Kostenmanagement gewichen, wie z.B. der von Fischer herausgegebene Sammelband belegt, der beide Themen berücksichtigt.[339] Dies entspricht auch der Intention von Kaplan und Cooper, die sogar davor warnen, die etablierte Kostenrechung eines Unternehmens schlagartig durch ein „modernes“ Kostenmanagement abzulösen, sondern vielmehr für eine schrittweise Anpassung an geänderte Rahmenbedingungen plädieren.[340]

3.1.1.1 Probleme der traditionellen Kostenrechung

Um die Argumentationslinie wieder aufzugreifen, ist entsprechend der für das Kostenmanagement gegebenen Definition herauszuarbeiten, welche Kostenbestimmungsfaktoren,[341] Kostenantriebskräfte[342] oder kurz Kostentreiber[343] im Unternehmen maßgeblich die Kosten beeinflussen, die letztlich nur Symptome dieser ursächlich wirkenden Faktoren sind.[344]

Ausgangspunkt der Analyse bildet dabei, wie bereits erläutert, der Blick auf die Kalkulation der Produkte. In der traditioneller Kostenrechnung erfolgt dies mit Hilfe der Zuschlagskalkulation. Zum Zeitpunkt, als diese Verfahren entwickelt wurden, war die Summe der Einzelkosten eines Industriebetriebs in der Regel größer als die Summe der Gemeinkosten. In diesem Fall können die Gemeinkosten mit Hilfe von Kostenumlageverfahren auf die einzelnen Kostenstellen und Kostenträger verteilt werden.[345]

Wie Miller und Vollmann bereits 1985 dargelegt haben, steigen schon seit der Mitte des 19. Jahrhunderts die Gemeinkosten ständig an bzw. übersteigen die Einzelkosten.[346] Als Folge dieser Veränderung der Kostenstruktur werden Zuschlagsätze von bis zu 1000% erreicht, so dass diese Form der Kalkulation als nicht mehr angemessen bezeichnet werden muss.[347]

---

334 Vgl. Mussnig 1996, 23-25.
335 Vgl. Kilger 1993.
336 Vgl. Riebel 1994.
337 Die breit geführte Diskussion soll an dieser Stelle nicht aufgegriffen werden. Exemplarisch sei auf die folgenden Beiträge verwiesen: Coenenberg/Fischer 1991a, 21-38; Glaser 1992, 275-288; Kloock 1992, 183-193 und 237-245; Fröhling 1992, 723-741.
338 Vgl. Horváth/Mayer 1991, 541.
339 Vgl. Fischer 2000a.
340 Diese Argumentation zieht sich durch ihre Beiträge, so z.B. Kaplan 1988, 98-104; Kaplan 1990, 22-26; Kaplan/Cooper 1997, 2 und 6f; Cooper/Kaplan 1998, 109-119.
341 Vgl. Reiß/Corsten 1990, 390.
342 Vgl. Porter 1999, 106ff.
343 Vgl. Cooper 1988, 48; Shank/Govindarajan 1995, 36ff.
344 Vgl. Reiß/Corsten 1990, 390.
345 Siehe Lehrbücher der Kostenrechnung, z.B.: Zimmermann 1996, 100ff; Freidank 1997, 148ff; Coenenberg 1999, 91ff.
346 Vgl. Miller/Vollmann 1985, 142-150, insbesondere 143.
347 Vgl. z.B. Cooper 1988, 46; Coeneberg/Fischer 1991a, 22; zur ausführlichen Diskussion veränderter Kostenstrukturen siehe: Männel 1992, 111-113.

Verkürzt kann die Argumentation dahingehend zusammengefasst werden, dass die traditionellen Verfahren der Kostenrechung nicht in der Lage sind, die indirekten Leistungsbereiche adäquat abzubilden. Dazu werden eine Vielzahl von Einzelargumenten angeführt, die von veränderten Wettbewerbsbedingungen, über veränderte Produktionsverfahren zu veränderten Produktstrukturen, z.B. in einer variantenreichen Fertigung, reichen.[348] Letztlich führt dies auch zu einer verringerten Wirtschaftlichkeit der traditionellen Kostenrechnung.[349]

In ihrer Gesamtheit können die Grenzen der Aussagefähigkeit der traditionellen Kostenrechung in den folgenden vier Punkten zusammengefasst werden:[350]

- Die fehlende Transparenz bezüglich der Prozessstruktur des Unternehmens hebt hervor, dass die Leistungsprozesse des Unternehmens ungenügend abgebildet werden. Die traditionelle Kostenrechung ist nicht in der Lage, den Wandel von einem Produktionsunternehmen zu einem komplexen und vielschichtigen Dienstleistungsunternehmen darzustellen.[351]
- Die fehlende Transparenz bezüglich der Kostenstruktur des Unternehmens zielt primär auf die Zurechung von Fix- und Gemeinkosten. So werden weder die Abhängigkeit der Kosten vom Beschäftigungsgrad noch ihre Zurechenbarkeit auf das jeweilige Bezugobjekt (Kostenträger) richtig erfasst.[352]
- Die fehlende Transparenz bezüglich der zeitlichen Struktur der Kostenentstehung und -zurechung betont die unzureichende Abbildung von Vorlauf- und Folgekosten, da das traditionelle, periodenorientierte Rechnungswesen sich insbesondere auf die Wirtschaftlichkeitsanalyse des aktuellen Leistungsprozesses bezieht. So werden weder Sunk Costs noch Kosten einer Desinvestition erfasst.[353]
- Die fehlende Transparenz bezüglich spezifischer Kostenelemente und -strukturen berücksichtigt schließlich, dass die Kostenentstehung z.B. bei der Produktion von Dienstleistungen mit dem traditionellen Instrumentarium nur unzureichend abgebildet werden kann. Dies gilt auch für unternehmerische Querschnittsbereiche, wie Qualität, Logistik oder Umwelt, sowie für die Transaktions- und Koordinationskosten der Zusammenarbeit mit Lieferanten und Kunden.[354]

Die so entwickelte Systematik gibt einen guten Überblick über die Probleme der traditionellen Kostenrechnung. Gleichzeitig drängt sich die Frage nach der „richtigen" Gestaltung einer Kostenrechung bzw. eines Kostenmanagements auf, die jedoch nicht pauschal beantwortet werden kann. Dies wird wohl schon daran deutlich, dass bisher keine in sich geschlossenen Darstellungen des Kostenmanagements vorliegen, wie es in der Kostenrechung sowohl in Bezug auf Lehrbücher[355] als auch in Bezug auf umfassende Darstellungen einzelner, differenzierter Systeme der Fall ist.[356]

---

348 Siehe exemplarisch: Horváth/Mayer 1989, 214; Homburg/Daum 1997a, 185-191; Welge/Amshoff 1997, 61-67.

349 Vgl. Weber 1996, 927ff.

350 Vgl. Fröhling 1994a, 14-73, insbesondere die zusammenfassende Tabelle auf Seite 73. Vergleiche in ähnlicher Argumentation unter den Stichworten Periodisierungs- und Strukturierungsproblematik zusammengefasst: Mussnig 1996, 52-63; ergänzend die Ausführungen bei Bleicher 1986, 383ff.

351 Vgl. Fröhling 1994a, 17.

352 Vgl. Fröhling 1994a, 18.

353 Vgl. Fröhling 1994a, 31.

354 Vgl. Fröhling 1994a, 44ff.

355 Vgl. z.B. Zimmermann 1996, Freidank 1997; Coenenberg 1999.

356 Exemplarisch stehen hierfür die Werke von Kilger 1993 und Riebel 1994. Bezüglich Übersichten zu den Systemen der Kostenrechnung siehe z.B. die Abbildung bei Freidank 1997, 184. Siehe auch Brink 1992, 167-181; Becker 1997, 29; Zimmermann 1996, 6-9; Rautenberg 2000, 23-52.

Allerdings sind selbst die Systeme der Kostenrechnung eher deskriptive, so dass bisher keine Theorie der Kostenrechnung existiert, die prinzipielle Empfehlungen für die Ausgestaltung der Kostenrechnung bereitstellt.[357] Hinweise können daher nur begrenzt aufgegriffen werden und finden sich vor allem in der Entscheidungsorientierung der Kostenrechnung.[358]

3.1.1.2 Kostenrechnung als Instrument des Controlling

Diese Feststellung schließt an die Diskussion der Probleme der traditionellen Kostenrechnung an. So wird implizit davon ausgegangen, dass spezielle Systeme der Kostenrechnung für alle Unternehmen gleichermaßen geeignet sind, indem sie das wirtschaftlich bedeutende Geschehen im Unternehmen abbilden und damit eine Planung, Steuerung und Kontrolle des Betriebsgeschehens ermöglichen.[359]

Weitergehend kommt es zur Ausprägung des Begriffs der entscheidungsrelevanten Kosten.[360] Damit werden die Überlegungen von Johnson, Kaplan und Cooper aufgegriffen,[361] die den Verlust an Relevanz traditioneller Kostenrechnungssysteme aufgezeigt haben. Kostenrechnung ist daher nicht so sehr rechentechnisch zu verstehen, sondern in ihren Bezügen zum Management des Unternehmens.[362]

Eine Erweiterung dieser Überlegungen bietet die Einordnung der Kostenrechnung als Controllinginstrumentarium, wobei die Entscheidungsorientierung der Kostenrechnung in die übergeordneten Anforderungen der Führungsorientierung eingebunden wird. Damit wird zum Ausdruck gebracht, dass *„Informationen bereitgestellt werden, mit denen sich das Unternehmen koordiniert führen lässt“*.[363]

Dies konkretisiert sich zudem in der Bedarfsorientierung der einzelnen Führungsteilsysteme Planung, Steuerung und Kontrolle der Gesamtunternehmung,[364] sowie die Verhaltensorientierung, die das Verhalten der Mitarbeiter im Kontext berücksichtigt.[365] In ähnlicher Weise bezeichnet Weber dies mit Entscheidungsunterstützung und Entscheidungsbeeinflussung.[366]

Mit diesen Aussagen wird auf die konkrete Gestaltung der Kostenrechnung hingewiesen, die Krieger in den Punkten Zweckbestimmtheit und Wirtschaftlichkeit verdichtet und in Grundsätzen der Informationserstellung (bzw. Entscheidungsunterstützung) und der Informationsverwertung (Entscheidungsbeeinflussung) konkretisiert.[367] Genau dies konkretisiert sich im Kostenmanagement, dessen Gegenstandsbereich nun betrachtet werden soll.

3.1.2 Der Gegenstandsbereich des Kostenmanagements

Wie aus den bisherigen Ausführungen deutlich wird, stellt das Kostenmanagement keinen festen Kanon an Instrumenten bereit. So haben sich im Gegensatz zum etablierten Begriff

---

[357] Vgl. Bungenstock 1995, 73; Becker 1997, 29. Als in diese Richtung zielende Ansätze: Brink 1992, 167-181; Krieger 1995.
[358] Vgl. Bungenstock 1995; Pampel 1995, 115;
[359] Vgl. z.B. Hummel/Männel 1986, 6.
[360] Vgl. Hummel 1992, 78f.
[361] Vgl. Kaplan 1984, 95-101; Johnson/Kaplan 1987; Cooper/Kaplan 1988, 96-103.
[362] Vgl. Johson/Kaplan 1987, 125-151.
[363] Vgl. Küpper 1992, 143. Siehe auch: Weber 1996, 932; Becker 1997, 32. Diese Zielsetzung wird mit dem Begriff des Management Accounting erfasst. Siehe dazu die Arbeit von Mussnig 1996, 13-15.
[364] Die Erweiterung zur Planung, Steuerung und Kontrolle der Gesamtunternehmung sei hervorgehoben, da der Bezug nur zum Betriebsgeschehen nicht ausreicht. Eine derartige Gestaltung setzt zu spät und zu eng an. Vgl. Becker 1997, 32.
[365] Vgl. Küpper 1992, 143.
[366] Vgl. Weber 1996, 932.
[367] Vgl. Krieger 1995, 87. In ähnlicher Weise systematisiert auch: Brink 1992, 175.

der Kostenrechungssysteme[368] noch keine Kostenmanagementsysteme[369] herausgebildet. Allerdings sind selbst die Systeme der Kostenrechnung eher deskriptive, so dass bisher keine Theorie der Kostenrechnung existiert, die prinzipielle Empfehlungen für die Ausgestaltung der Kostenrechnung bereitstellt.[370]

Trotz der damit aufgezeigten Probleme können systematisierende Elemente für das Kostenmanagement herausgearbeitet werden, da durchgängig die Gestaltungsobjekte Produkte, Prozesse und Ressourcen bzw. Unternehmensstrukturen[371] sowie die Handlungsfelder Kostenniveau, -struktur und -verhalten[372] als Kern des Kostenmanagements diskutiert werden. Weitergehend lassen sich davon Aufgaben des Kostenmanagements ableiten.

3.1.2.1 Gestaltungsobjekte des Kostenmanagements

Eine anschauliche Systematisierung der Gestaltungsobjekte des Kostenmanagements bieten Franz und Kajüter in der folgenden Abbildung.

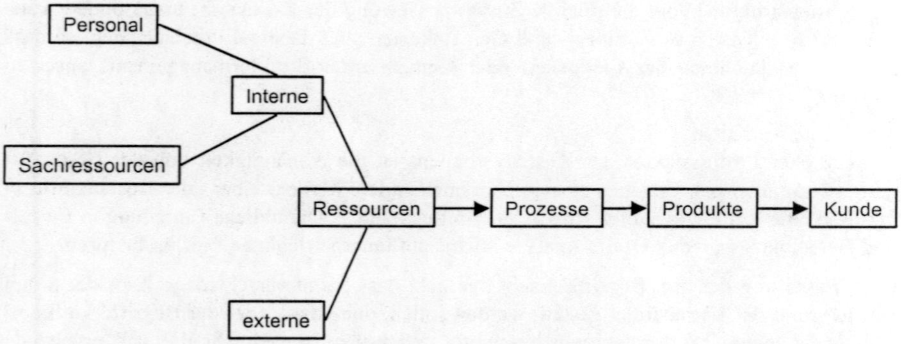

Abbildung 17: Beziehungszusammenhänge der Leistungserstellung
Quelle: Franz/Kajüter 1997b, 12.

Als Ausgangspunkt dienen die Kundenbedürfnisse, auf deren Befriedigung das Unternehmen mit seinen Produkten und/oder Dienstleistungen abzielt. Um die Produkte anbieten zu können, werden im Unternehmen verschiedene Prozesse vollzogen. Dabei können vorgeschlagene Systematisierungen in Basisprozesse die Möglichkeit bieten, die Analyse weiter zu verfeinern.[373] Um die Prozesse durchführen zu können, müssen verschiedene Ressourcen eingesetzt werden, die vereinfacht in externe und interne unterteilt werden. Im Sinne eines analytischen Schemas lässt sich diese Systematik der Gestaltungsobjekte so interpretieren, dass vom Kunden bzw. dessen Bedürfnissen schrittweise verfeinert wird, bis eine ausrei-

---

[368] Vgl. z.B. die Abbildung bei Freidank 1997, 184. Siehe auch Brink 1992, 167-181; Becker 1997, 29; Zimmermann 1996, 6-9; Rautenberg 2000, 23-52.

[369] Vgl. als einen Vorschlag: Kaplan 1990, 22-26; Kaplan/Cooper 1997, 12.

[370] Vgl. Bungenstock 1995, 73; Becker 1997, 29. Als in diese Richtung zielender Ansatz: Krieger 1995.

[371] Vgl. Franz/Kajüter 1997b, 12; Pampel 1996, 326; Männel 1997, 164; Freidank 1999, 462.

[372] Vgl. mit z.T. geringfügig anderen Begriffssetzungen: Reiß/Corsten 1990, 390; Reiß/Corsten 1992, 1480f; Dellmann/Franz 1994b, 17; Franz/Kajüter 1997b, 9; Männel 1997, 166; Friedl 1997, 415; Freidank 1999, 462.

[373] Vgl. Porter 1999, 63; Pandya et. al. 1997, 504; vor allem auch die im Rahmen des SCOR-Modells vorgeschlagene Systematik: Stewart 1997, 62ff.

chende Detaillierung der Analyse erreicht wird.[374] Das Schema berücksichtigt gleichermaßen die Ziel- oder Ergebnisorientierung und die Prozessorientierung des Kostenmanagements.[375]

3.1.2.2 Handlungsfelder der Kostengestaltung

Eine weitere Systematisierung bieten die drei Handlungsfelder Kostenniveau, Kostenstruktur und Kostenverlauf. Diese drei Handlungsfelder werden in Anlehnung an Franz/Kajüter einzeln erläutert,[376] wobei die damit verbundene idealtypische Begriffsbildung deutlich wird.

1. Kostenniveau
Das Kostenniveau setzt sich aus einer Mengen- und einer Wert- oder Preiskomponente zusammen. Obwohl Faktormengen als auch Faktorpreise in der Regel nicht vollständig von einem Unternehmen beeinflussbar sind, ergeben sich eine Vielzahl von Möglichkeiten, beide Komponenten des Kostenniveaus zu steuern. Dazu gehören z.B. Maßnahmen des Gemeinkostenmanagements ebenso wie die der Produkt- und Prozessgestaltung.

2. Kostenstruktur
Die Kostenstruktur bildet die relative Zusammensetzung der Kosten ab. Insbesondere variable und fixe Kosten bzw. Einzel- und Gemeinkosten sind dabei zu unterscheiden, so dass hier z.B. Maßnahmen des Fixkosten- oder Gemeinkosten-Strukturmanagements ansetzen können.[377]

3. Kostenverhalten
Wesentlicher Einflussfaktor des Kostenverhaltens ist die Abhängigkeit von der Beschäftigung (Outputmenge). Daneben spielen aber auch andere Kostentreiber oder Kosteneinflussfaktoren eine Rolle, die häufig schwer zu ermitteln sind.[378] Die übliche Einteilung in Einzel- und Gemeinkosten reduziert die Analyse alleine auf innerbetriebliche Einflussfaktoren.

Die Erläuterung der drei Begriffe macht deutlich, dass damit verschiedene Aspekte in den Vordergrund der Betrachtung gestellt werden sollen, ohne dass jeder der Begriffe vollkommen unabhängige Einflussfaktoren beschreibt. Wichtiger ist vielmehr die sich ergebende Gesamtschau.

3.1.2.3 Aufgaben des Kostenmanagements

Die Unterteilung der Aufgaben des Kostenmanagements folgt der Abgrenzung zwischen operativen und strategischen Anwendungsfeldern.[379]

Dellmann und Franz konkretisieren dabei als operative Aufgaben in enger Anlehnung an die Aufgaben der traditionellen Kostenrechung:[380]

- „*Kostenimplikationen von operativen Entscheidungen auswerten, planen und vorgeben,*
- *Kosten rechnungswesenorientiert darstellen und auswerten,*
- *Eigene Kostenpositionen im internen Soll/Ist-Vergleich feststellen, analysieren und verändern,*
- *Kostendynamik im Zeitvergleich feststellen, analysieren und steuern.*“[381]

---

[374] Vgl. zu einem solchen Ansatz z.B. Schiemenz 1997, 108.
[375] Vgl. Niemand 1996, 7; auch Franz 1992, 1496 und 1504.
[376] Vgl. Franz/Kajüter 1997b, 8-11; siehe die insgesamt in die gleiche Richtung zielenden aber etwas differenzierten Ausführungen bei Männel 1997, 166-168.
[377] Vgl. Reiß/Corsten 1990, 393.
[378] Vgl. Franz/Kajüter 1997b, 11; Shank/Govindarajan 1995, 27ff.
[379] Vgl. z.B. Dellmann/Franz 1994b, 18f.; Friedl 1997, 424f.; ähnlich auch Kaplan/Cooper 1997, 7.
[380] Vgl. z.B. Kloock/Sieben/Schildbach 1993, 14-19; Freidank 1997, 93; Coenenberg 1999, 38.

In vergleichbarer Weise werden für das strategische Kostenmanagement aufgelistet:

- *„Kostenimplikationen von Strategieentscheidungen auswerten, planen und vorgeben,*
- *Einflussgrößen auf die strategische Kostenposition abschätzen und analysieren,*
- *Kosten handlungsorientiert ermitteln und darstellen,*
- *Kosten in der Wertschöpfungskette konkurrenzbezogen analysieren, planen und vorgeben.“*[382]

Diese Aufzählung umschreibt die Vielfalt der Aufgaben, die dem Kostenmanagement zufallen und deren Erfüllung dazu beiträgt, die für die Kostenrechnung konstatierten Defizite zu überwinden.

3.1.2.4 Vier Entwicklungslinien des Kostenmanagements

Vor diesem Hintergrund sind die Entwicklungen im Bereich des Kostenmanagements zu sehen. Dabei handelt es sich nicht um einen theoretisch oder konzeptionell geschlossenen Rahmen, sondern um einzelne Entwicklungslinien, die jeweils unterschiedliche Defizite beheben sollen. Besonders anschaulich wird diese Pluralität der Instrumente an verschiedenen Sammelbänden zum Kostenmanagement, die in den letzten Jahren erschienen sind.[383]

Dafür können insgesamt vier Richtungen ausgemacht werden. Erstens findet eine instrumentelle Ausdifferenzierung statt, bei der im Sinne der dritten Spalte von Tabelle 7 unterschiedliche Methoden der Kostenrechnung bzw. des Kostenmanagements entstehen.[384] Zweitens wird die Notwendigkeit betont, Kosteninformationen stärker in die Gesamtzusammenhänge der Unternehmensführung zu stellen, woraus sich das strategieorientierte Kostenmanagement entwickelt.[385] Drittens kommt es zu einer transaktionskostenorientierten Erweiterung der Kostenrechung bzw. des Kostenmanagements, die versucht, Kosten der inner- und überbetrieblichen Koordination zu berücksichtigen.[386] Diese drei Entwicklungslinien sind stärker unternehmensintern, während die vierte Linie Ansätze der wertschöpfungskettenbezogenen Ausgestaltung erfasst.

Die folgenden Abschnitte greifen dies auf und stellen die vier ausgewählten Entwicklungslinien des Kostenmanagements dar. Da eine breite Abhandlung dieses Themas den Rahmen der Arbeit sprengen würde, erfolgt eine Beschränkung auf Punkte, die aus der Sicht des Supply Chain Managements relevant bzw. dazu geeignet erscheinen, für ein Kostenmanagement in Wertschöpfungsketten nutzbar gemacht zu werden.

---

[381] Dellmann/Franz 1994b, 18.
[382] Dellmann/Franz 1994b, 18.
[383] Siehe: Dellmann/Franz 1994a; Freidank et. al. 1997; Franz/Kajüter 1997a; Fischer 2000a.
[384] Ein Sammelband mit Übersichtsbeiträgen zu einer Vielzahl von Instrumenten des Kostenmanagements wurde von Fischer 2000a herausgegeben.
[385] Als prominenter Beitrag siehe: Shank/Govindarajan 1995.
[386] Vgl. z.B. Albach 1988, 1143-1170; Matje 1996.

3.2 Instrumentelle Ausdifferenzierung

Die instrumentelle Ausdifferenzierung der Kostenrechung und des Kostenmanagements wird durch die folgende Abbildung veranschaulicht, die in Kosteninhalte, Kostenanalyse, Kostenmanagement, Funktionskosten und Kosten von Querschnittsfunktionen unterscheidet.

Wie schon aus dieser Aufzählung sowie der Abbildung deutlich wird, orientieren sich die einzelnen Punkte dabei sowohl an theoretischen Konzepten als auch an betrieblichen Funktionen. Bisher wurde noch keine Systematisierung der Instrumente des Kostenmanagements vorgenommen (vgl für eine Übersicht Abbildung 18).

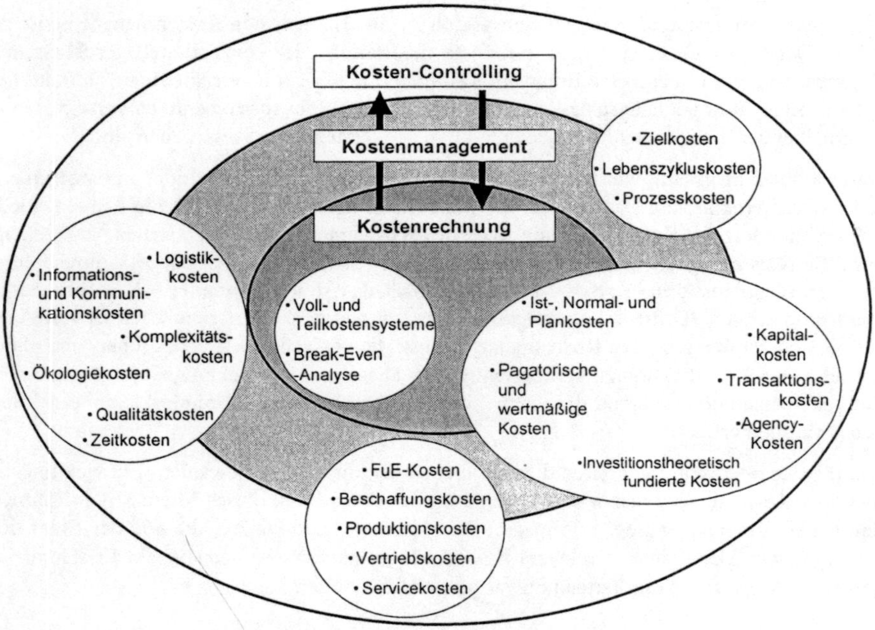

Abbildung 18: Inhalte von Kostenrechung und Kostenmanagement

Quelle: Leicht verändert aus Fischer 2000, 5.[387]

3.2.1 Auswahl geeigneter Instrumente des Kostenmanagements

In Abbildung 17 wurden wesentliche Ansatzpunkte für ein Kostenmanagement erfasst. Diese Abbildung kann mit den formulierten Grundprinzipien des Supply Chain Managements (vgl. Abschnitt 2.2.2.1) abgeglichen werden, so dass es möglich ist, geeignete Instrumente

---

[387] Fischer führt zusätzlich den Begriff des Kosten-Controlling für die betriebliche Planung und Kontrolle von Kosteninformationen ein, und legt damit ein Verständnis zugrunde, das Kostenrechung und Kostenmanagement um verschiedene Perspektiven ergänzt: Fischer 2000b, 5. Dieser zusätzlichen Differenzierung wird hier nicht gefolgt, da sie keine Vorteile für den Gang der Argumentation bringt.

des Kostenmanagements zu identifizieren, die im Rahmen des Supply Chain Managements anwendbar erscheinen.

1. Eine Berücksichtigung der Marketing- bzw. Kundenorientierung im Kostenmanagement ermöglicht vor allem das Target Costing, das darauf abzielt, die Anforderungen der Kunden bereits in die frühen Phasen der Produktentwicklung einzubeziehen.

2. Das Integrations- und Effektivitätsprinzip sowie das Effizienzprinzip zielen auf integrierte Betrachtungen entlang der Kette. Dabei werden die Prozesse der einzelnen Unternehmen entlang der Wertschöpfungskette integriert, so dass sich das Prozesskostenmanagement als Instrument der Analyse anbietet.

3. Sowohl die Produkt- als auch die Kooperationsdimension wurden als Verkürzungen von Lebenszyklusbetrachtungen verstanden, so dass das Life-Cycle Costing wichtige Ansatzpunkte bietet.

Diese Argumentationslinien legen nahe, aus der Vielzahl von Instrumenten des Kostenmanagements exemplarisch die Prozesskostenrechnung, das Target Costing und das Life-Cycle Costing kurz vorzustellen, zumal damit gleichzeitig auch die für das Kostenmanagement wichtige Prozess- und Ergebnisorientierung erfasst wird.[388]

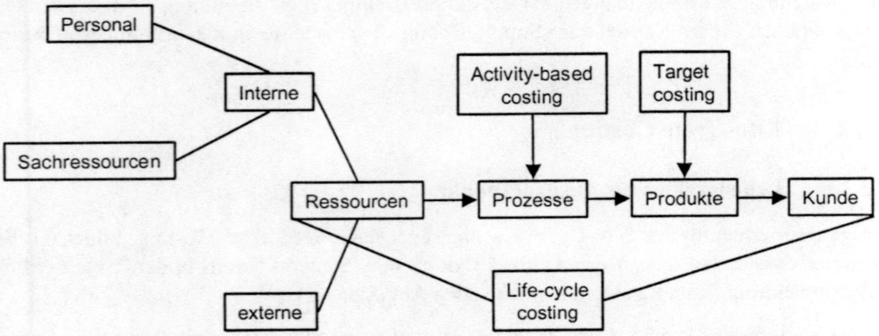

Abbildung 19: Instrumente des Kostenmanagement in der Leistungserstellung
Quelle: eigene Ergänzungen zu Franz/Kajüter 1997b, 12.

Zudem haben sowohl die Prozesskostenrechnung[389] als auch das Target Costing[390] und das Life-Cycle Costing[391] mittlerweile eine weite Verbreitung in der betrieblichen Praxis gefunden.[392] Gleichzeitig erlauben die drei Instrumente unter Rückgriff auf die von Fröhling herausgearbeiteten Grenzen der Aussagefähigkeit der Kostenrechung, wesentlich zur Überwindung der vier Defizite beizutragen, ohne dass diese dabei komplett beseitigt werden.

[388] Vgl. Niemand 1996, 7. Definitionen und Zielbeschreibung des Kostenmanagements berücksichtigen dies implizit, wie aus der zu Beginn dieses Kapitel gewählten Formulierung von Franz/Kajüter 1997b, 8 deutlich wird.

[389] Vgl. z.B. die Kapitel 5 und 6 in Stoi 1999 sowie einzelne Beiträge in Horváth & Partner 1998.

[390] Vgl. z.B. die Fallstudien in Cooper/Slagmulder 1997 und Cooper/Slagmulder 1999.

[391] Vgl. z.B. die Ausführungen bei Zehbold 1996.

[392] Diese drei Instrumente gehören auch zu Auswahllisten anderer Autoren, siehe z.B. Becker 1996, 20f; Welge/Amshoff 1997, 71-77; Brokemper 1998, 36, Sahl 1998, 28. Zur empirischen Untersuchen der Nutzung von Kostenmanagementinstrumenten siehe: Franz/Kajüter 1997c, 481-502.

- Die Prozesskostenrechung leistet insbesondere Beiträge, die fehlende Transparenz bezüglich der Prozessstruktur und der Kostenstruktur des Unternehmens sowie die fehlende Transparenz bezüglich der Kostenstruktur des Unternehmens zu beheben.
- Das Target Costing und das Life-Cycle Costing zielen vor allem auf die fehlende Transparenz bezüglich der zeitlichen Struktur der Kostenentstehung und -zurechung sowie die Berücksichtigung spezifischer Kostenelemente und -strukturen.

Der vierte Punkt, die fehlende Transparenz bezüglich spezifischer Kostenelemente und -strukturen, wird insbesondere auch im nachfolgenden Abschnitt zur transaktionskostenorientierten Erweiterung getrennt aufgegriffen. Eine Gesamtschau bietet die folgende Abbildung 19. Allerdings wird in der nachfolgenden Darstellung der drei Instrumente nicht auf bereits bestehende Integrationen zwischen den drei Instrumenten eingegangen.

Für die drei ausgewählten Instrumente werden jeweils die Problemstellung, die zur Entwicklung des Instruments geführt hat, die Zielsetzung des Instrument und die methodische, rechentechnische Vorgehensweise beschrieben. Dabei wird zuerst das Life-Cycle Costing vorgestellt, da es die Grundüberlegung des Produktlebenszykluses aufgreift. Das Target Costing ist auf die Phase der Produktentwicklung bezogen, während die Prozesskostenrechnung als laufende Rechnung vor allem auch in der Phase der Herstellung des Produktes angewandt wird. Gleichzeitig spiegeln sich in dieser Einteilung sowohl die Überlegungen aus den Beziehungszusammenhängen der Leistungserstellung (vgl. Abbildung 17 in diesem Kapitel) als auch die im Kapitel zum Supply Chain Management genutzten Produktdimension wider.

3.2.2 Life-Cycle Costing

3.2.2.1 Lebenszyklen als Ausgangspunkt

Ausgangsüberlegung des Life-Cycle Costing, aber auch des Target Costing, bildet die Erkenntnis, dass ca. 80% der Kosten eines Produkts oder Systems bereits in der Phase der Produktentwicklung festgelegt werden (siehe auch Abbildung 21).[393]

Der Gestaltung des Produkts bzw. Systems kommt damit eine besondere Bedeutung zu, zumal in diesen frühen Phasen nur begrenzte Informationen verfügbar sind, so dass Entscheidungen bei einem hohen Maß an Unsicherheit zu treffen sind.[394] Diese Ausgangsüberlegung hat zur Formulierung umfassender Lebenszykluskonzepte[395] und zur Ausgestaltung von Lebenszykluskostenrechnungen geführt,[396] die zuerst für komplexe Produkte, z.B. große Industrieanlagen oder öffentliche Bauvorhaben, entwickelt wurden.[397] An dieser Stelle soll eine Beschränkung auf den integrierten Produktlebenszyklus erfolgen, wie er in Abbildung 20 dargestellt ist, da dieses Konzept auf alle Arten von Produkten bzw. Systeme zutrifft. An dieser Stelle sei insbesondere auf Kooperationsbeziehungen zwischen Unternehmen verwiesen, die ebenfalls einem Lebenszyklus unterliegen.[398]

---

[393] Aus der Vielzahl der Quellen sei exemplarisch verwiesen auf: Berliner/Brimson 1988, 139; Coenenberg/Fischer/Schmitz 1994, 1; Tanaka 1989, 4; Cooper/Slagmulder 1999; XXI.

[394] Vgl. Rückle/Klein 1994, 337; Götze 2000, 268.

[395] Vgl. ausführlich Höft 1992; auch Reichmann/Fröhling 1994, 282-286.

[396] Vgl. Back-Hock 1988; Zehbold 1996; Riezler 1996.

[397] Vgl. Fröhling/Spilker 1990, 74; Rückle/Klein 1994, 338.

[398] Vgl. die Differenzierung in Konzepte für Produkte, Ressourcen und Kunden bei Götze 2000, 265-289.

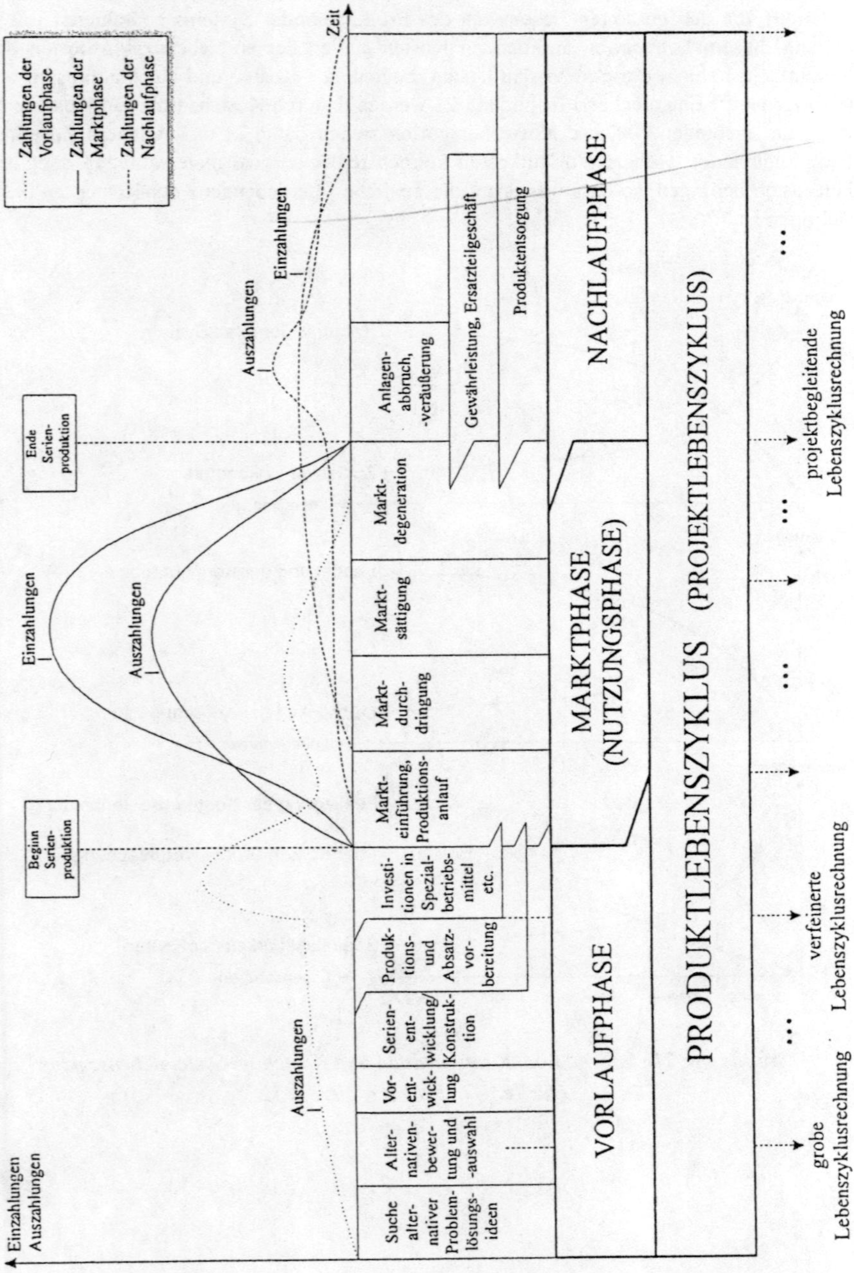

Abbildung 20: Integrierter Produktlebenszyklus
Quelle: Riezler 1996, 9.

Wie Abbildung 20 hervorhebt, werden Lebenszykluskonzepte dabei in verschiedene Phasen unterteilt, die den gesamten Lebensweg des Produktes oder Systems charakterisieren. Die entlang diesem Lebensweg anfallenden Kosten stellen dessen Lebenszykluskosten dar.[399] Vereinfacht können diese in Vorlaufkosten, begleitende Kosten und Nachlaufkosten unterteilt werden.[400] Entsprechend Abbildung 21 werden dadurch Kostenanfall und Kostenentstehung unterschieden.[401] Diese Kostenkategorien stehen dabei in ursächlichem Zusammenhang zueinander. Höhere Vorlaufkosten können teilweise niedrigere laufende oder Nachlaufkosten bedingen, so dass insgesamt die zeitliche Interdependenz der Kosten zu berücksichtigen ist.[402]

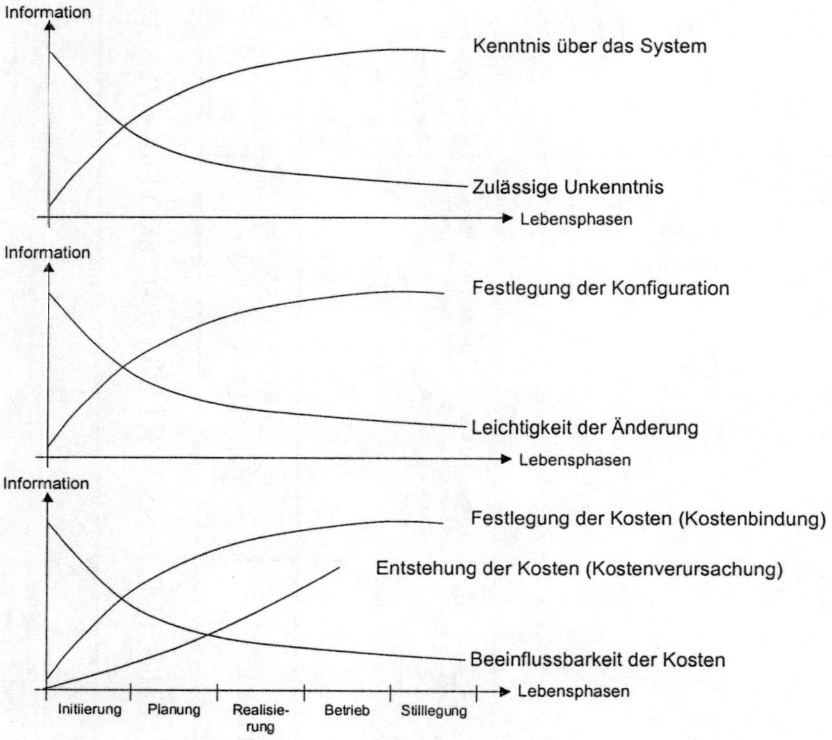

Abbildung 21: Information, Konfiguration und Kosten im Systemlebenszyklus
Quelle: Wübbenhorst 1992, 252.

---

[399] Vgl. Götze 2000, 267.
[400] Vgl. Back-Hock 1992, 707; Reichmann/Fröhling 1994, 294ff.
[401] Vgl. Wübbenhorst 1992, 252. Vergleiche die in der Kostenrechnung vorgenommene Unterscheidung zwischen Verursachungs- und Veranlassungsprinzip: Hummel/Männel 1986, 53-56.
[402] Vgl. Götze 2000, 269f.

3.2.2.2 Rechentechnische Abbildung

Für die rechnerische Abbildung der produktbezogenen Lebenszykluskosten wurden verschiedene Modelle entwickelt. Dabei können Ansätze auf folgender Basis unterschieden werden:[403]

- Die Einzelkosten- und Deckungsbeitragsrechnung von Riebel bietet aufgrund ihrer Grundkonzeption einen geeigneten Ansatzpunkt für Lebenszyklusrechnungen, da auf die Zurechnung periodenbezogener Gemeinkosten verzichtet wird.[404] Dabei wird die Trennung in zweckneutrale Grundrechnung und Auswertungsrechnung beibehalten. In ersterer werden die Kosten und Erlöse der einzelnen Phasen periodenspezifisch erfasst und Bezugsobjekten, insbesondere Produkten, zugeordnet, so dass damit Auswertungsrechnungen z.B. Produktdeckungsrechnungen oder Break-Even-Analysen durchgeführt werden.[405] Insgesamt erweist sich jedoch die statische Modellstruktur und die hohe Komplexität des Konzeptes als Nachteil.[406]
- Die Grenzplankosten- und Deckungsbeitragsrechnung wird wesentlich von Zehbold zu einem Konzept erweitert, das die lebenszyklusbezogene Erfassung und Auswertung von Kosten und Erlösen ermöglicht.[407] Dieses System kann mit bestehenden Rechensystemen der Unternehmen verknüpft werden, wobei vor allem zusätzliche periodenübergreifende Rechnungen notwendig sind. Allerdings verbleiben dabei Probleme bei der Zuordnung von Gemeinkosten. Zudem ist das so ausgeprägte System statisch.[408]
- Die dynamische Investitionsrechnung hat insbesondere Riezler aufgegriffen und zu einem Controllinginstrument für produktbezogene Lebenszyklusrechnungen entwickelt.[409] Die Betrachtung des Lebenszykluses eines Produktes als Projekt wird genutzt, um jeweils anfallende Zahlungen periodengerecht zuzuordnen. Die daraus resultierenden Rechnungen werden dann jeweils fortgeschrieben. Insgesamt besteht nur eine begrenzte Einbindung in Systeme der Kostenrechnung, so dass ein aufwendiges, zusätzliches System geschaffen wird.[410]

All diese Ansätze weisen spezifische Vor- und Nachteile auf.[411] Als übergreifendes Problem bleibt die Abhängigkeit von der Prognose relevanter Daten über den gesamten Lebenszyklus und die damit verbundene Unsicherheit sowie die Zuordnung der relevanten Wirkungen und deren Quantifizierung zu nennen. Auch die hohe Komplexität des Systems und der dadurch verursachte Aufwand begrenzen die Anwendbarkeit.[412]

3.2.2.3 Life-Cycle Costing als Managementinstrument

Ein Hinweis zur Abgrenzung zwischen deutsprachiger und anglo-amerikanischer Literatur ist noch notwendig.[413] In der deutschen Literatur wird die Lebenszykluskostenrechnung in der Regel auf der Basis einer Grenzplankosten- und Deckungsbeitragsrechnung[414] bzw. einer

---

403 Vgl. Baden 1997, 84ff.
404 Vgl. z.B. Back-Hock 1988, 6ff; Back-Hock 1992, 703ff.
405 Vgl. Back-Hock 1988, 100ff.
406 Vgl. Back-Hock 1988, 148; Baden 1997, 107ff.
407 Vgl. z.B. Zehbold 1996, 153ff.
408 Vgl. Riezler 1996, 101; Baden 1997, 103ff.
409 Vgl. z.B. Riezler 1996, 128ff.
410 Vgl. Zehbold 1996, 192ff.
411 Vgl. Rückle/Klein 1994, 355-363; Götze 2000, 278ff.
412 Vgl. Riezler 1996, 187ff; Baden 1997, 110ff.
413 Vgl. die Hinweise bei Zehbold 1996, 3; Gutschelhofer/Roberts 1997, 23-44.
414 Vgl. Zehbold 1996.

investitionstheoretischen Fundierung[415] diskutiert. Baden spricht sogar davon, dass Konzepte nur auf der Basis der Investitionsrechnung korrekt gestaltet werden können.[416] In der englischsprachigen Literatur benutzt nicht nur Ellram den äquivalenten Begriff des Life-Cycle Costing in einem weiteren Sinne bereits immer dann, wenn Ereignisse oder Beziehungen zwischen Unternehmen betrachtet werden, die sich über mehrere Perioden erstrecken.[417] Dabei müssen nicht im Sinne der dynamischen Investitionsrechnung mehrere Rechenperioden (z.B. Geschäftsjahre) gemeint sein, vielmehr reicht es aus, wenn mehrfach hintereinander Ware vom gleichen Lieferanten bezogen wird. Das schließt nicht aus, dass auch der zuvor aufgezeigte Sprachgebrauch der investitionstheoretischen Fundierung damit umfasst wird. Weitere Probleme bestehen in der Anwendung des Konzeptes, da die Datenerhebung entlang des Lebenswegs außerhalb des eigenen Unternehmens schwierig ist, so dass qualitativ und quantitativ wenig Informationen verfügbar sind, für deren Beschaffung hohe Kosten anfallen.[418]

Trotz dieser Probleme und Unterschiede in der konkreten Ausgestaltung spielen die mit Lebenszykluskosten verbundenen Überlegungen für zukunftsgerichtete Entscheidungen[419] eine wichtige Rolle in der unternehmerischen Praxis,[420] die insbesondere im Rahmen umweltorientierter Instrumente erhebliche Bedeutung erlangt haben.[421] Die damit verbundenen qualitativen Informationen sind für viele andere Instrumente von Bedeutung, zu denen auch das Target Costing gehört.

Kasten 10: Lange Entwicklungs- und kurze Vermarktungszyklen

Zur Anwendung des Life-Cylce Costing in der Bekleidungsindustrie liegen bisher keine Beiträge vor. Die betriebliche Praxis, soweit zugänglich, zeigt ebenfalls keine aktive Nutzung des Instruments im Kostenmanagement. Trotz dieser deutlichen Einschränkungen können einzelne Aspekte beobachtet werden.

Der Verkauf von Bekleidung unterliegt weitgehend der Einteilung in Saisons, die maximal ein halbes Jahr dauern. Besonders dynamische Unternehmen, z.B. Hennes & Mauritz, haben sich mittlerweile vom Denken in Saisonzeiträumen gelöst und bringen ständig neue Ware in ihre Läden.[422] Selbst Basisprodukte, z.B. Unterwäsche oder T-Shirts, unterliegen saisonbedingten Anpassungen, auch wenn einzelne Teile einer Kollektion unverändert übernommen werden.

Diesen kurzen Marktzyklen stehen wesentlich längere Zeiträume für die Produktentwicklung und Produktion gegenüber. Die ersten Arbeiten für eine neue Kollektion beginnen bereits bis zu zwei Jahre vor dem Verkaufsstart der fertigen Kleidungsstücke. Allein diese unterschiedlichen Zeiträume verdeutlichen das damit verbundene Planungsproblem. Über das einzelne Kleidungsstück einer Kollektion hinaus unterliegt die gesamte Kollektion und ihre Fortführung über mehrere Saisons einem Lebenszyklus.

Eine Analyse und Gestaltung der Kosten entlang des Lebenszykluses werden bisher nur begrenzt aktiv vorgenommen. Ein erster Ansatzpunkt besteht in der Mischung der Produktkalkulationen innerhalb einer Kollektion, bei der Teile mit unterschiedlichen Margen kalkuliert werden. Dieses Vorgehen kann dazu dienen, dass Neuerungen in Design oder

415 Vgl. Riezler 1996.
416 Vgl. Baden 1997, 227; Baden 1998, 619.
417 Vgl. Ellram 1995a, 5; Anderson 1996, 106; Hilton/Maher/Selto 2000, 567.
418 Vgl. Schaltegger/Müller/Hindrichsen 1996, 56.
419 Vgl. Schaltegger/Müller/Hindrichsen 1996, 57.
420 Vgl. Franz/Kajüter 1997c, 493ff.
421 Vgl. White/Savage/Shapiro 1996, 7.1-7.19;Cohan 1996, 135-151; Bennett/James 1998, 347-361.
422 Vgl. Horstmann 1998, 2.

Qualität innerhalb einer Saison erst in wenigen Teilen aufgegriffen werden, bevor sie in folgenden Saisons breit eingesetzt werden. Bestehen geringe Erfahrungen mit diesen Designs und Qualitäten, können höhere Kosten anfallen, so dass zur Einführung eine Subventionierung innerhalb der Kollektion erforderlich ist. In den folgenden Saisons sollte sich diese Neuerung dann breit als Standard durchsetzen. Die erzielten Umsätze und Erlöse dienen nun dazu, andere neue Produkte zu unterstützen. Insgesamt wird damit auf ein ausgewogenes Produktportfolio innerhalb der Kollektion abgezielt.

Ein weiterer Ansatzpunkt ergibt sich aus der Unterscheidung in Kostenbeeinflussung und Kostenentstehung auf den verschiedenen Stufen der Wertschöpfungskette. Den Konfektionären kommt dabei eine wichtige Rolle zu, da diese die wesentlichen Entscheidungen für die Kollektion treffen. Kostenwirkungen werden von diesen Unternehmen in der Regel nur in Bezug auf den Verkaufspreis gesehen und gemeinsame Optimierungen zusammen mit den Lieferanten stellen immer noch die Ausnahme dar. Eine Analyse der Kostenbeeinflussung und -entstehung entlang des Lebenszykluses verdeutlicht die möglichen Ansatzpunkte der einzelnen Unternehmen in der Kette, wie im Kapitel zum Supply Chain Management dargelegt wurde.

3.2.3 Target Costing

3.2.3.1 Marktorientierung als Ausgangspunkt

Die Entwicklung des Target Costing wird ebenfalls von den Basisüberlegungen des Produktlebenszyklus getragen. Dabei wird die Bedeutung der Produktentwicklung für die Kostengestaltung betont, die sich wiederum an den Anforderungen der Kunden zu orientieren hat.[423] Dadurch soll verhindert werden, dass Produkte zu teuer sind oder auch Funktionen erfüllen, die von den Kunden nicht gefordert werden. Das Target Costing ist kein Rechnungs- sondern ein Managementinstrument,[424] so dass insbesondere Fragen der Durchführung und Implementierung bzw. organisatorischen Verankerung eine große Bedeutung zukommt.[425]

Allerdings soll an dieser Stelle nur der wesentliche Ablauf eines Target Costing dargestellt werden. Das systematische Vorgehen im Target Costing wird in drei Schritte eingeteilt, wie dies die folgende Abbildung 22 veranschaulicht.[426] Die drei Schritte werden anschließend einzeln erläutert.

3.2.3.2 Market Level Target Costing

Der Marktvorbau stellt die Anbindung des Target Costing an die Marktgegebenheiten und Kundenanforderungen sicher. Ausgehend von Ergebnissen der Marktforschung wird die Verknüpfung von Produktmerkmalen und der damit verbundenen Zahlungsbereitschaft der Kunden sichergestellt.[427]

Zu den Ergebnissen der Marktforschung gehören z.B. Prognosen über erzielbare Stückzahlen und die Entwicklung der Zahlungsbereitschaft über den Produktlebenszyklus, Präferenz-

---

[423] Vgl. Tanaka 1989, 49-71; Rösler 1995, 214-219; Cooper/Chew 1996, 88-97.
[424] Vgl. z.B. Seidenschwarz 1991, 201; Ewert/Ernst 1999, 23.
[425] Vgl. z.B. die Darstellung bei Seidenschwarz 1993, 269ff; siehe auch: Fessler/Fisher 2000, 33f; Ewert/Ernst 1999, 23; Göpfert/Knecht 2000, 513-528.
[426] Vgl. Seidenschwarz et. al. 1997, 101; Cooper/Slagmulder 1999, 166.
[427] Vgl. Seidenschwarz 1993, 116f; Seidenschwarz et. al. 1997, 105.

strukturen der Kunden zu den Produktmerkmalen sowie Szenarien für zukünftige Marktentwicklungen.[428]

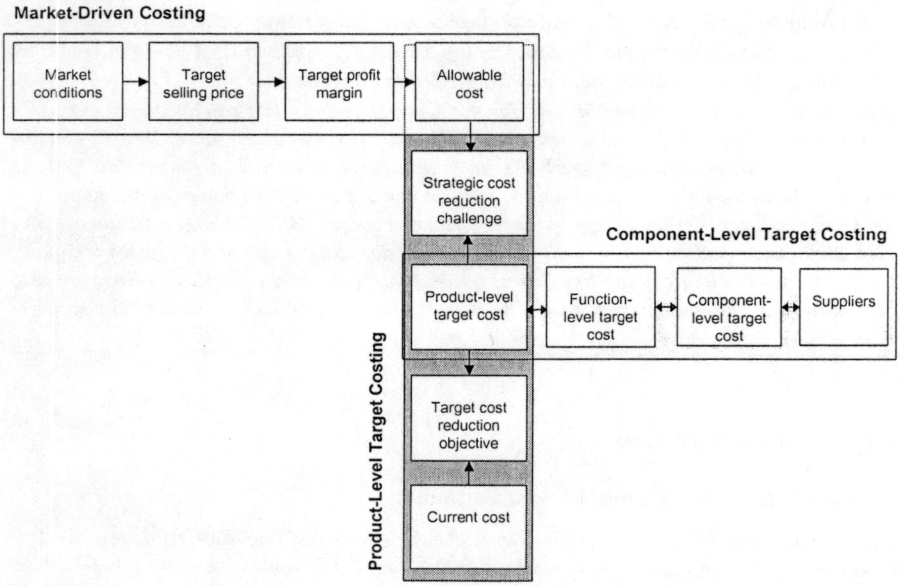

Abbildung 22: Target Costing Prozess
Quelle: Cooper/Slagmulder 1999, 166.

Zur Konkretisierung wird ein Kundenbegeisterungsmodell eingesetzt, das die Kundenanforderungen in den drei Kategorien Basis-, Leistungs- und Begeisterungsanforderungen einteilt.[429] Dadurch soll sichergestellt werden, dass die weiteren Schritte des Target Costing zielgerichtet erfolgen.

3.2.3.3 Product Level Target Costing

Die Vorgehensweise der retrograden Kalkulation wird in der folgenden Abbildung 23 verdeutlicht. Durch die Ermittlung des am Markt erzielbaren Absatzpreises besteht eine Vorgabe an den Zielpreis, der für das Produkt erreicht werden soll. Von diesem Target Price wird der Target Profit, also der geplante Gewinn, abgezogen. Nach Abzug des Target Profit vom Target Price verbleiben die Allowable Costs, also die zulässigen Kosten, zu denen das Produkt im Idealfall hergestellt werden soll. Diese Zielkosten müssen nun mit den tatsächlich anfallenden Kosten verglichen werden, die auf der Basis von Schätzungen ermittelt werden. Diese Kosten werden als Drifting Costs bezeichnet, da sie im Laufe der Zeit, z.B. durch Lernkurveneffekte, verringert werden können. Durch einen Abgleich der zulässigen mit den geschätzten Kosten wird ermittelt, ob eine Zielkostenlücke vorliegt und wie groß diese ist.

Im Normalfall werden die zulässigen Kosten kaum erreichbar sein, so dass es notwendig wird, Maßnahmen zur Erreichung der Zielkosten festzulegen. Eine wichtige Rolle kommt

[428] Vgl. Seidenschwarz et. al. 1997, 107 unter Rückgriff auf Kucher/Simon 1987, 28-36.
[429] Vgl. Seidenschwarz et. al. 1997, 109.

dabei der Produktzielkostenspaltung zu, bei der die Betrachtungsebene vom gesamten Produkt auf die einzelnen Komponenten des Produktes verfeinert wird.

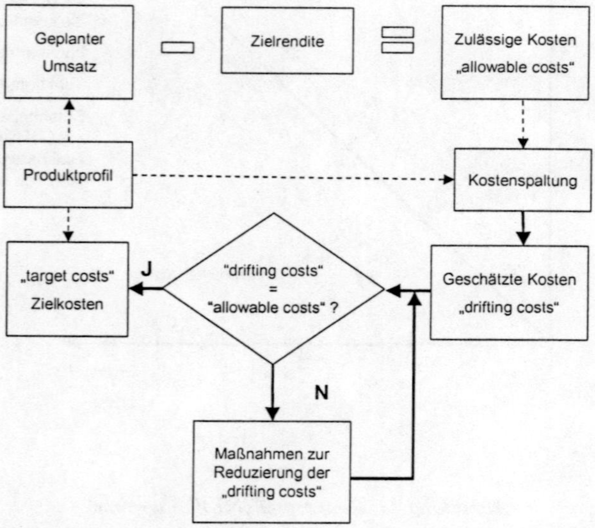

Abbildung 23: Vorgehensweise des Target Costing in der retrograden Kalkulation
Quelle: Coenenberg/Fischer/Schmitz 1994, 4.

3.2.3.4 Component Level Target Costing

An dieser Stelle kommen Informationen aus der Marktforschung eine große Bedeutung zu, da für jede Produktfunktion und -komponente ein Abgleich zwischen der Bedeutung dieser Komponente und den geschätzten Kosten der Komponente erfolgt, indem ein Zielkostenindex ermittelt wird. Die Veranschaulichung dieser Indices erfolgt in einem Zielkostenkontrolldiagramm, das die Abweichung zwischen den beiden Größen darstellt (vgl. Abbildung 24). Zusätzlich werden eine obere und eine untere Begrenzungszone definiert, in deren Bereich der Zielkostenindex der einzelnen Komponenten liegen soll bzw. darf. Das Zielkostenkontrolldiagramm zeigt auf, für welche Funktionen oder Komponenten besondere Anstrengungen unternommen werden müssen. Dafür bietet die Bewertung verschiedener Alternativen eine geeignete Hilfestellung.

Wie schon der Begriff des Kostenmanagements betont, kommt der Gestaltung der Kosten durch die einzelnen Instrumente eine erhebliche Bedeutung zu. So ist durch die organisatorische Verankerung des Target Costing sicherzustellen, dass es nicht nur bei einer einmaligen Anwendung bei der Produktgestaltung bleibt, sondern die Vorgaben gleichermaßen auch für kontinuierliche Verbesserungsprozesse genutzt werden, so dass im Laufe des weiteren Produktlebenszykluses das Target Costing durch ein Kaizen Costing ergänzt wird.[430]

[430] Vgl. Horváth/Seidenschwarz/Sommerfeldt 1993 10-17; Jehle/Willeke 1996, 255-260; Cooper /Slagmulder 1999, 271ff. Eine Darstellung des Kaizen Costing findet sich in Abschnitt 4.3.1.3.

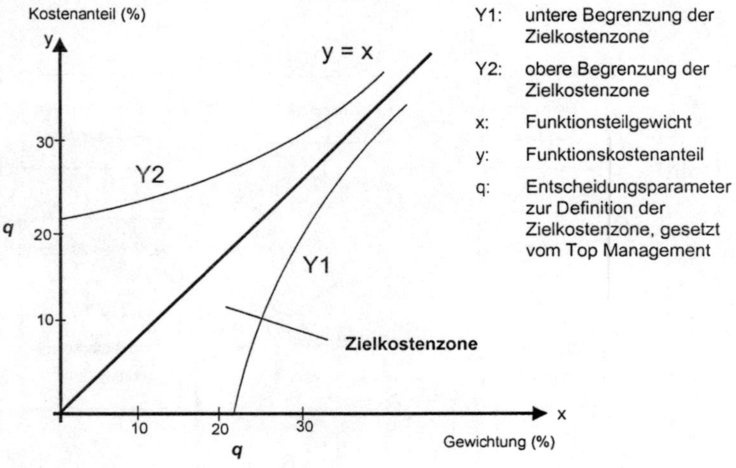

Abbildung 24: Zielkostenkontrolldiagramm
Quelle: Tanaka, 1989, 68.[431]

Kasten 11: Seit 25 Jahren konstante Preise bei Sommerkleidern

Das Target Costing spielt in der Bekleidungsindustrie seit langem eine bedeutende Rolle. Jedes Kleidungsstück oder jede Kollektion wird konkret für ein Preissegment geplant und entworfen. Die Überlegungen des Target Costing sind daher vor allem auf der Stufe des Konfektionärs oder Handels relevant. Die Zielpreise werden aus dem bestehenden Angebot übernommen. Trotz der hohen Dynamik des gesamten Marktes weisen viele Zielpreissegmente eine große Stabilität auf. Ein Beispiel dafür bilden Damen-Sommerkleider, für die das niedrigste Preissegment bei ca. DM 70 beginnt, woran sich in den letzten 25 Jahren nichts verändert hat. Diese absolute Konstanz des Preissegments belegt den hohen Marktdruck in der Textilindustrie.

Für preiswerte Produkte ist daher auch der Einsatz preiswerter Materialien notwendig. Ober- und Futterstoffe sowie alle Zutaten (Knöpfe, Reißverschlüsse, Einlagen, etc.) müssen sehr preisbewusst beschafft werden. Die Kostenspaltung und die Festlegung der Zielkosten wurden rein unternehmensintern vom jeweiligen Konfektionär vorgenommen. Auf der Basis der so ermittelten Zielpreise wurden im Markt entsprechende Angebote gesucht. Als Folge des hohen Wettbewerbsdrucks bestand in der Textilindustrie lange ein starker Trend zur Koordination der verschiedenen Wertschöpfungsstufen über Märkte. Die Beschaffung der Stoffe und Zutaten erfolgte daher saisonweise vom jeweils billigsten Lieferanten.

[431] Siehe auch: Horváth/Seidenschwarz 1992, 147; Seidenschwarz 1993, 182.

3.2.4 Prozesskostenmanagement

3.2.4.1 Anforderungen an eine Produktkalkulation

Auf die Gründe für die Entstehung der Prozesskostenrechung wurde bereits hingewiesen. Eines der Basisprobleme ist die Kalkulation der Produkte, für die eine Umlage der Gemeinkosten erfolgen muss. Aufgrund geänderter Produktionsstrukturen übersteigen die Gemeinkosten die Einzelkosten häufig um das Mehrfache,[432] so dass eine verursachungsgerechte Zuordnung dieser Kosten zu den Produkten auf der Basis der Zuschlagskalkulation nicht gewährleistet werden kann.[433] Insgesamt können dabei die drei folgenden Verzerrungen bei der Ermittlung der Produktkosten konstatiert werden, die dazu führen, dass die nach dem Verursacherprinzip zurechenbaren Gemeinkosten nicht von den (Lohn-)Einzelkosten abhängig sind:

- *„Unterschiede bei den Produktmengen bzw. Losgrößen,*
- *Nichtberücksichtigung der Produktkomplexität bzw. -größe,*
- *Nichtberücksichtigung der Variantenzahl.“*[434]

Diese Defizite führen dann zu irreführenden Signalen für die Steuerung der Kosten:[435]

- Fertigungslöhne sind kostenintensiv und müssen möglichst niedrig gehalten werden.
- Eine Produktweiterentwicklung kostet nichts.
- Sonderanfertigungen sind nicht teurer als Massenprodukte.
- Prestigeprodukte, die in geringer Stückzahl gefertigt werden, kosten das gleiche wie umsatzträchtige Produkte.
- Breite Auswahlmöglichkeiten und Extras oder Zubehör haben allenfalls geringe Auswirkungen auf die Kostensituation.

Diese Probleme führen dazu, dass es auf der Basis traditioneller Vollkosteninformationen zu Fehlentscheidungen, vor allem in der Produkt- und Preispolitik kommen kann.[436] Dies führt zu einer Veränderung in der gesamten Struktur des Rechnungswesens. Darauf wurde einerseits mit einer detaillierten Ausgestaltung der Kostenrechung hin zu Planungs- und Teilkostenrechungen reagiert.[437] Als radikalere Alternative wurde mit der Prozesskostenrechnung ein anderer Modus der Verrechnung der Gemeinkosten vorgeschlagen.

Die Überwindung der aufgezeigten Mängel ist der zentrale Gegenstand der Prozesskostenrechnung, so dass die Gemeinkosten nicht mehr über Zuschlagssätze auf die Produkte verteilt werden, sondern entsprechend der tatsächlichen Inanspruchnahme betriebliche Aktivitäten oder Tätigkeiten durch die betrachteten Kalkulationsobjekte.[438] Die Begründung liegt darin, dass z.B. Material- oder Fertigungsgemeinkosten nicht durch den Materialwert oder den Fertigungslohn bestimmt werden, sondern durch die Anzahl und Art der Prozesse, die zur Verwaltung des Materials und zur Durchführung der Fertigung notwendig sind. Dadurch soll erreicht werden, dass die Kosten genau den Aktivitäten zugerechnet werden, für die sie

---

[432] Vgl. Miller/Vollmann 1985, 142-150.
[433] Vgl. Cooper/Kaplan 1988, 96-103; Cooper 1988, 45-54.
[434] Reckenfelderbäumer 1994, 15f.
[435] Vgl. Turney/Anderson 1989, 45.
[436] Vgl. Horváth/Mayer 1989, 215-216; Coenenberg/Fischer 1991a, 22-23.
[437] Vgl. die schon erwähnten Werke von Kilger 1993 und Riebel 1994.
[438] Vgl. Cooper 1992, 360; Reckenfelderbäumer 1994, 20.

erbracht werden, so dass das Verursachungsprinzip streng verfolgt wird.[439] Dabei ist die Prozesskostenrechung eine Vollkostenrechnung, weil die gesamten Gemeinkosten auf die Kostenträger zugerechnet werden.[440] Insgesamt sollen die Ziele Transparenz und Effizienz in der Abrechungsmethode sowie eine korrekte Kalkulation der Produkte erreicht werden.[441] Dies dient auch der Bereitstellung von Informationen für die mittel- bis langfristige Planung und Steuerung sowie der umfassenden Kontrolle der Wirtschaftlichkeit im indirekten Leistungsbereich.[442] Die nachfolgende Darstellung der Vorgehensweise verdeutlicht dies.

3.2.4.2 Prozessorientiertes Vorgehen

Innerhalb der Prozesskostenrechung können wesentlich zwei verschiedene Ansätze unterschieden werden, nämlich das ursprünglich von Cooper und Kaplan entwickelte Activity Based Costing und die darauf basierende Methodik der Prozesskostenrechnung von Horváth und Mayer.[443] An dieser Stelle soll nur der differenziertere Ansatz von Horváth und Mayer kurz dargestellt werden,[444] der insbesondere auf die Kontrolle und Sicherung der Wirtschaftlichkeit im indirekten Leistungsbereich abzielt, indem Schwachstellen und unwirtschaftliche Abläufe aufgedeckt, die Kapazitätsauslastung kontrolliert und Informationen für Kostensenkungsmaßnahmen gewonnen werden.[445]

Die Prozesskostenrechung geht in der Planung, Steuerung und Verrechnung der Gemeinkosten im wesentlichen in drei Schritten vor:

- Prozessanalyse:
  In diesem Schritt erfolgt eine Analyse der einzelnen Prozesse. Dazu werden die einer Kostenstelle indirekter Leistungsbereiche zugeordneten Leistungen bzw. Aktivitäten definiert und deren Ressourceninanspruchnahme bewertet.[446] Anschließend wird untersucht, ob die in der Kostenstelle zu erbringenden Leistungsvolumen mengenvariabel (leistungsmengeninduziert = lmi) oder davon unabhängig mengenfix (leistungsmengenneutral = lmn) sind,[447] so dass dadurch die Kostenhöhe und der Kostenanteil der Prozesse eines Unternehmens transparent abgebildet werden.[448]

- Bezugsgrößenwahl:
  Für die leistungsmengeninduzierten Prozesse werden im nächsten Schritt geeignete Bezugsgrößen festgelegt.[449] Dabei handelt es sich z.B. für die Gemeinkostenstelle Materialeinkauf um die Anzahl der ausgeführten Bestellungen. Diese sogenannten Kostentreiber[450] sollen die mittel- bis langfristigen Einflussgrößen auf die Kosten- bzw. Ressourcenveränderung sichtbar machen. Damit zeigt die Prozesskostenrechung die Kosten- und Kapazitätswirkung veränderter Ablaufstrukturen, einer veränderten Anzahl der Prozessdurchführungen und einer rationelleren Prozessdurchführung.[451]

---

[439] Vgl. z.B. Seicht 1992, 247.
[440] Vgl. Horváth/Mayer 1989, 216; Küting/Lorson 1991, 1422-1423.
[441] Vgl. die Ausführungen bei Reckenfelderbäumer 1994, 26-32.
[442] Vgl. Friedl 1994, 144.
[443] Siehe z.B. Vergleiche bei: Friedl 1994, 152-157; Gaiser 1998, 65-77.
[444] Vgl. Horváth/Mayer 1989, 214-219; Mayer 1998, 3-27.
[445] Vgl. Mayer 1991, 94.
[446] Vgl. Glaser 1992, 277; Mayer 1998, 5.
[447] Vgl. Horváth/Mayer 1989, 216-217.
[448] Vgl. Mayer 1998, 5.
[449] Vgl. Horváth/Mayer 1989, 216-217.
[450] Zum Begriff der Kostentreiber siehe insbesondere Abschnitt 3.3.3.
[451] Vgl. Mayer 1998, 5.

- Prozesskostenermittlung:
  „Sofern Ursache-Wirkungs-Zusammenhänge bestehen, sind die Prozesskosten in einem weiteren Schritt auf Produkte, Aufträge, Kunden oder Marktsegmente zurechenbar, um deren Inanspruchnahme von Ressourcen aus dem indirekten Bereich aufzuzeigen."[452]

Eine vereinfachte, zusammenfassende Übersicht zur Prozesskostenrechung nach Horváth/Mayer bietet Abbildung 25.

Statt die aufgeführten Argumente bezüglich der Vor- und Nachteile der Prozesskostenrechnung zusammenzufassen, sei darauf hingewiesen, dass sie mittlerweile auch in Deutschland breite Anwendung findet.[453]

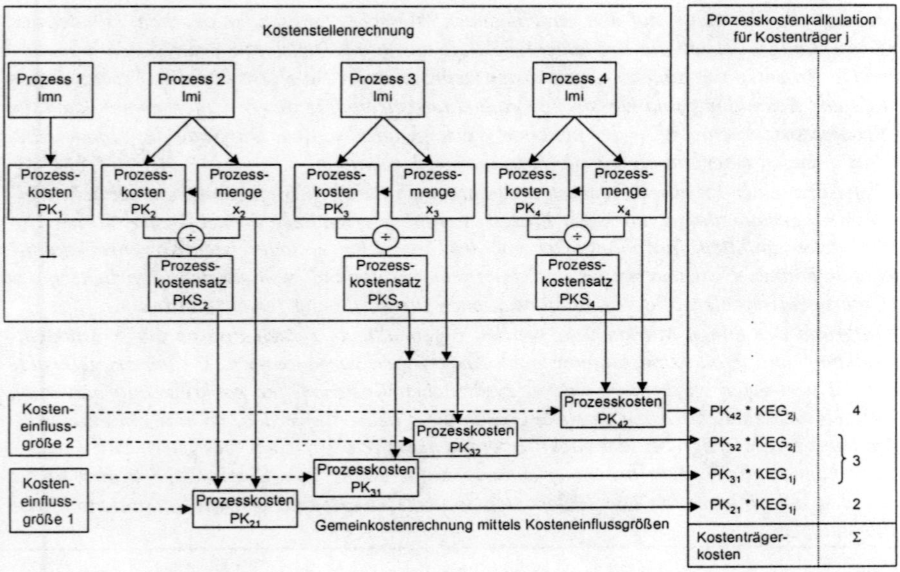

lmi	=	leistungsmengeninduziert	lmn	=	leistungsmengenneutral
PK	=	Prozesskosten	PKS	=	Prozesskostensatz
KEG	=	Kosteneinflussgröße	j	=	Index der Kostenträger
-----▶		Abhängigkeitsbeziehung	⟶		Folgebeziehung

Abbildung 25: Struktur der Prozesskostenrechnung
Quelle: Friedl 1994, 157.

[452] Mayer 1998, 5.
[453] Vgl. die schon erwähnten Beispiele in Horváth & Partner 1998 sowie Stoi 1999.

Zudem bietet sich von der Prozesskostenrechnung aufgrund ihres prozessorientierten Aufbaus Anknüpfungspunkte zu anderen Instrumenten des Managements[454] und des Kostenmanagements,[455] so dass vermehrt auch von Prozesskostenmanagement gesprochen wird.[456]

Nach dieser kurzen Darstellung ausgewählter Instrumente des Kostenmanagements wird im nächsten Abschnitt auf die strategische Orientierung des Kostenmanagements eingegangen.

Kasten 12: Unterschiedliche Prozesse der Wertschöpfungsstufen der Textil- und Bekleidungsindustrie

Anwendung und Ausgestaltung der Prozesskostenrechnung hängen stark vom Kontext des jeweiligen Unternehmens ab. In der textilen Kette unterscheiden sich Konfektionär / Handel und die Hersteller auf den verschiedenen Wertschöpfungsstufen deutlich. Handel und Konfektionäre leisten die Produktentwicklung sowie die Distribution, die durch administrative Prozesse mit hohen Gemeinkosten geprägt sind. Die Hersteller von Fasern, Textilien und Bekleidung sind klassische Produktionsbetriebe. In diesen Unternehmen kann die Prozesskostenrechnung in der üblichen Weise genutzt werden. Die Stufe des Handels bedarf dagegen einer Anpassung der Prozesskostenrechnung.

Der Einsatz der Prozesskostenrechnung böte auch für Textilkonfektionäre erhebliche Verbesserungsmaßnahmen, da kaum Einzelkosten aber erhebliche Gemeinkosten in den Unternehmen anfallen. In Abhängigkeit vom im Unternehmen eingesetzten Kostenrechnungssystem können Fehlsteuerungen des Unternehmens der Fall sein, da den Mitarbeitern der Unternehmen fehlerhafte Kosteninformationen zur Verfügung gestellt werden.

Aufgrund des hohen Marktdrucks werden regelmäßig in späten Phasen der Produktentwicklung und Produktionsplanung noch Änderungen vorgenommen. Da bereits geleistete Arbeit verworfen wird, führt dies zu zusätzlichen Kosten. Ohne konkrete Informationen, welche zusätzlichen Kosten entstehen, kann nicht beurteilt werden, ob eine einzelne Maßnahme gerechtfertigt ist oder nicht. Interessenkonflikte zwischen Designern und Einkäufern können durch eine prozessorientierte Aufbereitung von Kostendaten besser gelöst werden. Die Integration von Lieferanten in diese Überlegungen wird an späterer Stelle thematisiert.

---

[454] Vgl. z.B. zur Verbindung Prozesskostenrechung und Business Process Reengineering: Ferk 1996.

[455] Vgl. z.B. die Verbindung zum Target Costing bei: Freidank 1993, 392f; Sakurai/Keating 1994, 84f, oder zum Total Cost of Ownership, das in Abschnitt 3.5.3 vorgestellt wird: Ellram 1995b, 22ff.

[456] Vgl. Horváth & Partner 1998; Stoi 1999; MacArthur 2000, 404.

3.3 Strategieorientierte Ausrichtung

3.3.1 Methodische Ursprünge und Begriff

Methodische Ursprünge des Kostenmanagements werden auch in strategischen Kontexten gesehen. So verweisen Brokemper und Gleich[457] auf das Strategic Management Accounting[458] sowie die Strategic Cost Analysis.[459] Diese Ansätze basieren auf der Forderung nach einer strategischen Ausrichtung des Kostenmanagements, wobei schon strittig ist, ob überhaupt von einem strategischen Kostenmanagement gesprochen werden darf, wenn Kosteninformationen im strategischen Planungsprozess eingesetzt werden.[460] Trotz ähnlich konstatierter Konzeptionsdefizite des strategischen Kostenmanagements sieht auch Fröhling Bedarf dafür, so dass er begrifflich von *„einem die Problemanalyse und -lösung von strategischen Entscheidungsproblemen unterstützenden quantitativen Instrumentarium“*[461] spricht. Eine scharfe Ablehnung findet sich bei Baden, der darauf verweist, dass diese Zwecksetzung der Investitionsrechnung zugrunde liegt, so dass entsprechende Verfahren entscheidungstheoretischen Merkmalen der dynamischen Investitionsrechnung genügen müssen,[462] da diese ein für strategische Problemstellungen entscheidungstheoretisch abgesichertes methodisches Grundgerüst bereitstellt.[463] Daraus leitet er die Schlussfolgerung ab, dass die *„strategische Kostenrechung sich damit nicht als eigenständiger, abgegrenzter Zweig der internen Unternehmensrechnung, sondern als ein Bestandteil der Investitionsrechnung erweist“*,[464] die letztlich methodisch einen Rückfall in die fünfziger Jahre darstellt.[465] Baden benutzt dabei den Begriff der strategischen Kostenrechnung, da er auf die rechnerische Fundierung des (strategischen) Kostenmanagements abzielt. Der so herausgearbeitete Widerspruch verdeutlicht sich an den Zwecken, die dem strategischen Kostenmanagement zu Grunde gelegt werden. Bleibt Baden dabei klassischen Überlegungen des Rechnungswesens verhaftet, so wird schon in den ersten Arbeiten zum Thema die Abkehr von rechnerischer Genauigkeit hin zu einer Orientierung an Informationsbedürfnissen für strategische Entscheidungen gefordert.[466]

3.3.2 Abgrenzung zwischen operativem und strategieorientiertem Kostenmanagement

In der deutschsprachigen Literatur setzt sich zunehmend der Begriff strategieorientiertes Kostenmanagement durch.[467] Eine Klärung des Begriffes kann durch den Vergleich mit dem operativen Kostenmanagement vorgenommen werden, das sich der kurz- und mittelfristigen

---

[457] Vgl. Brokemper/Gleich 1997, 715.
[458] Vgl. Simmonds 1989, 264-269.
[459] Vgl. Porter 1999, 97 sowie insbesondere die Erweiterung durch Shank/Govindarajan 1995, 27ff.
[460] Vgl. die Begriffsbilung „strategieorientiertes Kostenmanagement“ bei Friedl 1997, 413 sowie die ausführliche Diskussion bei Horváth/Brokemper 1998, 587.
[461] Fröhling 1994b, 81; siehe in ähnlicher Weise auch Baden 1998, 611.
[462] Vgl. Baden 1998, 612.
[463] Vgl. Baden 1998, 621.
[464] Baden 1998, 621.
[465] Vgl. Baden 1998, 622.
[466] Vgl. Simmonds 1989, 265; siehe auch die Gegenüberstellungen von Kostenrechung und Kostenmanagement bei Brede 1993, 347 und Günther 1997, 104.
[467] Siehe die ausführliche Diskussion bei Brokemper 1998, 17ff.

Planung und Kontrolle der betrieblichen Effizienzziele widmet.[468] Die folgende Tabelle 8 grenzt daher die Begriffe voneinander ab.

Kriterium	**Das operative Kostenmanagement**	**Das strategische Kostenmanagement**
Zieldimension	Effizienz (Wirtschaftlichkeit) „Tun wir die Dinge richtig?"	Effektivität (Wettbewerbsfähigkeit) „Tun wir die richtigen Dinge?"
1. Rechnungszweck	• Planung und Kontrolle des Betriebsergebnisses • Operative Lenkung	• Unterstützung bei Strategiefindung/-umsetzung • Antizipative Gestaltung
2. Betrachtungsobjekte	• Produkte • Kunden • Funktionen	• Wertschöpfungskette • Potenziale • Prozesse • Produkte
3. Zeithorizont	Kurzfristig	Langfristig
4. Blickrichtung	Interne Blickrichtung • Soll/Ist-Vergleich • Zeitvergleich	Externe Blickrichtung • Unternehmen • Kunden • Konkurrenten
5. Kostenkategorien	Teilkosten	Vollkosten
6. Erklärung des Kostenverhaltens	Kurzfristige Kostenfunktion: Kosten = f(Ausbringungsmenge)	Langfristige Kostenfunktion: Kosten = f(strategische Entscheidungen, Managementfähigkeiten)
7. Weitere Charakteristika	• Hoher Detaillierungsgrad • Geringer Gestaltungsspielraum • Gegebener strategischer Rahmen • Prospektive Orientierung • Aufgabe der Funktionsbereiche / unteres Management • Systembasiert (Kostenrechung)	• Hohes Aggregationsniveau • Hoher „kostenpolitischer" Gestaltungsspielraum • Strategischer Rahmen (Strukturen, Potenziale etc.) wird gesucht • Antizipative Orientierung • Aufgabe des oberen Managements • Basierend auf Analyseinstrumenten

Tabelle 8: Operatives versus strategieorientiertes Kostenmanagement[469]
Quelle: Brokemper 1998, 24.

Dabei steht die Gestaltung der Unternehmensaktivitäten im Vordergrund, die schon in der einleitenden Definition des Kostenmanagements betont wurde. Insgesamt werden fünf Ansatzpunkte für eine strategische Orientierung ausgemacht:[470]

---

[468] Vgl. Coenenberg/Fischer 1996, 8.38.

[469] Als Originalquellen nennt dieser: Shank 1989, 47-65; Horváth/Seidenschwarz 1991, 297-322; Reiß/Corsten 1992, 1478-1491; Coenenberg/Fischer 1996, 8.38-8.46.

[470] Vgl. ausführlich Brokemper 1998, 32-33 und Horváth/Brokemper 1998, 589 unter Rückgriff auf Shank/Govindarajan 1995, 27ff.

- Ausrichtung an der Wertschöpfungskette, so dass nicht nur die Produktion, sondern auch alle anderen Tätigkeiten bzw. Prozesse adäquat abgebildet werden.[471]
- Berücksichtigung der strategischen Positionierung, so dass die Ausgestaltung des Kostenmanagements an die verfolgte Unternehmensstrategie angepasst wird.
- Einbeziehung struktureller Kostentreiber, so dass die Multikausalität der Kostenverursachung und -beeinflussung berücksichtigt wird.
- Kunden als Ausgangspunkt, da alle Aktivitäten des Unternehmens auf die Kunden ausgerichtet werden, womit der Orientierung an erzielbaren Marktpreisen eine überragende Bedeutung zukommt.
- Start in frühen Phasen, da z.B. in der Produktentwicklung und Konstruktion bereits ein Großteil der anfallenden Kosten definiert werden.

Diese Aspekte zeigen bereits enge Verknüpfungen zu den zum Supply Chain Management angestellten Überlegungen, die einen wesentlichen Schwerpunkt der weiteren Arbeit ausmachen. Besondere Aufmerksamkeit verdient dabei das Konzept der Kostentreiber, da dies in der bisherigen Darstellung nicht berücksichtigt wurde.

3.3.3 Das Konzept der Kostentreiber

3.3.3.1 Zum Begriff Kostentreiber

Der Begriff der Kostentreiber wird innerhalb des Kostenmanagements vielfältig verwendet. Erwähnung fand er bisher schon bei der Übersicht zur Prozesskostenrechung. Kostentreiber sind Einflussgrößen, die den Verlauf von Kostenniveau, -höhe und -struktur langfristig determinieren.[472] In der Literatur wurden verschiedene Systeme zur Bestimmung von Kosteneinflussgrößen vorgeschlagen.[473] Durch solche Systematisierungen sollen die sich bei einer umfassenden Erfassungen aller Prozesse und Prozessgrößen ergebenden Probleme mit der Masse der Daten gelöst werden. Damit wird eine streng analytische Perspektive im Detail zugunsten einer generellen Erfassung aller Einflussgrößen aufgegeben.[474]

An dieser Stelle soll keine umfassende Übersicht zum Begriff und unterschiedlichen Ausführungen gegeben werden. Stellvertretend werden das hierarchische System der Kostenbestimmungsfaktoren von Brokemper,[475] die Klassifizierung der strategischen Kostentreiber nach Shank/Govindarajan[476] sowie die Einteilung in interne und externe Kostentreiber von Hummel[477] vorgestellt. Die Beschränkung auf diese drei Ansätze rechtfertigt sich daraus, dass die Überlegungen von Shank/Govindarajan vielfältig die jüngeren Entwicklungen zum Kostenmanagement beeinflusst haben, während der Ansatz von Brokemper eine umfassende Klassifizierung vorstellt.[478]

---

[471] Auch wenn hier der Begriff Wertschöpfungskette gebraucht wird, so verstehen die Autoren darunter die unternehmensinternen Prozesse. Vgl. Brokemper 1998, 32-33; Horváth/Brokemper 1998, 589.
[472] Der Begriff geht auf Cooper und Kaplan zurück. Siehe z.B. Cooper 1988, 49.
[473] Zur Tradition der Bestimmung dieser Faktoren siehe z.B. Brokemper 1998, 61ff.
[474] Vgl. Shank 1989, 62; Shank/Govindarajan 1995, 46; Brokemper 1998, 20. Einen Ansatz zur quantitativen Modellierung von Kostentreibern bieten Homburg/Zimmer 1999, 1042-1055.
[475] Vgl. Brokemper 1998, 76ff. Siehe ähnlichen auch Cooper/Kaplan 1991, 132; Glad/Becker 1995, 121.
[476] Vgl. Shank/Govindarajan 1995, 37.
[477] Vgl. Hummel 1997, 90.
[478] Für ein weiteres Beispiel siehe: Donelan/Kaplan 1998, 14.

3.3.3.2 Ein hierarchisches System von Kostentreibern

Im hierarchischen System von Brokemper werden vier Ebenen der Kostenbestimmungsfaktoren unterschieden. Dabei erfolgt eine schrittweise Einengung des Betrachtungsgegenstandes (siehe Abbildung 26):[479]

- Variation von Struktur und Leistung (Strategische Variation):
  Strategische und/oder langfristige Entscheidungen haben einen großen Einfluss auf das Kostenverhalten. So legt die Wahl der Produktionstechnologie und ihrer Größendimensionierung viele Größen fest, die den Rahmen für die Durchführung der Produktion bilden. Damit werden wesentliche Struktur- und Leistungsgrößen festgelegt, die die nachgeordneten Kategorien bereits wesentlich determinieren.[480]
- Mittelbare Variation der Ausbringung (Dispositive Variation):
  Diese Kategorie fasst alle Einflüsse aus der Gestaltung der (administrativen) Prozesse zusammen, die z.B. in der Forschung oder Beschaffung durchgeführt werden. Diese Prozesse wirken auf die Kosten der Produkte, sind jedoch entsprechend dem Vorgehen in der Prozesskostenrechnung nur mittelbar auf die Produkte zurechenbar.
- Unmittelbare Variation der Ausbringung (Elementarvariation):
  Änderungen des Produktionsvollzugs, z.B. die Fertigungsintensität, die Fertigungszeit, die Losgröße oder die Reihenfolge der Maschinenbelegung wirken sich auf die Kosten aus.
- Unmittelbare Variation des Faktoreinsatzes (Faktoreinsatzvariation):
  Diese Kostentreiber resultieren aus Veränderungen der Faktormengen und der Faktorpreise. Beide Größen wirken unmittelbar auf die Höhe der Kosten.

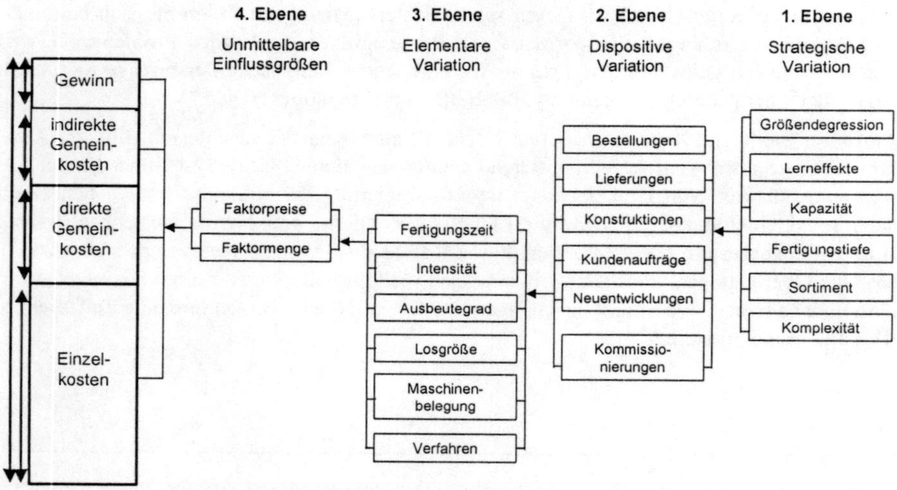

Abbildung 26: Das hierarchische System der Kostenbestimmungsfaktoren
Quelle: Brokemper 1998, 78.

[479] Vgl. Brokemper 1998, 76.
[480] Auf die von Shank/Govindarajan (1995, 103ff) getroffene Unterscheidung innerhalb dieser Kategorie wird im folgenden Abschnitt eingegangen.

Diese Systematik von Brokemper ermöglicht eine gute Erfassung der innerbetrieblichen Kosteneinflussgrößen. Allerdings wird insbesondere die erste, vom gleichen Autor formulierte Anforderung nicht berücksichtigt, da die Aspekte der Wertschöpfungskette nicht analysiert werden.[481]

Kasten 13: Öko-Baumwolle als Kostentreiber in der textilen Kette

Um die Bedeutung einzelner Kostentreiber vorzustellen, eignet sich erneut in besonderer Weise die Abgrenzung zwischen normaler und ökologisch optimierter Wertschöpfungskette.

- **Unmittelbare Einflussgrößen**

Das hierarchische System der Kostenbestimmungsfaktoren wird am Beispiel der textilen Kette verdeutlicht. Als unmittelbare Einflussgrößen sind die Beschaffungspreise auf den einzelnen Stufen der Kette relevant. Höhere Preise für kbA-Baumwolle ziehen sich so durch die gesamte Kette, da der höhere Preis jeweils an die nächste Stufe in der Kette weitergegeben wird. Verwenden die Unternehmen in der Kette jeweils Zuschlagskalkulationen, multipliziert sich dieser Effekt sogar, da jedes Unternehmen die schon höhere Ausgangsbasis nochmals mit einem prozentualen Zuschlag belastet. Insgesamt werden Öko-Textilien damit ungleich teurer, da aus einem Aufpreis von ca. DM 1 pro 1 Kg Baumwolle, bei sonst gleichen Kosten auf den Verarbeitungsstufen, am Ende ein höherer Verkaufspreis von mehr als DM 10 resultieren kann.[482]

- **Elementare Variation**

Als Beispiel wird die Losgröße aufgegriffen. Bei der Herstellung von Öko-Textilien aus kbA-Baumwolle werden oft kleinere Mengen verarbeitet. Ein Grund dafür ist das bisher geringe Angebot an Rohware. Ein zweiter, wichtiger Grund liegt in geringeren Stückzahlen, die pro Produkt gefertigt werden.

- **Dispositive Variation**

Für die administrative Bearbeitung einer Bestellung oder Lieferung fallen Kosten unabhängig von der Höhe der Losgröße oder Liefermenge an. Bei kbA-Baumwolle werden durchschnittlich deutlich kleinere Mengen gehandelt, so dass pro Kleidungsstück höhere Kosten resultieren.

- **Strategische Variation**

Bisher haben nur wenige Unternehmen Erfahrungen mit geringen Mengen an kbA-Baumwolle gesammelt. Da für eine ökologisch optimierte Produktion Anpassungen bei vielen Verarbeitungsstufen notwendig sind, konnten bisher nur begrenzt Lerneffekte erzielt werden.

Die Kosten für den Anbau und die Verarbeitung der kbA-Baumwolle werden sich daher erst allmählich durch steigende Mengen, größere Erfahrungen in der Verarbeitung und Optimierungen entlang der Wertschöpfungskette den Kosten konventioneller Ware annähern.

---

[481] Vgl. Brokemper 1998, 32. Die Ansatzpunkte für eine strategische Orientierung in der Formulierung von Brokemper finden sich im vorhergehenden Abschnitt.

[482] Aussage von Herrn Patrick Hohmann, Remei AG, 12. Oikos Konferenz am 24.05.1999 in St. Gallen.

3.3.3.3 Strukturelle und operationale Kostentreiber

Eine schon ältere Erweiterung bieten die strukturellen und operationalen Kostentreiber von Shank und Govindarajan. Operationale Kostentreiber sind einer direkten Optimierung zugänglich, so dass sie mehr oder weniger unmittelbar auf die Kosten wirken, während strukturelle Kostentreiber im wesentlichen strategische Optionen für die Unternehmen beschreiben. Zu den operationalen Kostentreibern zählen z.B. Partizipation, Qualitätsmanagement, Kapazitätsnutzung, Produktivität. Verbesserungen in einem dieser Bereiche reduzieren unmittelbar die Kosten.

Zu den strukturellen Kostentreibern zählen Größe (Kapazität), Sortiment (Fertigungstiefe), Erfahrung, Technologie und Komplexität. Diese Kostentreiber können als Vorsteuergrößen für Kostenstruktur, -höhe und -niveau verstanden werden.[483] Verwiesen sei noch auf Ansätze der Kostentreiberanalyse, die in den vorgenannten Arbeiten nur begrenzt systematisiert wird. So werden auch in der Arbeit von Shank und Govindarajan die Kostentreiber nicht hergeleitet, sondern aufgezählt und an einzelnen Beispielen erläutert.[484] Auch wenn die Anforderung formuliert wird, berücksichtigt diese Systematik nur bedingt die Einflüsse der Wertschöpfungskette.

3.3.3.4 Externe und Interne Treiber

Eine weitere Kategorie an Kostentreibern wird von Hummel eingeführt, der die strukturellen und operationalen als interne Kostentreiber versteht, die vom Management des Unternehmens selbst beeinflusst werden können.[485] Dazu treten externe Kostentreiber, die außerhalb des Unternehmens determiniert werden. Hummel nutzt diese Unterteilung in interne (strukturelle und operationale) sowie externe Treiber, um diese Systematisierung auf die Wettbewerbsdifferenzierung und die ökologischen Wirkungen des Unternehmens zu übertragen. Anhand der drei Dimensionen Kosten, Differenzierung und Ökologie entwickelt er das Konzept eines strategischen Öko-Controlling.[486]

Externe Kostenstreiber	Interne Kostentreiber	
	Strukturell	Operational
Gesetzgebung Gesellschaftliche Ansprüche Marktvolumen Dauer der Marktzyklen Marktunsicherheiten	Standort Unternehmensgröße Vertikale Integration Lernstrukturen Produktpolitik Technologie Kooperationen	Arbeitsabläufe Kapazitätsauslastung Interne Abstimmung Partizipation Design Verbindung zu Kunden

Tabelle 9: Beispiele für externe und interne Kostentreiber
Quelle: Hummel 1997, 90.

Hummel führt damit Faktoren in die Analyse der Kostentreiber ein, die den Entscheidungsbereich des einzelnen Unternehmens übersteigen. Allerdings mischen sich in seinen externen Treibern gleichermaßen Aspekte, die innerhalb der Wertschöpfungskette gesteuert wer-

---

[483] Vgl. Brokemper 1998, 83.
[484] Vgl. Vgl. Shank/Govindarajan 1995, 103ff.
[485] Vgl. Hummel 1997, 89.
[486] Vgl. Hummel 1997, 37.

den können, wie auch solche Faktoren, die als Rahmenbedingungen z.B. Bestandteil staatlicher oder suprastaatlicher Gesetze und Regelungen gegeben sind.[487] Daher ist neben den schon beschriebenen Ebenen explizit noch eine Stufe einzuführen, auf der die speziellen Aspekte der Wertschöpfungskette berücksichtigt werden.

Kasten 14: Arbeitsintensität als Kostentreiber in der textilen Kette

In den letzten Jahren haben viele Unternehmen der Textilindustrie ihre Produktionsstandorte in Deutschland geschlossen. Ein wesentliches Argument dafür sind die hohen Lohnkosten in Deutschland. Die Stufe der Kleidungsherstellung ist besonders betroffen.[488] *Trotz verschiedener Prozessautomatisierungen sind bis heute viele Verarbeitungsschritte von Hand auszuführen. Während z.B. im Zuschnitt einzelne Maschinen eingesetzt werden, ist das Nähen der Kleidungsstücke bis heute weitgehend Handarbeit geblieben. Der Arbeitslohn für diese Arbeiten liegt in Deutschland bis zu hundert Mal höher als in einigen Ländern Osteuropas oder Ostasiens. Als Folge dieser Lohnunterschiede ist es billiger, fertige Warenkommissionen, d.h. alle notwendigen Oberstoffe, Futterstoffe und Zutaten, in Deutschland zusammenzustellen und diese per LKW nach Osteuropa zu Lohnveredelungsunternehmen zu fahren. Die fertige Ware kommt auf dem gleichen Weg zurück und wird dann an die Kunden in Deutschland und (West-)Europa ausgeliefert. Kostentreiber wirken durch die Multiplikation des Güterverzehrs mit dem Güterpreis. Da die notwendige Arbeitsleitung beim Nähen nur gering variiert, bilden die Lohnkosten den wesentlichen Einflussfaktor.*

Die Handlungsmöglichkeiten, die sich auch innerhalb dieses Kontextes ergeben, zeigt das Bespiel TRIGEMA, eines der wenigen Unternehmen der Textilindustrie, das bis heute komplett in Deutschland fertigt. Durch eine Mischung verschiedener Optionen hat es das Unternehmen geschafft, bis heute die Produktivität so weit zu steigern und die Lohn- und Gesamtkosten des Unternehmens zu begrenzen, dass wirtschaftlich in Deutschland gefertigt werden kann.[489]

Das Beispiel der Lohnkosten zeigt, dass es nicht leicht ist, einen Kostentreiber einer Kategorie zuzuordnen. Die gesetzlichen Anforderungen eines Landes an die Löhne (z.B. Mindestlöhne) sind der Kategorie externer Kostentreiber zuzurechnen. Dagegen ist der Einfluss des Standorts im Land ein struktureller Kostentreiber. Da jedes Unternehmen selbst im Rahmen der gesetzlichen Bestimmungen und des Tarifrechts noch Gestaltungsmöglichkeiten bei den Lohnkosten hat, gibt es gleichzeitig auch einen operativen Anteil. Dieser Anteil wird durch Einflussfaktoren, die auf die Lohnstückkosten wirken, noch erhöht. Dazu zählen z.B. die Arbeitsabläufe und die Produktivität des Unternehmens.

3.3.3.5 Analyse von Kostentreibern in der Wertschöpfungskette

Werden die verschiedenen Ansätze zur Systematisierung von Kostentreibern zusammengefasst, entsteht daraus ein Konzept, wie die folgende Abbildung 27 verdeutlicht.

Die vorgestellten Konzepte bieten nur eine grobe Orientierung. Eine Vorgehensweise zur Analyse der Kostentreiber findet sich bei Horváth und Brokemper, die drei Schritte unterscheiden:

---

[487] Vgl. Hummel 1997, 90.
[488] Vgl. Morena 2000, 186-188.
[489] Die Aussagen zu TRIGEMA basieren auf Krömer/Preuß 2000, 22.

- Analyse der Wechselbeziehungen zwischen den einzelnen Kostentreibern und deren Ausprägung.[490]

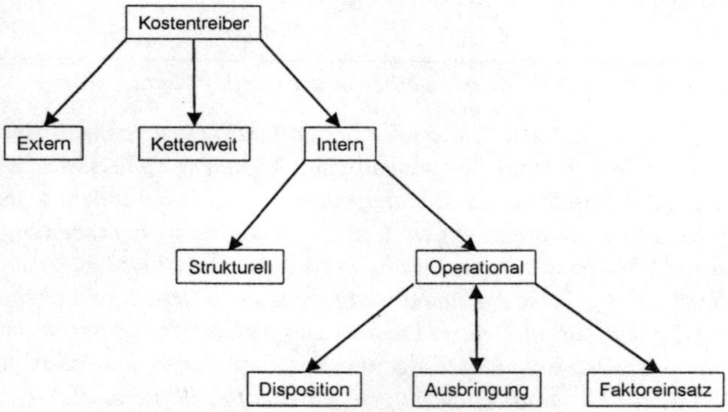

Abbildung 27: Systematisierung von Kostentreibern
Quelle: eigene.

Die Unschärfe der damit gegebenen Anleitung verdeutlicht das Problem, in einem deterministischen Prozess Kosteneinflussgrößen herauszufiltern, da eine falsche Verfeinerung oder Zusammenfassung von Kostentreibern die gesamte Analyse wertlos machen kann.

Abschließend sei betont, dass instrumentelle Ausdifferenzierung und strategische Ausrichtung keinesfalls im Widerspruch zueinander stehen. Vielmehr sind sie, wie schon anhand der Aufgaben des Kostenmanagements verdeutlich wurde, komplementär zueinander und ergeben nur gemeinsam ein komplettes Bild.[491] So können einzelne Instrumente des Kostenmanagements zur Lösung konkreter Fragestellungen herangezogen werden, wodurch das eben beschriebene Problem der geringen Zielsicherheit von Kostentreiberanalysen vermieden wird.

Insbesondere die externen Kostentreiber bedürfen noch einer ergänzenden Betrachtung, wie sie durch den Transaktionskostenansatz in Bezug auf die Zusammenarbeit mit Lieferanten und Kunden geleistet wird. Damit wird eine Argumentationslinie aus dem Kapitel des Supply Chain Managements aufgegriffen, da bei der Konfiguration von Produkt und Netzwerk zu entscheiden ist, ob Märkte, hierarchisch organisierte Unternehmen oder Wertschöpfungsketten die optimale Form der Koordination darstellen.

---

[490] Vgl. Knust 1999, 343.
[491] Vgl. in diesem Sinne: Dellmann/Franz 1994b, 17f.; Kaplan/Cooper 1997, 7.

3.4 Transaktionskostenorientierte Erweiterung

3.4.1 Ausgangspunkt Koordinationsformen

Der Transaktionskostenansatz bildet zusammen mit dem Agency- und dem Property-Rights-Ansatz den Kern der Neuen Institutionenökonomie.[492] Im Zentrum dieses Ansatzes steht der Begriff der Transaktionskosten, dessen Grundlage die Arbeiten von Coase bilden.[493] Im Mittelpunkt steht dabei die Frage, warum in einer arbeitsteiligen Wirtschaft Unternehmen entstehen.[494] Insbesondere Williamson[495] hat diese Arbeiten seit den 70er Jahren weitergeführt, wobei er auf Wurzeln in der Rechtswissenschaft, Wirtschafts- und Organisationstheorie verweist[496] und „die Analyse der effizienten Koordinationsform für eine gegebene Aufgabe" in den Mittelpunkt der Betrachtungen stellt.[497]

Der Gegenstand des Transaktionskostenansatzes lässt sich mit Williamsons Aussage charakterisieren: „*Die Transaktionskostenökonomik verwendet einen kontrakttheoretischen Ansatz zur Analyse ökonomischer Organisationsformen. In diesem Zusammenhang sind Fragestellungen folgender Art relevant: Wie ist die existierende Organisationsvielfalt zu erklären? Welchem Hauptzweck dienen unterschiedliche Formen ökonomischer Organisation?*"[498] Seither hat der Transaktionskostenansatz in der Betriebswirtschaftslehre vielfältige Anwendungen gefunden.[499]

Im hier zugrundegelegten Begriffsverständnis werden Transaktionskosten als Informations- und Koordinationskosten verstanden, die bei der Anbahnung, Vereinbarung, Kontrolle und Anpassung wechselseitiger Leistungsbeziehungen auftreten.[500] Dies stellt deutlich auf die Beeinflussbarkeit der Kosten ab, die nicht mehr im Bereich des einzelnen Unternehmens liegen, sondern durch den Austausch von Material- und Informationsflüssen maßgeblich bedingt werden, so dass sie auch als „Betriebskosten des Wirtschaftssystems" bezeichnet werden.[501]

Als Extrempositionen möglicher Koordinationsformen von Unternehmen, die aus diesen Informations- und Koordinationskosten entstehen, werden „Markt" und die „Hierarchie" gesehen. Markt steht dabei für eine Koordination rein über marktliche Beziehungen, die häufig mit dem Begriff „ at arm's length"[502] gekennzeichnet werden, bei denen keinerlei Form der Kooperation zwischen den Unternehmen besteht und alle Transaktionen lediglich als Tausch von Geld und Gütern auf einem offenen Markt abgewickelt werden. Den Gegensatz dazu bildet die hierarchische Unterordnung von Unternehmen, bei der der Tochtergesellschaft keinerlei eigene Entscheidungsspielräume bleiben.

---

[492] Für eine Übersicht siehe z.B. Ebers/Gotsch 1995, 185-235; Richter/Furubotn 1999, 351-452.

[493] Siehe als wesentlichen Beitrag: Coase 1937, 386-405.

[494] Vgl. Coase 1937, 390. Einen Überblick zur Vielzahl der Anwendungen des Transaktionskosten ansatzes findet sich z.B. bei Rindfleich/Heide 1997, 30-54.

[495] Vgl. Williamson 1990, 21.

[496] Vgl. Williamson 1996, 3.

[497] Vgl. Matje 1996, 56.

[498] Williamson 1996, 1.

[499] Als ausgewählte Beispiele, die im weiteren Sinne mit dieser Arbeit in Verbindung stehen, aber keinen Anspruch auf Vollständigkeit erheben, seien genannt: Sydow 1992; Aulinger 1996; Matje 1996; Schwaner 1996; Adolphs 1997; Horstmann 1998; Stölzle 1999; Heußinger 2000.

[500] Vgl. Picot/Dietl 1990, 178.

[501] Vgl. Williamson 1990, 21.

[502] Vgl. z.B. Hughes/Ralf/Michels 1998, 4; Dyer/Cho/Chu 1998, 69.

Das Geschehen auf realen Märkten liegt häufig zwischen diesen beiden Extremformen, so dass die „Kooperation" als Zwischenform eingeführt werden kann, ohne dass damit eine konkrete Definition gegeben werden muss.[503]

Die Einbeziehung der Kooperationen erweitert den Gestaltungsspielraums wesentlich, was gleichzeitig darauf hinweist, dass die Art der Zusammenarbeit in der Kette keiner der beiden Extremausprägungen „Markt" oder „Hierarchie" entspricht.[504] Horstmann stellt die drei Ausprägungen in der folgenden Abbildung charakterisierend gegenüber.[505]

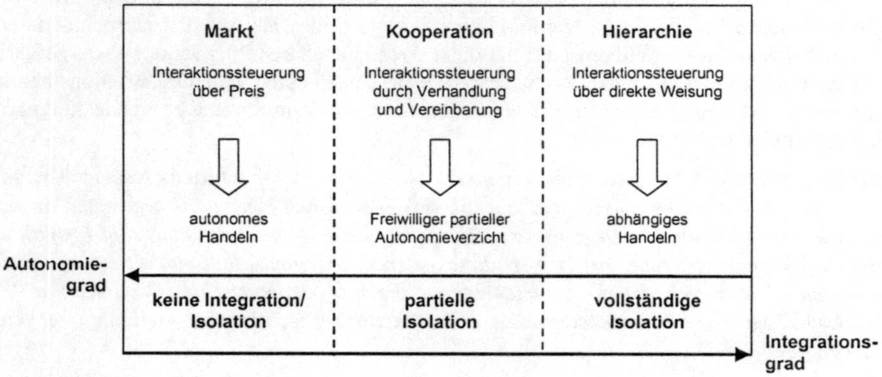

Abbildung 28: Vertikale Kooperation zwischen Markt und Hierarchie
Quelle: Horstmann 1997, 35.

3.4.2 Die Erklärung der Transaktionskosten

Die optimale Wahl der Koordinationsform bildet den eigentlichen Entscheidungsgegenstand, wobei die Höhe der Transaktionskosten selbst auf eine begrenzte Anzahl von Bestimmungsfaktoren zurückgeführt wird, die häufig in Form der Abbildung 29 dargestellt werden.[506]

Ausgangspunkt der Überlegungen bilden dabei vier Teilbereiche, die nachfolgend kurz erläutert werden:[507]

- Transaktionen als Analysegegenstand des Ansatzes
- Kostenarten der Transaktion,
- Verhaltensannahmen bezüglich der Transaktionspartner,
- Die Verschiedenartigkeit möglicher institutioneller Arrangements zur Bewältigung der Transaktionen: klassisches Vertragsrecht, neoklassisches Vertragsrecht, relationales Vertragsrecht.

---

[503] Zu dieser Dreiteilung siehe z.B. Horstmann 1998, 35 oder Gumbleton 1999, 115.
[504] Siehe instrumentelle Zugägne, z.B. durch die Kooperationsdefizitanalyse bei Heußinger 2000, 26ff, oder die Untersuchung von Machtstrukturen bei Whipple/Frankel/Anselmi 1999, 43-62.
[505] Vgl. auch Ebers/Gotsch 1995, 218.
[506] Vgl. die Ausführungen bei Williamson 1983, 40.
[507] In Anlehnung an Aulinger 1996, 128, der auf Arbeiten von Williamson verweist.

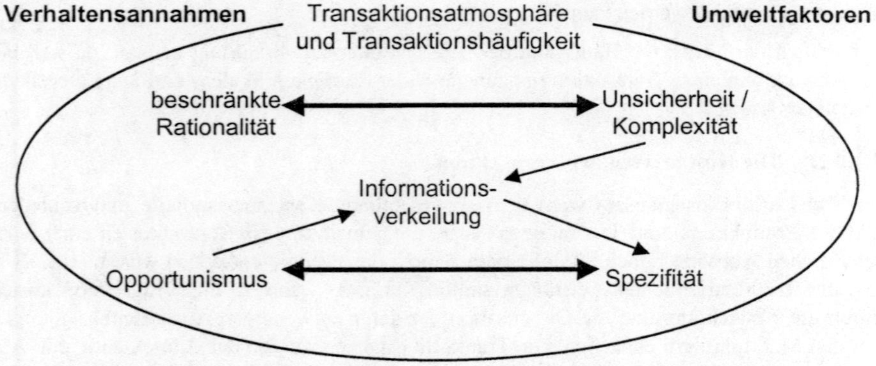

Abbildung 29: Das Markt-Hierarchie-Paradigma im Transaktionskostenansatz
Quelle: Picot/Dietl 1990, 181.

3.4.2.1 Transaktionen als Analysegegenstand

Unter Rückgriff auf ältere Arbeiten betont Williamson, dass die einzelne Transaktion die Basiseinheit der Analyse bildet.[508] Dabei bestimmen drei Parameter die Wahl der geeigneten Koordinationsform:[509]

- Faktorspezifität (transaktionsspezifische Investitionen),
- Unsicherheit und
- Häufigkeit der Transaktionen.

Faktorspezifität oder transaktionsspezifische Investitionen schließen an den klassischen Investitionsbegriff an, der auf die Schaffung von Produktionsfaktoren abzielt. Faktorspezifität liegt dann vor, wenn die Investition nicht beliebig für verschiedene Austauschbeziehungen eingesetzt werden kann und bezeichnet damit den Grad, mit dem ein Faktor ohne Einschränkung des Produktionswertes wiederverwendet werden kann.[510] Durch spezifische Investitionen können daher „sunk costs" entstehen, die nur für genau eine oder eine eng begrenzte Gruppe an Austauschbeziehungen genutzt werden können. Dazu können z.B. Investitionen in speziell angefertigte Betriebsmittel, Humankapital oder auch in die Markenbildung gehören.[511]

Bezüglich der Unsicherheit werden drei Arten unterschieden.[512] Die primäre Unsicherheit, die sich aus der Unvorhersehbarkeit der Zukunft ergibt, führt dazu, dass nicht alle zukünftigen Umweltzustände ex-ante geplant werden können, so dass Ereignisse, die außerhalb der Transaktion liegen, diese selbst, ihr Ziel oder einen Transaktionspartner gefährden können.[513] Die sekundäre Unsicherheit resultiert aus mangelnder Kommunikation zwischen den Transaktionspartnern. Aktive, bewusste Verschleierungen oder Verzerrungen von Informa-

---

[508] Vgl. Williamson 1996, 12.
[509] Vgl. Williamson 1990, 60ff.
[510] Vgl. Vgl. Williamson 1990, 60; Williamson 1996, 13.
[511] Vgl. Saalbach 1996, 23.
[512] Vgl. Vgl. Williamson 1990, 64; Williamson 1996, 15.
[513] Vgl. Aulinger 1996, 129.

tionen bilden schließlich die dritte Form der Unsicherheit, die aus dem Verhalten der Transaktionspartner resultiert und insbesondere auf die Faktorspezifität und unvollständige Verträge zurückgeführt werden kann.[514]

Schließlich wird noch die Häufigkeit der Transaktionen zur Erklärung benutzt, da sich bei der Abwicklung einer Transaktion mit zunehmender Häufigkeit Skalen- und Synergieeffekte realisieren lassen.[515]

3.4.2.2 Die Kostenarten der Transaktion

Im Transaktionskostenansatz werden zwei wesentliche Kostenbestandteile unterschieden, nämlich Produktions- und Transaktionskosten, die gemeinsam die Gesamtkosten einer wirtschaftlichen Aktivität bilden.[516] Unter dem Begriff der Produktionskosten werden alle Kosten der innerbetrieblichen Leistungserstellung erfasst, während die Transaktionskosten durch die Abwicklung und die Organisation der dafür notwendigen Austauschbeziehungen mit den Marktpartnern entstehen. Die Transaktionskosten werden dabei in ex-ante, d.h. Anpassungs- und Vereinbarungskosten, und ex-post Transaktionskosten, d.h. Kontroll- und Anpassungskosten, unterteilt.[517]

Kasten 15: Beschaffung von Bio-Baumwolle für die Coop NATURA Line[518]

Coop ist eines der größten Einzelhandelsunternehmen der Schweiz. Zum Warenangebot gehört auch das stagnierende Segment der Unterwäsche. Um steigenden ökologischen Anforderungen gerecht zu werden und eine Differenzierung von den Hauptkonkurrenten zu erreichen, wurde die Coop NATURA Line 1993 als ökologisch orientierte Eigenmarke eingeführt, die aufgrund des bis dahin mäßigen Erfolges 1995 einem Relaunch unterzogen wurde.

Eines der wesentlichen Probleme, die zu lösen waren, um das Angebot an ökologisch optimierter Unterwäsche zu ermöglichen, lag in der Beschaffung von Baumwolle aus kontrolliert biologischem Anbau (kbA).

Die Umstellung des Baumwollanbaus ist für die Baumwollbauern mit erheblichen Problemen verbunden. Wichtige Punkte sind die Kompetenz der Bauern und ökonomische Risiken, die mit der Umstellung verbundenen sind. Aus diesen Gründen sind in den letzten Jahren verschiedene Projekte zur Förderung des kontrolliert biologischen Baumwollanbaus aufgelegt worden.[519]

Als Folge dieser Knappheit an Rohmaterial sehen sich einzelne Unternehmen der Bekleidungsindustrie nun gezwungen, eine Koordination der gesamten Wertschöpfungskette vorzunehmen.[520] *Coop arbeitet dafür mit dem Schweizer Textilunternehmen Remei zusammen, das wesentliche Arbeiten in der Organisation der Wertschöpfungskette übernimmt.*

Die im Beispiel vorgenommene Kostenanalyse zeigt, dass neben den höheren Kosten für den Anbau der Baumwolle erhebliche Transaktionskosten für die Zusammenarbeit in der Kette anfallen, die in klassischen Ketten nicht entstehen. Selbst in der umfassenden Analyse von Hummel werden diese Kosten nur begrenzt berücksichtigt, da seine Ausführungen erst bei einem bereits vorhandenen Angebot an kbA-Baumwolle ansetzen.

---

[514] Vgl. Williamson 1996, 15.
[515] Vgl. Williamson 1990, 69;. Williamson 1996, 16.
[516] Vgl. Kirchner/Picot 1987, 63; Ebers/Gotsch 1995, 219.
[517] Vgl. Windsperger 1983, 889; Picot 1982, 270; siehe die Veranschaulichung bei Matje 1996, 78.
[518] Das Beispiel basiert auf den Ausführungen bei Hummel 1997, 172-226.
[519] Vgl. einzelne Beiträge in Myers/Stolton 1999.
[520] Vgl. dazu auch Meyer 1999, 167.

Die Höhe der Produktions- und Transaktionskosten absolut und in Relation zueinander bildet dabei die wesentliche Entscheidungsgrundlage für die klassische „Make-or-Buy"-Entscheidung bzw. für die Gestaltung der Fertigungstiefe des Unternehmens oder des Grades der vertikalen Integration.[521]

3.4.2.3 Verhaltensannahmen hinsichtlich der Transaktionspartner

Auf die Unsicherheit im Transaktionskostenansatz wurde bereits hingewiesen. Diese Unsicherheit konkretisiert sich in zwei Annahmen über das Verhalten der Transaktionspartner.[522] Einerseits handeln die Akteure mit begrenzter Rationalität, da es ihnen unmöglich ist, alle Einflussfaktoren einer Entscheidung zu kennen. Als zweite Verhaltensannahmen tritt hinzu, dass die Handelnden eigene Interessen verfolgen und daher opportunistisch handeln, so dass sie dabei auch bereit sind, List, Täuschung, Zurückhaltung von Informationen und ähnliche Strategien einzusetzen.[523]

Kasten 16: Transaktionskosten bei Öko-Textilien beim Otto Versand

Der Otto Versand hat in den letzten Jahren ebenfalls Kleidung aus kbA-Baumwolle in sein Sortiment aufgenommen. Für die Beschaffung der Baumwolle und die Herstellung der Kleidungsstücke arbeitet das Versandhaus weitgehend mit Lieferanten in der Türkei zusammen, da alle notwendigen Stufen vom Anbau der Baumwolle bis zur Produktion der Kleidungsstücke im Land ausgeführt werden können.

Ein Beispiel aus einem der ersten Projekte vor mehreren Jahren illustriert die damit verbundenen Transaktionskosten. Ein T-Shirt aus kbA-Baumwolle fand so guten Absatz, dass die Prognosen übertroffen wurden. Als Folge davon wurde ein Nachauftrag an den Hersteller des T-Shirts gesandt, um weitere Ware zu erhalten. Entgegen der Absprache hatte die Näherei nur genau die benötigte Menge an kbA-Baumwolle gekauft, so dass nun keine entsprechenden Stoffe vorrätig waren. Dieses opportunistische Verhalten führte dazu, dass erst sehr teuere Rohware beschafft und verarbeitet werden musste, bevor die Ware produziert und ausgeliefert werden konnte.

3.4.2.4 Vertragsrecht als institutioneller Rahmen für Transaktionen

Wie bereits erwähnt, beruht der Transaktionskostenansatz auf einer kontrakttheoretischen Sichtweise.[524] Unter der Berücksichtigung der vorgenannten Faktoren sind daher unterschiedliche institutionelle Arrangements notwendig, die dazu dienen sollen, Transaktionen (kosten-)optimal zu erfüllen. Daher werden drei verschiedene Vertragstypen als Grundlage unterschieden.[525]

Das klassische Vertragsrecht repräsentiert ideale Markttransaktionen, die in der Regel von kurzer Dauer sind und einen klar abgegrenztem Transaktionsinhalt haben, wobei die Koordination über den Preis erfolgt. Käufe standardisierter Güter sind Beispiele für diese Art der Vertragsgestaltung.[526]

---

[521] Vgl. z.B. Picot 1991, 336-357; Gerhardt/Nippa/Picot 1992, 134-142; Benkenstein 1993, 443-449; Benkenstein 1994, 483-498; Matje 1996; Homburg/Daum 1997b, 250.
[522] Vgl. Williamson 1990, 49; Williamson 1996, 5.
[523] Vgl. Ebers/Gotsch 1995, 210.
[524] Vgl. Williamson 1996, 1.
[525] Vgl. Williamson 1990, 77.
[526] Vgl. Williamson 1990, 78.

Bei Situationen, in denen heterogene Produkte oder Leistungen gehandelt werden, transaktionsspezifische Investitionen notwendig sind, Unsicherheit besteht oder die Gefahr opportunistischen Verhaltens gegeben ist, kommt es zum Abschluss neoklassischer Verträge. Dabei werden zusätzliche Kontrollmechanismen im Vertrag berücksichtigt, so dass durch den Vertragsschluss neben der Leistung in einem gewissen Umfang auch Entscheidungen, Abstimmungen und Kooperationen zwischen den Transaktionspartnern geregelt werden. Als Beispiele werden langfristige Lieferverträge, Franchising- und Joint-Venture-Verträge genannt.[527]

Durch relationale Verträge werden Austauschbeziehungen geregelt, die auf eine längerfristige Beziehung zwischen den Partnern ausgelegt sind. Dabei werden nur noch die Rahmenbedingungen bzw. Regeln für die einzelne Transaktion festgelegt, so dass eine große ex-ante Offenheit für die weitere Entwicklung der Beziehung gegeben ist. Relationale Verträge finden in Organisationen Anwendung, z.B. für unbefristete Arbeitsverträge.[528]

Eine Zusammenfassung der genannten Punkte bietet Abbildung 30. Mit diesen Ausführungen wurde eine kurze Übersicht zum Transaktionskostenansatz gegeben. Der TKA hat vielfältige Anwendungen erfahren, die von der Erklärung vertikaler Integration bis zur Ökonomie der Familie reichen.[529]

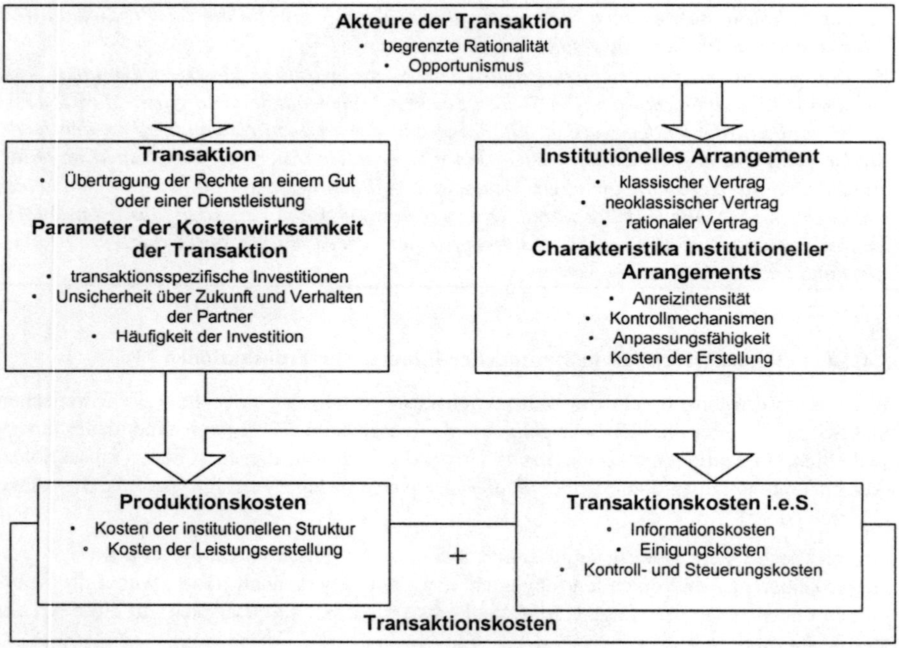

Abbildung 30: Grundmodell der Transaktionskostentheorie
Quelle: Ebers/Gotsch 1995, 219.

[527] Vgl. Williamson 1990, 79; Ebers/Gotsch 1995, 215.
[528] Vgl. Williamson 1990, 80; Ebers/Gotsch 1995, 215.
[529] Siehe die Beispiele in Williamson 1996.

Einzelne Arbeiten haben dabei auch die Integration des Transaktionskostenansatzes in die Kostenrechung bzw. das Kostenmanagement vorgenommen. Auf diese soll weiterführend eingegangen werden.

3.4.3 Transaktionskosten im Kostenmanagement

3.4.3.1 Transaktions- und Koordinationskostenrechung

In der deutschen Literatur beginnt die Diskussion um eine Berücksichtigung der Transaktionskosten im betrieblichen Rechnungswesen insbesondere mit dem 1988 erschienen Beitrag von Albach,[530] worin der Aufbau einer Transaktions- bzw. Koordinationskostenrechung gefordert wird.[531] Ausgangspunkt bildet dabei die bereits erwähnte Kritik am betrieblichen Rechnungswesen, das nicht oder nur begrenzt in der Lage ist, Kosten abzubilden, die außerhalb der Produktion anfallen. Verdeutlich wird dies insbesondere an den Transaktionskosten der Beschaffung und des Absatzes, wie sie in Tabelle 10 zusammengestellt sind.[532]

In enger Anlehnung an die im Transaktionskostenansatz erläuterten Verträge wird daher in Ergänzung der Produktionskostenrechnung die Ausgestaltung einer Transaktionskosten- und einer Koordinationskostenrechung vorgeschlagen.[533] Mit dieser Einteilung soll den unterschiedlichen Formen von Transaktionen Rechnung getragen werden, die entsprechend der Vertragskonstellationen in klassische, neoklassische und relationale Transaktionen unterteilt werden.[534]

Transaktionskosten der Beschaffung	Transaktionskosten des Absatzes	
Forschung und Entwicklung	Suchkosten	Suche nach einem geeigneten Partner
Beschaffung transaktionsspezifischer Anlagen	Anbahnungskosten	Vorbereitung von Verhandlungen
Einrichtung einer Organisation für die Durchführung der Transaktion	Verhandlungskosten, Entscheidungskosten	Reise, Rechtsberatung Entscheidungsvorbereitung durch Stäbe (inkl. der innerbetrieblichen Abstimmung) Vertragsausfertigung, Gerichte
Einstellung und Schulung von Personal	Vereinbarungskosten, Kontrollkosten	Überwachung der Vertragseinhaltung (inkl. der laufenden Qualitätsprüfung), Schulungskosten
Beschaffung transaktionsspezifischer Werkstoffe	Anpassungskosten, Beendigungskosten	Vertragsänderungen Vertragsaufhebung, Entlassung, Abfindung, Sozialpläne

Tabelle 10: Transaktionskosten aus der Sicht des Anbieters in einer Marktbeziehung
Quelle: Matje 1996, 197.

[530] Vgl. Albach 1988, 1143-1170.
[531] Vgl. Albach 1988, 1155 und 1159. Siehe auch: Weber 1993, 21-23.
[532] Vgl. Matje 1996, 197, der sich in seiner Zusammenstellung auf Albach 1988 stützt.
[533] Vgl. Albach 1988, 1156ff; Matje 1996, 196ff.
[534] Vgl. Albach 1988, 1157-1163.

Daraus kann implizit abgeleitet werden, dass jeder Vertragstyp eine eigene Art der Kostenrechnung benötigt. Dies wird jedoch dem übergreifenden Ansatz der Kostenrechnung und des Kostenmanagements nicht gerecht, da durch diese Einteilung keine Systematisierung gewonnen wird, die eine Steuerung und Gestaltung der Kosten im Unternehmen und in der Wertschöpfungskette erlaubt. Die Ausprägung der einzelnen Transaktionen mit unterschiedlichen (Markt-)Partnern ist nicht alleine von der Zuordnung zu einer Vertragsart abhängig. In diesem Sinne besteht für die Transaktionskostenrechnung nur eine begrenzte Anschlussfähigkeit an bestehende Instrumente des Kostenmanagements. Auch wenn die Arbeit von Matje einen Entwurf für eine Transaktionskostenrechnung für den Beschaffungsbereich bietet,[535] so bleiben mit der vorgestellten Lösung doch die Kritikpunkte an traditionellen Systemen der Kostenrechnung bestehen, indem dabei z.B. auf die Trennung in Einzel- und Gemeinkosten zurückgegriffen wird.[536]

3.4.3.2 Übertragbarkeit des Transaktionskostenansatzes

Trotz dieser Kritik bieten die Überlegungen zum Transaktionskostenansatz eine gute Basis, um die aktuellen Herausforderungen des Kostenmanagements zu erfassen. Im Abschnitt 3.3.2 sind mit Brokemper fünf Ansatzpunkte für das Kostenmanagement identifiziert worden:

- Ausrichtung an der Wertschöpfungskette,
- Berücksichtigung der strategischen Positionierung,
- Einbeziehung struktureller Kostentreiber,
- Kunden als Ausgangspunkt,
- Start in frühen Phasen.[537]

Auch wenn weder der Transaktionskostenansatz noch die darauf basierende Transaktionskostenrechnung diese Punkte umfassend berücksichtigen, bleibt festzustellen, dass der Begriff der Transaktionskosten eine Orientierung an der Wertschöpfungskette beinhaltet, so dass gleichermaßen die Ansprüche der Kunden wie die der anderen Marktpartner berücksichtigt werden können. Zudem weist der Transaktionskostenansatz mit seinen Erklärungsparametern darauf hin, dass auch Größen außerhalb von Produktionstechnologien in erheblichem Maße Kosten beeinflussen. Damit begründet sich der Begriff der Transaktionskosten für die Belange des Kostenmanagements als sinnvoll.

3.5 Wertschöpfungskettenbezogene Ausgestaltung

Schon in Kapitel zum Supply Chain Management wurde an mehreren Stellen auf die Bedeutung der Kosten in der Wertschöpfungskette hingewiesen. Shank und Govindarajan haben die Bedeutung der Wertschöpfungskette für das Kostenmanagement herausgearbeitet und an Beispielen dargestellt.[538] Insbesondere haben die beiden Autoren dabei drei Elemente der Analyse ausgemacht, nämlich die Analyse der strategischen Positionierung, die Analyse von Kostentreibern und die Analyse der Wertschöpfungskette.[539] Diese Überlegungen haben

535 Vgl. Matje 1996, 210.
536 Vgl. Matje 1996, 213.
537 Vgl. Brokemper 1998, 32-33; Horváth/Brokemper 1998, 589.
538 Vgl. Shank/Govindarajan 1995, 27 und 73ff.
539 Vgl. Shank/Govindarajan 1995, 73ff. In Abschnitt 3.3.2 wurde auf die umfassendere Nennung bei Brokemper 1998, 32-33 bzw. Horváth/Brokemper 1998, 589 verwiesen.

zwar Eingang in die Literatur zum Kostenmanagement gefunden, ohne jedoch zu speziellen Modellen oder Konzepten geführt zu haben. Als Beispiel sei der Beitrag von Brokemper angeführt, der die Ausrichtung an der Wertschöpfungskette einfordert, im Fortgang die eigene Arbeit aber auf die Analyse eines Unternehmens und die internen Prozesse beschränkt.[540] Zunächst wird betrachtet, wie Kosten im Supply Chain Management berücksichtigt werden. Anschließend werden bestehende Ansätze zum Kostenmanagement in Wertschöpfungsketten dargestellt.

3.5.1 Kosten als Zielgröße im Supply Chain Management

Der Analyse, Gestaltung und Senkung der Kosten kommt in der Literatur zum Supply Chain Management ein große Bedeutung zu. Dabei sind Kostenoptimierungen sowohl als Ziel als auch als Prozess im Kontext des Supply Chain Managements zu sehen, so dass die Anwendung des Kostenmanagements in der Wertschöpfungskette zwar wichtig, alleine aber für einen Erfolg des Supply Chain Managements nicht hinreichend ist.[541] Kostenziele sind in das gesamte Zielsystem des Supply Chain Managements einzubinden.

Die auf diese Zielgrößen des Supply Chain Managements bezogenen Optimierungen werden von vielen Autoren im direkten Zusammenhang mit der Senkung von Kosten gesehen.[542] In vielen Fällen wird besonders betont, dass die Kosten der gesamten Wertschöpfungskette zu berücksichtigen sind,[543] ohne zu konkretisieren, was diese gesamten Kosten ausmacht und wie diese zu erfassen sind.[544] Im Gegenteil finden sich einzelne Hinweise, dass dem aktiven Kostenmanagement in der Wertschöpfungskette bisher keine Aufmerksamkeit gewidmet wird.[545]

3.5.1.1 Transparenz der Kosten im Supply Chain Management

Kosten werden in der Regel nicht direkt erfasst und optimiert. Vielmehr werden andere Zielgrößen als Surrogat genutzt, deren Optimierung mit einer Verbesserung der Kostensituation gleichgesetzt wird. Dieses Vorgehen ist identisch zu innerbetrieblichen Vorgehensweisen, wie sie in der Produktionsplanung und -steuerung Anwendung finden.[546] Die genannten Zielgrößen geringe Lagerbestände, kurze Durchlaufzeiten, hohe Termintreue und hohe Kapazitätsauslastung gelten dabei für Wertschöpfungsketten gleichermaßen. Als wesentlicher Unterschied zur betrieblichen Optimierung betonen Autoren im Supply Chain Management, dass geringere Kosten in der Kette zu erreichen sind. Dabei wird hervorgehoben, dass eine Optimierung der gesamten Wertschöpfungskette zu Abweichungen von betriebwirtschaftlichen Optima führen kann.[547] Über diese allgemeinen Aussagen hinaus liegen bisher nur wenige Beiträge vor, die Aussagen zum Kostenmanagement in Wertschöpfungsketten machen, die das von LaLonde und Pohlen formulierte Ziel erreichen, die Kosten der gesamten Kette

---

[540] Vgl. Brokemper 1998, 32-33.

[541] Vgl. Dekker/van Goor 2000, 41.

[542] Vgl. Stevens 1989, 3; Ellram 1991, 13; Cooper/Ellram 1993, 14; Hewitt 1994, 2; LaLonde/Pohlen 1996, 1; Abrahamson/Brege 1997, 35; Ganeshan et. al. 1998, 845; Christoper 1998a, 25; Tyndall et. al. 1998, 11; Spekman/Kamauff/Myhr 1998, 54; Beamon 1999, 277ff; Mason-Jones/Towill 1999, 62; Brewer/Speh 2000, 75; Chandra/Kumar 2000, 100-113; National Reserach Council 2000, 54; Bovet/Martha 2000; 124.

[543] Vgl. Carter/Ferrin 1995, 189-212; Copacino 1997, 22; Ross 1997, 83; Tyndall et.al. 1998, 33; Beamon 1999, 35; Scholz-Reiter/Jakobza 1999, 8.

[544] Siehe die sehr unterschiedlichen Darstellungen und Kostenbegriffe bei: Copacino 1997, 139-145; Ross 1997, 87; Kuglin 1998, 65; Beamon 1999, 35; Daniels 1999, 483; Weber 2000, 57-64.

[545] Vgl. Cullen et. al. 1999, 32; Dekker/van Goor 2000, 42; auch Hauschildt 1997, 147-160.

[546] Vgl. z.B. Steven/Meyer 1998, 20-26.

[547] Vgl. z.B. Krüger/Steven 2000, 503.

messbar zu machen.[548] Der von LaLonde und Pohlen vorgestellte Ansatz zielt auf die prozessorientierte Erfassung der Kosten, die bei existierenden Lieferketten anfallen.[549] Im Sinne des dargelegten Gegenstandsbereiches des Supply Chain Managements wird damit nur eines der vier Felder, nämlich die Prozessoptimierung in der Wertschöpfungskette, einer Analyse unterworfen.[550]

Die innerhalb des Supply Chain Managements geführte Diskussion reicht daher nicht aus, um schlüssig die gesamten Kosten der Wertschöpfungskette zu analysieren. In Anlehnung an die Zusammenfassung der Defizite der Kostenrechnung durch Fröhling[551] können positiv die folgenden Forderungen an ein Supply Chain Costing erhoben werden:

- Transparenz bezüglich der Prozessstruktur der Wertschöpfungskette,
- Transparenz bezüglich der Kostenstruktur der Wertschöpfungskette,
- Transparenz bezüglich der zeitlichen Struktur der Kostenentstehung und –zurechung in der Wertschöpfungskette,
- Transparenz bezüglich spezifischer Kostenelemente und -strukturen, insbesondere der Kosten der Zusammenarbeit in der Wertschöpfungskette.

Diese vier Punkte fassen die vorstehende Diskussion prägnant zusammen und dienen nachfolgend der Überprüfung einzelner Ansätze.

3.5.1.2 Bestehende Ansätze

Diese Ausführungen mögen verwundern, da die Erfassung und Abbildung von Kosten zwischen Unternehmen seit langem Gegenstand ökonomischer Diskussionen sind. Ein großer Teil der Arbeiten greift auf den Transaktionskostenansatz zurück. Der darin vorgegebene Erklärungsrahmen ist für die Analyse und Gestaltung von Kosten in der Wertschöpfungskette nicht geeignet. Zum einen werden in der Regel nur zwei Stufen einer zumeist sehr viel längeren Wertschöpfungskette betrachtet, zum anderen werden Erklärungs- und Gestaltungsmöglichkeiten auf die drei Erklärungselemente (1) Ausmaß der transaktionsspezifischen Investitionen, (2) Umweltunsicherheit und (3) Transaktionshäufigkeit eingeschränkt.[552]

Im Transaktionskostenansatz soll z.B. erklärt werden, warum Unternehmen geeignete Konstrukte sind, zwischen denen eine Koordination über Märkte stattfindet. Der Ansatz zielt nicht darauf ab, die Transaktionskosten im Unternehmen rechenbar zu machen und Anschlussfähigkeit an betriebliche Rechensysteme herzustellen. Für die Ansprüche eines Supply Chain Costing kann der Transaktionskostenansatz daher lediglich hilfreiche Erklärungsansätze aufzeigen, wobei der Begriff der Transaktionskosten sinnvoll und nutzbar erscheint. Die im Transaktionskostenansatz angestellten Überlegungen spielen eine wichtige Rolle in Ansätzen, die Kosten zwischen und über Unternehmen hinaus betrachten.[553]

---

548 Vgl. LaLonde/Pohlen 1996, 1.
549 Vgl. LaLonde/Pohlen 1996, 5. Ähnlich auch Dekker/van Goor 2000, 41-52.
550 Die weiteren Ausführungen von LaLonde/Pohlen (1996) werden daher erst an späterer Stelle berücksichtigt, wenn die notwendige Erweiterung der Prozesskostenrechnung für ein Supply Chain Costing herausgearbeitet wird. Vgl. Abschnitt 1.1.
551 Vgl. Fröhling 1994a, 14-82. Siehe die Ausführungen in Abschnitt 3.1.1.1.
552 Vgl. Williamson 1990.
553 Vgl. Ellram 1991, 13; Ellram 1995a, 6; Davies/Brito 1996, 58; LaLonde/Pohlen 1996, 5; Ellram/Feitzinger 1997, 12; Homburg/Daum 1997b, 250.

Bisher können insbesondere zwei Ansätze identifiziert werden, die darauf abzielen, Kosten in der Wertschöpfungskette zu analysieren und zu gestalten:[554]

- Interorganisational Cost Management (ICM).
- Total Cost of Ownership (TCO),

Das Konzept der Total Cost of Ownership (TCO) wurde im Bereich des Einkaufsmanagements entwickelt. Der Ansatz des Interorganisational Cost Management führt aktuelle Entwicklungen des Kostenmanagements zusammen und stellt sie in den Beziehungszusammenhang des Supply Chain Managements. Die zwei ausgewählten Ansätze entstammen jeweils unterschiedlichen Theoriefeldern und bieten unterschiedliche Zugänge bzw. Abgrenzungen.

Die beiden Ansätze werden nachfolgend einzeln beschrieben und dann gemeinsam anhand der zuvor dargelegten Transparenzkriterien auf ihre Leistungsfähigkeit im Sinne eines Supply Chain Costing überprüft. Der zu prüfende Anspruch besteht dabei in der Vollständigkeit der Analyse der Kosten in der Wertschöpfungskette, so dass der Gegenstandsbereich des Supply Chain Managements möglichst vollständig zu erfassen ist. Die gemeinsame Überprüfung erlaubt eine prägnantere Bewertung des in den beiden Ansätzen erfassten bisherigen Standes der Arbeiten zum Kostenmanagement in Wertschöpfungsketten.

3.5.2 Der Ansatz des Interorganisational Cost Management

3.5.2.1 Definition und Erklärungsraum

Franz und Kajüter erfassen in ihrer Definition des Kostenmanagements auch zwischenbetriebliche Austauschbeziehungen.[555] Dies geht einher mit einzelnen Ansätzen zur Integration von Lieferanten, wie sie z.B. in der Literatur zum Target Costing thematisiert werden.[556] Eine Systematisierung bestehender Ansätze wurde erst kürzlich mit dem Konzept des Interorganisational Cost Management von Cooper und Slagmulder vorgelegt.[557]

Interorganisational Cost Management (ICM) wird definiert als ein strukturiertes Vorgehen zur Koordination von Aktivitäten zwischen Firmen eines Liefernetzwerkes, mit dem Ziel, die Gesamtkosten des Netzwerkes zu reduzieren. Dabei werden die organisationalen Grenzen zwischen den Unternehmen überschritten, indem sich die Intensität des Leistungsaustauschs erhöht, um insgesamt wettbewerbsfähiger zu werden oder zu bleiben.[558]

Einzelne Argumente des Ansatzes des Interorganisational Cost Management wurden bereits im Kapitel zum Supply Chain Management aufgegriffen. An dieser Stelle soll die Zusammenschau der Argumente von Cooper und Slagmulder vorgestellt werden, da bisher nur ausgewählte Aspekte ihrer Arbeit beschrieben wurden.

Ausgangspunkt der Darstellungen bilden die im Abschnitt zum Lean Management erwähnten Überlegungen, dass sich Firmen im als „Survival Triplet“ bezeichneten Spannungsfeld von Kosten, Funktionalität und Qualität ihrer Produkte bewegen müssen,[559] wobei für jede

[554] Eine umfassende Reflexion, welche weiteren Ansätze der Betriebswirtschaftslehre, aber auch benachbarter Disziplinen hier noch zur Erklärung herangezogen werden könnten, unterbleibt an dieser Stelle, da dies den Umfang der Arbeit sprengen würde.
[555] Franz/Kajüter 1997b, 16.
[556] Vgl. Seidenschwarz/Niemand 1994, 262ff; schon in den ersten Quellen zum Target Costing finden sich entsprechende Hinweise: z.B. Monden 1989, 16.
[557] Vgl. Cooper/Slagmulder 1999, 10.
[558] Cooper/Slagmulder 1999, 1 und 145.
[559] Vgl. Abbildung 6 in Abschnitt 2.3.3.

dieser Einflussgrößen sowohl minimale Anforderungen eingehalten werden müssen als auch nur begrenzt maximale Verbesserungen erreicht werden können.[560]

Um im damit geschaffenen Entscheidungsraum zusammen mit den anderen Unternehmen einer Wertschöpfungskette agieren zu können, unterscheiden die Autoren zwei wesentliche Dimensionen, nämlich die „Product Dimension", die aus den Phasen Produktentwicklung und Produktion besteht, und die „Relationship Dimension", die in Netzwerke und Schnittstellen unterteilt wird (siehe Abbildung 31).[561]

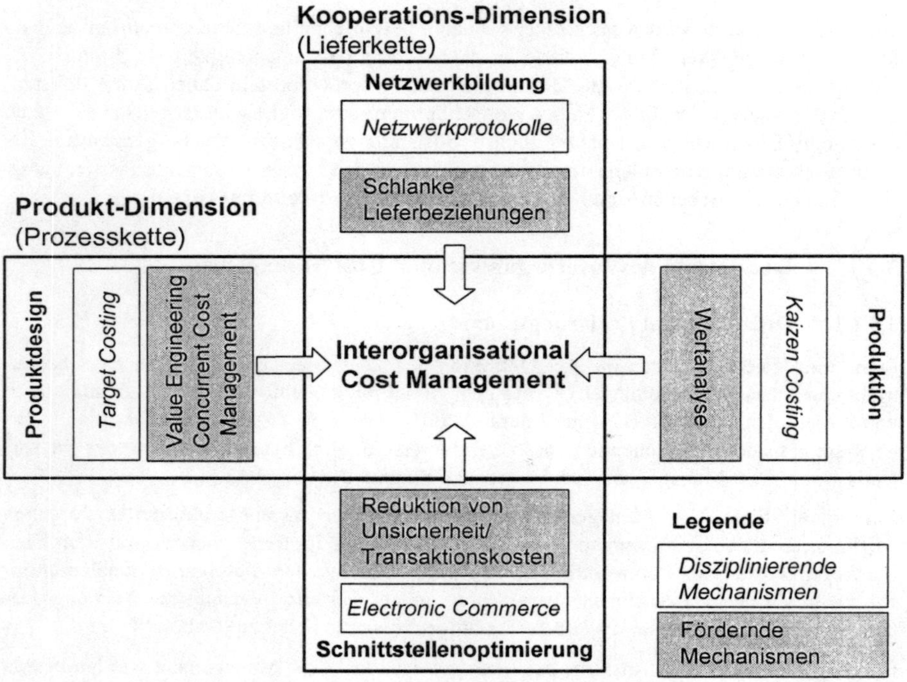

Abbildung 31: Der Prozess des interorganisationalen Kostenmanagements
Quelle: Leicht verändert aus Cooper/Slagmulder 1999, 10.

In beiden Dimensionen erfolgt damit die Unterscheidung in die Phase der Entstehung, nämlich des Produktes oder der Kunden-Lieferanten-Beziehung, und die Phase der konkreten Leistungserstellung, für die eine optimal gestaltete Produktion sowie optimal organisierte Schnittstellen zwischen den einzelnen Gliedern der Wertschöpfungskette notwendig sind.[562] Allerdings füllen Cooper und Slagmulder diese Felder nur jeweils einzeln mit Inhalt, ohne die daraus entstehenden Verknüpfungen zu thematisieren.[563] Statt dessen erfolgt innerhalb der Felder eine weitere Unterscheidung, die auf die einsetzbarer Instrumente systematisiert.

[560] Vgl. Cooper/Slagmulder 1999, 42ff.
[561] Vgl. Cooper/Slagmulder 1999, 10.
[562] Vgl. Cooper/Slagmulder 1999, 10.
[563] Zu diesen Verknüpfungen siehe die Darstellung in Abschnitt 2.2.1.

Als wichtige Elemente werden „disciplining" (disziplinierende) und „enabling" (fördernde) Mechanismen eingeführt. Erstere dienen dazu, den jeweiligen Prozess möglichst stabil zu halten, um z.B. zu verhindern, dass eine Kunden-Lieferanten-Beziehung auseinander bricht. Zusätzlich soll es möglich sein, Kostendruck entlang der Kette weiterzugeben, so dass alle Lieferbeziehungen der Kette wettbewerbsfähig bleiben. „Enabling" Faktoren fördern die Weiterentwicklung genutzter Managementinstrumente, so dass Verbesserungen in der Zusammenarbeit der Firmen initiiert werden, die die Kompetenzen jedes Partners optimal nutzen.[564] Ob diese Verbesserungen radikal oder schrittweise erfolgen, hängt dabei vom jeweiligen Kontext ab.[565]

In den so geschaffenen konzeptionellen Rahmen werden nun verschiedene, bekannte Techniken aus dem Bereich des Kostenmanagements, aber auch aus anderen Managementbereichen eingeordnet. So dient beispielsweise das Target Costing in der Phase der Produktentwicklung als ein disziplinierender Mechanismus, der darauf abzielt, den gesetzten Kostenrahmen einzuhalten.

Das Konzept bietet damit einen Orientierungsrahmen, um verschiedene Instrumente bezüglich ihres Nutzens für das zwischenbetriebliche Kostenmanagement einzuordnen. Wie Abbildung 31 aufzeigt, werden dabei auch Instrumente aufgeführt, die in einem engeren Sinne nicht dem Bereich des Kostenmanagements zuzuordnen sind. So können durch E-Commerce-Lösungen sicherlich Kosten reduziert werden, doch fallen dadurch aufgezeigte Potenziale nicht primär in den Gestaltungsbereich des Kostenmanagements, können aber mit Überlegungen des Kostenmanagements verknüpft werden. Damit reihen sich die Ausführungen von Cooper und Slagmulder in die Vielzahl der Arbeiten ein, die solche Argumentationslinien nutzten, wie mit der Nutzung des Kostenbegriffs im Supply Chain Management bereits dargelegt wurde.

3.5.2.2 Inhaltliche Ausgestaltung

Vor der Darstellung des interorganisationalen Kostenmanagements bieten Cooper und Slagmulder eine Analyse des heutigen Wettbewerbsumfeldes von Unternehmen. Das schon erwähnte Triplet von Kosten, Funktion und Qualität[566] zeigt den gesamten Handlungsrahmen auf, der zwingend bezüglich aller drei Dimensionen lean auszugestalten ist, da sonst ein Überleben des Unternehmens auf hart umkämpften Märkten nicht sichergestellt werden kann.[567] Dazu können verschiedene Techniken für das Kostenmanagement von Neuprodukten und bestehenden Produkten angewandt werden. Bevor dies ausführlich dargestellt wird, soll kurz auf die Bedeutung von Liefernetzwerken eingegangen werden.

Schlanke Kunden- und Lieferantenbeziehungen stehen im Kontext verschiedener Zielgrößen und Techniken, die im Supply Chain Management immer wieder diskutiert werden. Dazu gehören z.B. die Verringerung der Lieferantenzahl[568] und die Entwicklung von Partnerschaften mit den Lieferanten.[569] Dazu werden verschiedene Fragen der Gestaltung von Beziehungen zu Kunden und Lieferanten angesprochen. Das Kapitel „Lean Supplier Networks" stellt ein Konzept zur Einteilung von Unternehmensnetzwerken vor, das die drei stark vereinfachten Kategorien Königtümer, Grafschaften und Republiken unterscheidet.[570] Gumbleton, die

---

[564] Vgl. Cooper/Slagmulder 1999, 10.
[565] Vgl. Cooper/Slagmulder 1999, 15ff.
[566] Vgl. Cooper/Slagmulder 1999, 42.
[567] Vgl. Cooper/Slagmulder 1999, 46f.
[568] Vgl. Cooper/Slagmulder 1999, 84ff.
[569] Vgl. Cooper/Slagmulder 1999, 89ff.
[570] Vgl. Gumbelton 1999, 115-141. Der Beitrag von Gumbleton ist der einzige nicht von Cooper/Slagmulder 1999 verfasste Abschnitt des Buches.

Autorin dieses Buchabschnitts, umschreibt dabei mit dem Begriff des Königtums streng hierarchisch organisierte Lieferketten, die auf genau einen Hersteller des Endproduktes ausgerichtet sind. Die Kategorie der Grafschaften wird entsprechend aus Unternehmensnetzwerken gebildet, bei denen verschiedene Lieferanten eine begrenzte Anzahl an Herstellern von Endprodukten beliefern. Republiken schließlich bestehen aus untereinander gleichberechtigten Unternehmen, die sich fallweise organisieren. Trotz der klaren Bezüge dieses Kapitel zum Transaktionskostenansatz finden sich keine Hinweise auf diesen theoretischen Rahmen.

Nach diesen Vorarbeiten folgt die eigentliche Darstellung des Interorganisational Cost Management, die sich weitgehend an der Zweiteilung der Produktdimension in Produktentstehung und Produktion orientiert.[571] Dabei werden bekannte Techniken, z.B. das Target Costing[572] oder das Kaizen Costing[573] ausführlich dargestellt und aufgezeigt, wie diese Instrumente firmenübergreifend eingesetzt werden können, so dass von „Chained Target Costing"[574] bzw. von „Interorganisational Implications of Kaizen Costing"[575] die Rede ist.[576] Schließlich schlagen Cooper und Slagmulder ein schrittweises Vorgehen für die Einführung und Umsetzung des interorganisationalen Kostenmanagements in einem achtstufigen Prozess vor, der die folgenden Schritte umfasst: [577]

Schritt 1: Festlegung der extern beschafften Teile eines Produktes,

Schritt 2: Festlegung der notwendigen Kunden-Lieferanten-Beziehung für jedes Teil,

Schritt 3: Rationalisierung der Lieferantenbasis,

Schritt 4: Entwicklung der Kunden-Lieferanten-Beziehungen,

Schritt 5: Verbesserung der Effizienz der Kunden-Lieferanten-Schnittstellen,

Schritt 6: Entwicklung der notwendigen Fähigkeiten im interorganisationalen Kostenmanagement,

Schritt 7: Ausweitung von Lean Supply und interorganisationalem Kostenmanagement in beide Richtungen entlang der Wertschöpfungskette,

Schritt 8: Ausweitung von Lean Supply und interorganisationalem Kostenmanagement auf interne Lieferbeziehungen.

Dieses Schema betont den notwendigen Prozess bei der Einführung und Umsetzung des Interorganisational Cost Management. Ähnliche Elemente finden sich auch im nun darzulegenden Ansatz des Total Cost of Ownership.

3.5.3 Der Ansatz des Total Cost of Ownership

3.5.3.1 Gründe für die Entwicklung des Konzeptes

Das Konzept des Total Cost of Ownership (TCO) wurde im Bereich des Einkaufs- oder Beschaffungsmanagements entwickelt. Obwohl auch klassische Konzepte der Einkaufskosten berücksichtigen, dass beim Bezug von Waren nicht nur das Kriterium „Preis" alleine ausschlaggebend ist, bedeutet es doch eine erhebliche Erweiterung im Vergleich zu diesen Instrumenten.

---

[571] Vgl. Cooper/Slagmulder 1999, 147-149.
[572] Vgl. Cooper/Slagmulder 1999, 163-180.
[573] Vgl. Cooper/Slagmulder 1999, 271-286.
[574] Vgl. Cooper/Slagmulder 1999, 181-232.
[575] Vgl. Cooper/Slagmulder 1999, 287-303.
[576] Diese Überlegungen werden im Abschnitt 4.3 zum Supply Chain Target Costing aufgegriffen.
[577] Vgl. Cooper/Slagmulder 1999, 319-368.

Zu den Einkaufskosten zählen neben dem Preis auch andere Kostenkategorien, insbesondere Transportkosten, Zölle, etc., die zumeist im Sinne der Beschaffungskosten (vgl. optimale Bestellmenge) optimiert werden. Auch wenn z.B. Hahn[578] darauf hinweist, dass die Kostenstruktur des Lieferanten bei dessen Auswahl zu berücksichtigen ist, so hat diese Überlegung doch erst im Konzept des Total Cost of Ownership[579] eine Fundierung und Ausgestaltung gefunden.[580] Beschaffungsentscheidungen können und werden neben Preisen oder Kosten auf der Basis einer ganzen Reihe anderer Parameter getroffen. Dazu zählen z.B. Lieferzeit, Liefertreue, Qualität oder begleitende Dienstleistungen.[581]

Gründe für den Einsatz eines umfassenderen Kostenverständnisses in der Beschaffung können daher vor allem in den folgenden Punkten gesehen werden:

- Messung und Benchmarking der Lieferantenleistung;
- Entscheidungsvorbereitung bei der Lieferantenauswahl;
- Unterstützung der Kommunikation innerhalb des Unternehmens und zu den Lieferanten;
- Kosten- und Datenanalysen, z.B. in Form von Zeitreihen der Kosten, Lieferqualität, die für Verhandlungen mit den Lieferanten genutzt werden können;
- Unterstützung der kontinuierlichen Verbesserung in der Zusammenarbeit mit den Lieferanten und deren Leistungsfähigkeit;
- Evaluation und Verbesserung kritischer Prozesse.[582]

Gleichzeitig wird davon ausgegangen, dass der damit zugrunde gelegte Ansatz zu einer Verbesserung der Beziehungen zu den Lieferanten führen kann bzw. die Zusammenarbeit in der Kette verbessert wird, so dass als Folge davon eine höhere Produktqualität und/oder niedrigere Kosten erzielt werden können.[583]

3.5.3.2 Definition und wesentliche Komponenten

Das Konzept des Total Cost of Ownership wurde wesentlich von Ellram entwickelt, die definiert: „*Total Cost of Ownership is a purchasing tool and philosophy which is aimed at understanding the true costs of buying a particular good or service from a particular supplier.*“[584] Auf der theoretischen Seite besteht Anschlussfähigkeit an den Transaktionskostenansatz[585] und dessen Bestreben, die Kosten der Information und Koordination zwischen Unternehmen zu erfassen. Wegen der Unterteilung in Vorlauf-, Ausführungs- und Nachlaufkosten wird das Total Cost of Ownership als ein Konzept des „Life-Cycle-Costing“[586] bezeichnet. Dazu werden, wie die folgende Abbildung 32 veranschaulicht, analog zu den bei der Lebenszykluskostenrechnung gemachten Ausführungen,[587] drei Phasen unterschieden und gleichzeitig einzelne Kostentreiber aufgeführt.

---

[578] Vgl. Hahn 1986, 4.
[579] Eine kurze Übersicht zum Ansatz bietet Ellram 1999, 595-607.
[580] Siehe die Übersicht zu Kostenanalysen im Einkauf bei Ellram 1996, 12.
[581] Für ausführliche Darstellungen siehe Lehrbücher des Beschaffungsmanagements, z.B. Arnold 1997, 21ff; Monczka/Trent/Handfield 1997, 237ff. Zu einer möglichen Einordnung des TCO in solche Modelle siehe: Degraeve/Labro/Roodhooft 2000, 37.
[582] Vgl. Ellram 1993b, 4; Ergänzungen aus Ellram 1995a, 10; Ellram 1996, 13.
[583] Vgl. die empirische Untersuchung von Larson 1994, 4-10 sowie Traudt 1997, 309-325.
[584] Ellram 1995a, 4.
[585] Vgl. Ellram 1991, 13; Ellram 1995a, 6; Ellram/Feitzinger 1997, 12; Homburg/Daum 1997b, 250.
[586] Vgl. Ellram 1995a, 5.
[587] Vgl. Abschnitt 3.2.2.1; dort in Anlehnung an Back-Hock 1992, 707.

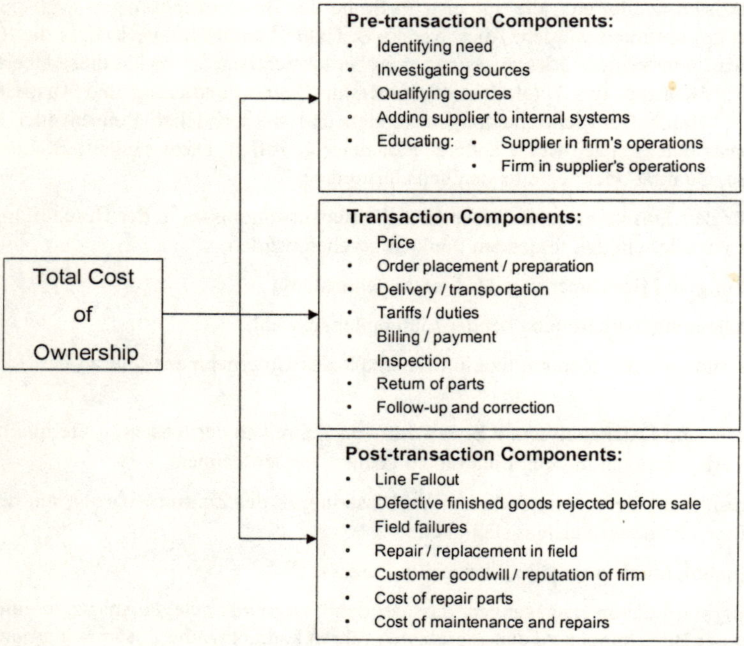

Abbildung 32: Wesentliche Komponenten im Total Cost of Ownership
Quelle: Ellram 1993b, 7.[588]

Wesentlicher Ansatzpunkt des Total Cost of Ownership ist die zuvor angesprochene Beobachtung, dass für die Kosten eines zugekauften Produktes nicht alleine der Preis der ausschlaggebende Faktor ist. Dazu wird wesentlich auf frühere Arbeiten von Cavinato[589] zurückgegriffen, der diese Überlegung auf Totalkostenanalysen in der Logistik zurückführt.[590]

Vielmehr spielt schon für die Gestaltung der Beziehung zu einem einzelnen Lieferanten eine Vielzahl an Faktoren eine bedeutende Rolle, die in die folgenden Kategorien eingeteilt werden können:

- produktbezogene Faktoren: Preis, Qualität, Rework;
- logistikbezogene Faktoren: Lieferzeit, Lieferzuverlässigkeit;
- informationstechnische Faktoren: Auftragsabwicklung;
- Technologiepotenzial des Lieferanten: z.B. Fähigkeit, Entwicklungsleistungen zu erbringen;
- Zusammenarbeit mit dem Lieferanten: Vertragsverhandlungen, Lieferkonditionen, Machtverteilung.[591]

---

588 Vgl. auch die modifizierte Fassung in Ellram 1999, 602.
589 Vgl. Cavinato 1991, 10-15; Cavinato 1992, 285-301.
590 Vgl. Cavinato 1992, 285.
591 Vgl. Ellram/Siferd 1993, 163ff.

Ellram und Siferd bieten eine umfassende Liste von Einflussfaktoren und deren Kategorisierung, die anhand einzelner Phasen des Einkaufsprozesses herausgearbeitet werden.[592] Allerdings unterliegt auch diese Liste an Kostentreibern dem schon herausgearbeiteten Problem, dass keine systematische Erfassung erfolgt, sondern ein begrenzter Ausschnitt der betrieblichen Realität erfasst wird.[593] Eine Systematisierung der Kostenebenen wird von Degraeve/Labro/Roodhooft geboten, die drei Ebenen von Kosten unterscheiden:

- Ebene 1: Unit level costs, die den Kaufpreis und die Kosten umfassen, die für genau die gekauften Gütereinheiten anfallen, z.B. Lagerung und Fehlerkosten.
- Ebene 2: Order level costs, die für jede Lieferung durch einen bestimmten Lieferanten verursacht werden.
- Ebene 3: Supplier level costs, die für die Auswahl eines Lieferanten bei der Zusammenarbeit mit ihm anfallen.[594]

Diese Überlegung beschränken sich auf die im Total Cost of Ownership übliche Perspektive der Zusammenarbeit von zwei Unternehmen in der Kette. Die Abgrenzung der Kostenebenen bleibt insofern unklar, als Fehllieferungen zu erhöhten Prozesskosten durch internes Handling führen, aber auch zusätzliche Kosten der Zusammenarbeit mit Lieferanten verursachen, da erneut Abstimmung zwischen den Unternehmen notwendig werden. Diese Kosten bei den Unit level costs zu erfassen, erscheint nicht sinnvoll.

3.5.3.3 Durchführung einer Total Cost of Ownwership Analyse

In enger Verbindung dazu steht die Diskussion um den Ablauf einer Einführung des Total Cost of Ownership. Das Phasenschema der folgenden Abbildung 33 betont die Bedeutung des Prozesses für die Erstellung und Nutzung der Ergebnisse der Total Cost of Ownership Analyse.[595]

Die einzelnen Schritte des Phasenschemas werden kurz charakterisiert:[596]

Schritt 1: Zuerst muss die Notwendigkeit für ein TCO-Modell erkannt oder identifiziert werden. Dafür können verschiedene Gründe ausschlaggebend sein, die letztlich immer darauf zielen, die Kosten der Beschaffung zu optimieren.

Schritt 2: Die Auswahl relevanter Beschaffungen kann z.B. durch eine ABC-Analyse erfolgen, so dass besonders relevante Teile herausgefiltert werden können, die ein besonders hohes Potenzial zur Reduktion der Beschaffungskosten bieten.

Schritt 3: Die Bildung eines TCO-Entwicklungsteams berücksichtigt in besonderer Weise den Projektcharakter. Im Team sollen Experten aus allen relevanten Bereichen, z.B. Einkauf, Entwicklung, Controlling, vertreten sein, so dass einerseits eine erfolgreiche Projektarbeit und andererseits die Überführung des TCO-Ansatzes in den Dauereinsatz im Unternehmen ermöglicht wird.

Schritt 4: Mit der Identifizierung relevanter Kosten beginnt die eigentliche Kostenanalyse. Dazu werden zuerst die gesamten Kosten erfasst, bevor eine Auswahl besonders relevanter Positionen erfolgen kann. Diese werden im Detail un-

---

[592] Vgl. Ellram/Siferd 1993, 176-180. Siehe auch Underhill 1996, 215-220.

[593] Da dies das Anliegen von Ellram/Siferd (1993) ist, wird damit eher ein genereller Mangel, als eine Schwäche des Total Cost of Ownership Ansatzes aufgezeigt.

[594] Vgl. Degraeve/Labro/Roodhooft 2000, 35.

[595] Vgl. Ellram 1993a, 52ff; Ellram 1993b, 9.

[596] Vgl. Ellram 1993a, 52ff.

tersucht, so dass insgesamt eine Dokumentation der genutzten Datenquellen und daraus abgeleiteten Schlussfolgerungen entsteht.

Schritt 5: Test und Implementation des TCO-Modells überführen das Projekt in die Anwendungsphase, so dass die gesammelten Daten nun zur Entscheidungsvorbereitung genutzt werden können.

Schritt 6: Die Feinabstimmung des Modells dient dazu, notwendige Anpassungen des Modells an erste Erfahrungen aus der Anwendung im praktischen Kontext zu berücksichtigen und das Modell entsprechend weiterzuentwickeln.

Schritt 7: Durch die Verknüpfung des TCO zu anderen Systemen wird der integrative Ansatz des TCO besonders deutlich. So können damit Lieferanten überwacht und ausgewählt werden. Dazu ist die Anbindung an das System der betrieblichen Datenverarbeitung und Schulungsmaßnahmen für die beteiligten Mitarbeiter notwendig.

Schritt 8: Letztlich ist für den dauerhaften Erfolg des TCO-Modells die Fortschreibung, Überwachung und Wartung des TCO-Systems notwendig, so dass das System ständig an veränderte Bedingungen angepasst wird.[597]

Dieses Vorgehen entspricht den aus allgemeinen Darstellungen des Projektmanagements bekannten Vorgehensweisen.

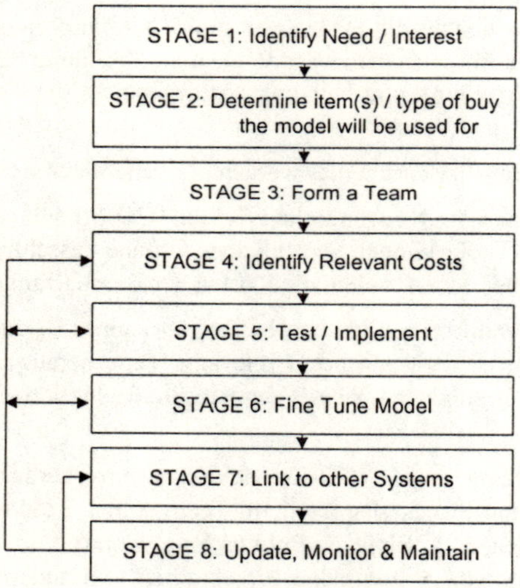

Abbildung 33: Framework for Total Cost of Ownership Model Development
Quelle: Ellram 1993a, 53.

3.5.3.4 Ausgewählte Anwendungen und Erweiterungen

Weitere Aspekte und Anwendungen des Total Cost of Ownership werden kurz skizziert, da eine umfassende Darstellung den Rahmen der Arbeit sprengen würde.

---

[597] Vgl. Ellram 1993a, 52-57. Siehe auch die Ausführungen bei: Degraeve/Roodhooft 1999a, 5-10.

- Outsourcing-Entscheidungen

Auf die Bedeutung des Outsourcing wurde bereits in Abschnitt 2.5.2.1 hingewiesen. Im Rahmen der Entscheidungen zur Gestaltung des Produktionsnetzwerkes werden Entscheidungen getroffen, welches Unternehmen der Wertschöpfungskette welche Teile des Produktes fertigt. Dabei kommen Kostengesichtspunkten eine wesentliche Bedeutung zu,[598] die auf der Basis des Total Cost of Ownership fundiert werden können.[599] Da auch interne Prozesse einer Analyse bezüglich der Totalkosten unterzogen werden können, erfolgt so ein klassischer Make-or-Buy-Vergleich. Insbesondere das Outsourcing von Logistikleistungen beleuchten Maltz und Ellram,[600] was an dieser Stelle lediglich als weiteres Anwendungsbeispiel aufgeführt wird. Insgesamt stellt dies eine Erweiterung des Total Cost of Ownership auf Entscheidungen dar, die vor der eigentlichen Beschaffung liegen.

- Empirische Evaluation des Konzeptes

Damit wird bereits auf die empirische Evaluation des Total Cost of Ownership Ansatzes hingewiesen. Einerseits finden sich Arbeiten, die einzelne Beschaffungsentscheidungen detailliert modellieren.[601] Anderseits zeigt die Feldstudie von Ellram und Siferd zum Anwendungsbereich des Total Cost of Ownership in Unternehmen verschiedener Branchen auf, für welche Entscheidungen im Beschaffungsmanagement der Ansatz genutzt wird.[602] Am häufigsten ist dies bei einem hohen Beschaffungswert und wiederkehrender Beschaffung der Fall.[603] Zudem wird herausgestellt, dass durch das Total Cost of Ownership das Kostendenken im Einkauf verändert wird, wobei Vorteile in der Unterstützung der strategischen Ziele des Unternehmens und verbesserter Qualität der eingekauften Güter gesehen werden.[604]

- Integration mit der Prozesskostenrechnung

Ellram zeigt ebenfalls auf, wie Total Cost of Ownership und Prozesskostenrechnung rechentechnisch integriert werden können.[605] Die beiden Konzepten zugrunde liegende Prozessperspektive ermöglicht es, in der Prozesskostenrechnung erfasste und aufbereitete Daten direkt in Auswertungsrechnungen, wie sie für die Beurteilung von Lieferanten im Total Cost of Ownership gemacht werden, zu übernehmen. Damit wird das Total Cost of Ownership als eine Teilmenge des strategieorientierten Kostenmanagements gesehen.[606]

Kasten 17: Stammlieferanten und Öko-Stammlieferanten beim Otto Versand

Die intensivere Zusammenarbeit mit Lieferanten führt häufig dazu, dass Programme zur Qualifizierung und Zertifizierung von Lieferanten aufgelegt werden. Der Otto Versand führte dazu die Bezeichnungen Stammlieferanten und Öko-Stammlieferanten ein. Um in diese Kategorien eingestuft zu werden, müssen die Lieferanten verschiedene Lieferkriterien über mehrere Saisons hinweg erfüllen. Für Stammlieferanten bezieht sich dies vor allem auf Lieferqualitäten und Lieferzeiten, während Öko-Stammlieferanten zusätzlich in ihrer Produktion ökologische und soziale Kriterien erfüllen müssen.

---

598 Vgl. Cavinato 1992, 294; Bühner/Tuschke 1997, 26; Monczka/Trent/Handfield 1997, 224ff.
599 Vgl. Ellram/Maltz 1995, 55-66.
600 Vgl. Maltz/Ellram 1997, 45-66.
601 Vgl. z.B. die Anwendung der linearen Programmierung bei: Degraeve/Roodhooft 1999b, 42-53.
602 Vgl. Ellram 1993a, 53; Ellram/Siferd 1998, 55-84.
603 Vgl. Ellram/Siferd 1998, 65.
604 Vgl. Ellram/Siferd 1998, 68.
605 Vgl. Ellram 1995b, 22ff.
606 Vgl. Ellram/Siferd 1998, 59.

Bei der Wahl eines Stammlieferanten können die Einkäufer sicher sein, dass die qualitativen Anforderungen an die Textilien eingehalten werden. Als Folge davon wurden die Prozesse in der konkreten Zusammenarbeit mit den Lieferanten vereinfacht, so dass die Plazierung von Aufträgen vereinfacht erfolgen kann. Der Lieferant wird nicht vor jeder Auftragserteilung überprüft und ein Teil der umfangreichen Wareneingangskontrollen entfällt. Diese Punkte entsprechen dem Ansatz des Total Cost of Ownership. Für die Zertifizierung und gegebenenfalls die Qualifizierung der Öko-Stammlieferanten fallen zusätzliche Kosten an. Im Gegenzug reduzieren sich die Kosten der konkreten Zusammenarbeit.

3.5.4 Nutzbarkeit und Beschränkungen von Interorganisational Cost Management und Total Cost of Ownership

Wie bereits vor der Darstellung der beiden Ansätze des Interorganisational Cost Management und des Total Cost of Ownership angesprochen, werden die beiden Ansätze nun gemeinsam auf ihre Nutzbarkeit und Beschränkung hin untersucht. Mit Blick auf das Supply Chain Management wird daher überprüft, ob der Gegenstandsbereich vollständig erfasst wird, so dass das Analysemuster entlang der Produkt- und der Kooperationsdimension sowie der vier Integrationsfelder auf die beiden Ansätze Anwendung findet.

Bezüglich des Kostenmanagements wird auf die vier Transparenzkriterien von Fröhling zurückgegriffen, die ein zweites Analyseraster bilden, um die beiden Ansätze zu beurteilen.

3.5.4.1 Erfassung des Gegenstandsbereichs des Supply Chain Managements

Die folgende Tabelle 11 vergleicht das Interorganisational Cost Management und das Total Cost of Ownership mit dem Gegenstandsbereich des Supply Chain Managements.

SCM	Produkt-dimension		Kooperations-dimension		Integrationsfelder der beiden Dimensionen			
Konzept	Produktdesign	Produktion / Logistik	Netzwerkbildung	Schnittstellen	Produkt und Netzwerk	Produktentwicklung	Produktionsnetzwerk	Prozessoptimierung
ICM	X	X	X	X				
TCO		X		X				X

Tabelle 11: Einordnung des ICM und TCO ins Supply Chain Management
Quelle: eigene.

Der Ansatz von Cooper und Slagmulder bildete eine wichtige Basis für die Fassung des Gegenstandsbereichs des Supply Chain Managements in dieser Arbeit. Die beiden Dimensionen wurden direkt aus der Arbeit der beiden Autoren übernommen, so dass das Interorganisational Cost Management die Einzelfelder der Produkt- und der Netzwerkdimension abdeckt. Cooper und Slagmulder stellen ausführlich dar, wie einzelne Instrumente des Kostenmanagements zur Verbesserung der Kostensituation in der Kette führen können. Dabei bleiben ihre Überlegungen jedoch auf die Ebene der innerbetrieblichen Prozesse beschränkt. Im Wesentlichen wird die Optimierung von Produkten und Produktionsprozessen in den Mittelpunkt gestellt. So werden vielfältig Prozesse der zwischenbetrieblichen Zusammenarbeit beschrieben, deren Kosten jedoch im analytischen Rahmen selbst nicht abgebildet. Die einzelnen Felder der beiden Dimensionen werden zwar thematisiert, eine Verknüpfung unterbleibt jedoch. Dabei kommt gerade der Verknüpfung der beiden Dimensionen eine große Bedeutung zu, da die so entstehenden Felder den Gegenstandsbereich und die Entscheidungsmöglichkeiten des Supply Chain Managements deutlich sichtbar werden lassen.

Das Konzept des Total Cost of Ownership erweitert die Perspektive des innerbetrieblichen Kostenmanagements auf die zwischenbetriebliche Ebene. Aufgrund der Entwicklung des Konzeptes aus dem Management der Einkaufskosten liegen die wesentlichen Stärken in der umfassenden kostentechnischen Abbildung der Schnittstelle zwischen Kunden und Lieferanten. Auch die Erweiterung in die Supply Chain hinein ist prinzipiell gegeben, ohne dass der Anspruch eines Supply Chain Costing insgesamt verfolgt wird. Als Folge deckt der Ansatz „nur" Phasen der Produktion und der Schnittstellenoptimierung sowie das daraus gebildete Integrationsfeld der Prozessoptimierung in der Wertschöpfungskette ab. Das Total Cost of Ownership erfasst zwar die operativen Aspekte, die stärker konfigurativen Elemente des Supply Chain Managements bleiben jedoch außen vor.

3.5.4.2 Verbesserung der Kostentransparenz

Die Überprüfung der beiden Ansätze hinsichtlich der Verbesserung der Kostentransparenz wird in Tabelle 12 zusammengefasst.

Da das Interorganisational Cost Management die Integrationsfelder der Produkt-Kooperations-Matrix des Supply Chain Managements nicht berücksichtigt, verwundert es nicht, dass die Forderung nach Transparenz bezüglich der Prozess- und der Kostenstruktur in der Wertschöpfungskette nur begrenzt erfüllt wird. Dazu müsste eine stärkere Integration von prozessorientierten Instrumenten des Kostenmanagements erfolgen. Die Transparenz bezüglich der zeitlichen Struktur der Kostenentstehung und -zurechung in der Wertschöpfungskette wird durch die Unterteilung der Produkt- und der Kooperationsdimension in je zwei Phasen zwar stark vereinfacht, ist im Kontext jedoch angebracht, um die Komplexität des gesamten Modells zu begrenzen. Spezifische Kostenelemente, die z.B. aus der Zusammenarbeit mit Kunden und Lieferanten resultieren, werden nicht berücksichtigt.

	Transparenz bezüglich			
	Prozessstruktur	**Kostenstruktur**	**Zeitliche Struktur**	**Spezifische Kostenelemente**
ICM	(X)	(X)	X	
TCO	(X)	(X)	X	X

Tabelle 12: Verbesserung der Kostentransparenz durch ICM und TCO
Quelle: eigene.

Daher ist das Interorganisational Cost Management in dieser Ausgestaltung nicht in der Lage, die alleinige Basis für ein einheitliches Konzept für die innerbetriebliche und überbetriebliche Ebene darzustellen. Die verschiedenen Instrumente sind in der vorgestellten Ausprägung nicht ausreichend, die auf diesen Ebenen anfallenden Kosten einheitlich zu erfassen und auszuwerten, um damit eine Basis für die Gestaltungsfunktion des Kostenmanagements zu schaffen. Besonders deutlich wird dies an den Transaktionskosten, die z.B. bei der Gestaltung von schlanken Schnittstellen zu Lieferanten und Kunden anklingen,[607] jedoch nicht Gegenstand der Analyse sind. Insgesamt fehlt dem Ansatz daher eine Berücksichtigung der Kostenwirkungen in direkter Form, z.B. entlang einer eigenen Analysedimension. Die

[607] Vgl. Cooper/Slagmulder 1999, 22-24 und 313-316.

Transparenz bezüglich spezifischer Kostenelemente und -strukturen, insbesondere der Kosten der Zusammenarbeit in der Wertschöpfungskette, ist daher nicht ausreichend gegeben.

In der vorliegende Ausprägung kann der Ansatz des Interorganisationalen Kostenmanagements nur einen Teil der Anforderungen an ein Supply Chain Costing erfüllen und bedarf der Erweiterung.

Für das Total Cost of Ownership ergibt die Analyse ein abweichendes Ergebnis. Der Ansatz fokussiert insbesondere auf die kostenoptimale Gestaltung von Lieferanten-Kunden-Beziehungen. In der konkreten Überprüfung beschränkt sich das Total Cost of Ownership bei der Analyse der Prozess- und Kostenstruktur der Wertschöpfungskette nur auf Beziehungen zwischen zwei Partnern. Insbesondere die Integration mit der Prozesskostenrechnung hilft dabei wesentlich. Die zeitliche Struktur der Kostenentstehung und -zurechung in der Wertschöpfungskette wird ebenso integriert wie die Kosten der Zusammenarbeit in der Wertschöpfungskette.

Insgesamt erhöht der Ansatz des Total Cost of Ownership deutlich die Transparenz der Kosten zwischen Unternehmen. Entsprechend seiner Herkunft aus dem Beschaffungsmanagement werden vorrangig auch damit zusammenhängende Kosten erfasst.

Als Schlussfolgerung aus der Darstellung und Überprüfung des Interorganisational Cost Management und des Total Cost of Ownership steht die Forderung, einen an das Supply Chain Management angepassten Kostenbegriff zu finden, der in ein Konzept zum Kostenmanagement in Wertschöpfungsketten integriert werden kann.

3.6 Dreiteilung des Kostenbegriffs aus Sicht des Supply Chain Managements

3.6.1 Ausgewählte Kostenbegriffe

Die vorhergehenden Abschnitte dieses Kapitels zeigen eine weite Spannbreite von aktuellen Entwicklungen des Kostenmanagements auf. Dazu wurde immer wieder auf den Kostenbegriff selbst abgehoben. Kritik wurde dabei sowohl an der klassischen Einteilung der Kostenrechung als auch an der Einteilung des Transaktionskostenansatzes geäußert, so dass die Notwendigkeit einer neuen Systematisierung deutlich wird. Bevor dies dargelegt wird, sollen jedoch die beiden Ausgangspunkte nochmals kurz aufgegriffen werden.

Eine der klassischen Unterscheidungen des Kostenbegriffes in der Kostenrechung folgt dem Kriterium der Zurechenbarkeit auf ein Bezugsobjekt, so dass Einzel- und Gemeinkosten unterschieden werden. In Systemen der Vollkostenrechnung finden i.d.R. nur die Produkte Berücksichtigung als geeignete Bezugsobjekte. Als Folge können die Material- und Fertigungseinzelkosten direkt den Produkten zugerechnet werden. Die Gemeinkosten werden pauschal durch Umlageverfahren auf die Produkte verrechnet, was zu den bereits erläuterten Problemen führt. Systeme der Einzelkosten- und Deckungsbeitragsrechnung[608] versuchen dies durch eine schrittweise Verrechnung der Kosten zu vermeiden.

Während die Einzelkosten aufgrund ihrer direkten Verrechenbarkeit unkritisch sind, wurden für die Gemeinkosten verschiedene Instrumente entwickelt. Die Prozesskostenrechnung wurde bereits dargestellt, da ihr aktuell die größte Bedeutung zukommt und sie eine durchgängige Logik zur Verrechnung der Kosten aller Leistungsbereiche des Unternehmens bie-

---

[608] Vgl. die schon erwähnten Werke von Kilger 1993 und Riebel 1994.

tet. Allerdings ist auch die Prozesskostenrechnung nicht in der Lage, Ursachen für Kostenentstehungen zu erfassen, die außerhalb des einzelnen Unternehmens liegen.

Daher kommt dem Transaktionskostenansatz eine besondere Bedeutung zu, der gerade auf diese Kosten abstellt. Die dafür vorgenommene Unterteilung in einzelwirtschaftliche Produktionskosten und unternehmensübergreifende Transaktionskosten erweist sich als brauchbar, da damit auf umfassendere Analysen hingewiesen wird. Für eine weitere Unterteilung der Produktionskosten kann auf die direkt vorstehenden Ausführungen verwiesen werden.

3.6.2 Integration der Kostenbegriffe: Einzel- , Prozess- und Transaktionskosten

Weder die Unterscheidung in Einzel- und Gemeinkosten noch die Unterscheidung in Produktions- und Transaktionskosten bietet eine umfassende Systematik zur verursachungsgerechten Erfassung aller Kosten.

Insgesamt greift eine Trennung in Einzel- und Gemeinkosten zu kurz, wenn Einflussmöglichkeiten in der Wertschöpfungskette abgebildet werden sollen, da damit Faktoren, die nur in der Kette beeinflussbar sind, nicht erfasst werden können. Bei den Gemeinkosten bietet sich eine Trennung in Gemeinkosten erster Ordnung, die im einzelnen Unternehmen gesteuert werden können, und Gemeinkosten zweiter Ordnung, die nur in der Kette beeinflusst werden können, an. Gemeinkosten erster Ordnung stehen damit in direktem Bezug zum Begriff der Prozesskosten, während die Gemeinkosten zweiter Ordnung auf den Begriff der Transaktionskosten hinweisen.

Zur sprachlichen Vereinfachung wird daher eine Dreiteilung des Kostenbegriffs vorgeschlagen, die Einzelkosten, Prozesskosten und Transaktionskosten unterscheidet, wie Abbildung 34 im Überblick darstellt.[609]

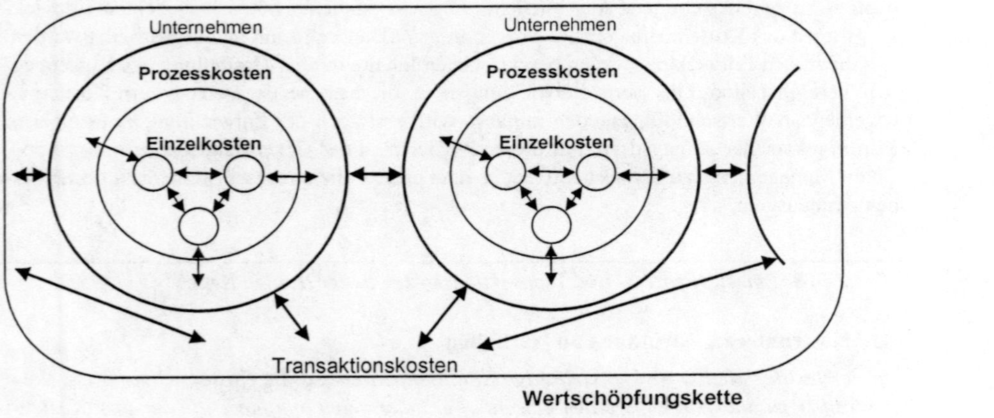

Abbildung 34: Kostenebenen in der Wertschöpfungskette
Quelle: Seuring 1999a, 19.

[609] Vgl. in ähnliche Richtung zielende Argumentationen bei: Davies/Brito 1996, 58; Degraeve/Labro/Roodhoft 2000, 35.

- Einzelkosten

Der Begriff der Einzelkosten charakterisiert die Kosten, die entsprechend des Kostenverursachungsprinzips direkt auf die Produkte des Unternehmens verrechnet werden können. Dabei handelt es sich vor allem um Materialkosten und Fertigungsstücklöhne.

- Prozesskosten

Für den Begriff der Prozesskosten erfolgt ein Rückgriff auf die Prozesskostenrechnung bzw. das Prozesskostenmanagement. Die im Abschnitt 3.2.4 dargestellte Prozesskostenrechnung wird dabei verstanden als ein Verfahren zur Planung, Steuerung und Verrechnung von Prozessen, insbesondere auch der kostenrechnerischen Abbildung indirekter Bereiche, d.h. von Gemeinkostenbereichen.[610] Prozesskosten können daher vom einzelnen Unternehmen beeinflusst werden, was für die Abgrenzung zu den Transaktionskosten von entscheidender Bedeutung ist. Die in der Prozesskostenrechnung vorgeschlagene Vorgehensweise bildet eine konzeptionelle Grundlage, an der sich beim Kostenmanagement in Wertschöpfungsketten ansetzen lässt.[611] Dies umfasst die Umlage von Gemeinkosten, die nicht direkt den Prozessen zurechenbar sind.[612]

- (Wertschöpfungskettenweite) Transaktionskosten

Im hier zugrundegelegten Begriffsverständnis werden Transaktionskosten als Informations- und Koordinationskosten verstanden, die „bei der Anbahnung, Vereinbarung, Kontrolle und Anpassung wechselseitiger Leistungsbeziehungen auftreten“.[613] Diese Begriffssetzung stellt deutlich darauf ab, dass diese Kosten nicht von einem einzelnen Unternehmen beeinflusst werden, sondern durch den Austausch von Material- und Informationsflüssen maßgeblich bedingt werden, so dass durch den Begriff der Transaktionskosten an die Überlegungen zum Supply Chain Management angeschlossen werden kann.

Diese Dreiteilung des Kostenbegriffs ermöglicht es, die Einflüsse der Wertschöpfungskette explizit zu berücksichtigen. Anschließend wird ein Abgleich mit den einzelnen Entwicklungslinien des Kostenmanagements vorgenommen. Dadurch kann herausgearbeitet werden, wie die in den Entwicklungslinien beschriebenen Inhalte mit der Dreiteilung des Kostenbegriffs vereinbar sind. Die vierte Entwicklungslinie, die bestehende Ansätze zum Kostenmanagement in Wertschöpfungsketten umfasst, wird erst nach der Entwicklung eines eigenen Konzeptes wieder aufgegriffen. Für diesen Abgleich ist der Gegenstandsbereich des Supply Chain Managements zu berücksichtigen, so dass er über die an dieser Stelle diskutierten Aspekte hinausgeht.

Kasten 18: Einzel-, Prozess- und Transaktionskosten in der textilen Kette[614]

1. Kostenniveau, -struktur und -verhalten

In der textilen Ketten wirken vielfältige Einflussfaktoren auf die Kosten. Ohne diese Kostentreiber zu analysieren, werden einzelne Veränderungen nun mit Hilfe der drei Kostenebenen Einzel-, Prozess- und Transaktionskosten untersucht.

---

[610] Vgl. Mayer 1998, 5.
[611] Vgl. Mayer 1998, 12ff.
[612] Vgl. z.B. die Darstellung verschiedener Systeme bei Friedl 1994, 152ff.
[613] Vgl. Picot 1982, 270 sowie Picot/Dietl 1990, 178.
[614] Die folgenden Ausführungen basieren auf Seuring/Schneidewind 2000, 227-250.

Tabelle 13 verdeutlicht, dass Kostenbeeinflussungen für alle drei Ansatzpunkte eines Kostenmanagements (Kostenniveau, Kostenstruktur und Kostenverhalten) möglich sind.

Das Kostenniveaumanagement zielt auf die Reduktion jeder der drei Kostenarten. Beim Kostenstrukturmanagement stehen Verschiebungen zwischen den Kostenarten im Mittelpunkt. Ansätze zur Beeinflussung des Kostenverhaltens zielen auf zentrale Umfeldparameter, die eine Schlüsselbedeutung für den Kostenverlauf haben.

Kostenarten	**Kostenniveau**	**Kostenstruktur**	**Kostenverhalten (-treiber)**
Einzelkosten	Kostengünstigere Einsatzstoffe, z.B. durch Mengeneffekte (kbA-Baumwolle)	Trade-Offs zwischen den Dimensionen, z.B. komplette Öko-Textilien aus Billiglohnländern (Einzelkosten↓, Transaktionskosten↑); Kauf von Biobaumwolle am Markt (Einzelkosten↑, Transaktionskosten↓) statt eigener Baumwollprojekte	Mobilisierung von Einkaufsmacht, Standortwahl
Prozesskosten (Gemeinkosten 1. Ordnung)	Reduktion der Varianten, z.B. Konzentration auf wenige, mengenmäßig relevante Ökotextilien (z.B. Unterwäsche)		Reduktion von Komplexität, z.B. geringere Variantenvielfalt
Transaktionskosten (Gemeinkosten 2. Ordnung)	Wahl effizienter Koordinationsmuster, z.B. standardisierte Öko-Zertifizierung, Label		Aufbau von Vertrauen und festen Regeln, z.B. Abnahmegarantien

Tabelle 13: Management von Kostenniveau, -struktur und verhalten in der Wertschöpfungskette am Beispiel von Öko-Textilien
Quelle: Seuring/Schneidewind 2000, 241.

Bei den Einzelkosten sind es die Marktmacht (Einkaufspreise) sowie die Standortwahl (Lohneinzelkosten). Die Prozesskosten werden in ihrem Verhalten durch die Komplexität des Produktionsablaufes beeinflusst, d.h. die Zahl und die Kompatibilität ökologischer und normaler Varianten. Bei den Transaktionskosten beeinflussen das Vertrauensniveau und bestehende etablierte Regelungen (z.B. zur Sicherstellung ökologischer Produkte) das Kostenverhalten.

2. Gestaltungsoptionen des Kostenmanagements in der textilen Kette

Die Dreiteilung des Kostenbegriffs kann auch eingesetzt werden, um einzelne Maßnahmen auf ihre Kostenwirksamkeit hin zu analysieren.

Maßnahmen	**Einzelkosten**	**Prozesskosten**	**Transaktionskosten**
Abnahmegarantien durch den Handel	+		+
Integration durch zeitliche Abstimmung		+	+
Festlegung einheitlicher technischer Standards	+	+	+

Tabelle 14: Wirkung von Maßnahmen auf die drei Kostenebenen
Quelle: Seuring/Schneidewind 2000, 244.

Prinzipiell können alle Maßnahmen eingesetzt werden, die im Rahmen des Supply Chain Managements für die optimale Gestaltung der Kette diskutiert werden. Nachfolgend werden drei Beispiele aus der textilen Kette kurz ausgeführt, deren Wirkung auf die Kostenebenen in Tabelle 14 zusammengefasst wird.

- **Abnahmegarantien durch den Handel:**

Durch Abnahmegarantien werden die Transaktionskosten entscheidend gesenkt, da die einzelnen Verarbeiter nicht mehr befürchten müssen, die Ware nicht absetzen zu können. Um ökologisch optimierte Bekleidung anbieten zu können, ist z.B. der Anbau von kbA-Baumwolle sicherzustellen. Die Baumwollbauern sind aber nur zu einer Umstellung ihres Betriebes zu bewegen, wenn sie ihre Ware auch verkaufen können. Umgekehrt können ohne diese Abnahmegarantien auch keine entsprechenden Produkte angeboten werden, da auf den Baumwollbörsen in der Regel keine entsprechende Rohware offeriert wird.

Die Verarbeitung größerer Mengen und die entstehende Planungssicherheit vermindert dabei nicht nur die Transaktionskosten, sondern auch die Einzelkosten, z.B. durch zunehmende Erfahrung beim Anbau und der Verarbeitung der kbA-Baumwolle.

- **Integration der (Verarbeitungs-)Aktivitäten durch zeitliche Abstimmung:**

Die zeitliche Integration spielt eine wichtige Rolle im Supply Chain Management der Bekleidungsindustrie.[615] *Werden Verarbeitungskapazitäten in der Kette zu bestimmten Terminen reserviert, so garantiert dies eine bevorzugte zeitliche Einplanung. Zudem können Rabatte ausgehandelt werden, da für beide Partner eine erhöhte Planungssicherheit resultiert. Diese Maßnahmen senken sowohl die Prozess- als auch die Transaktionskosten.*

- **Festlegung einheitlicher technischer Standards:**

Vor allem die enormen Anlaufkosten bei der Umstellung auf ökologische Produkte wirken oft quasi prohibitiv. Werden technische Standards gemeinsam erarbeitet, so können typische Probleme unkoordinierter Wertschöpfungsketten vermieden werden. Ein Beispiel aus dem Bereich der Textilhilfsmittel sei kurz erläutert.

Auch die Textilproduktion wird nicht immer in einem Unternehmen durchgeführt. So können Spinn- und Webprozess durchaus in unterschiedlichen Fabriken erfolgen. Setzt der Spinner nun eine Schlichte ein, die nicht den Anforderungen des Webers genügt, so kann dies in der Weberei zu einer erhöhten Anzahl an Fadenbrüchen führen.

Wird die Ware über einen Spotmarkt gehandelt, so ist eine Kommunikation zwischen den beiden Stufen der Wertschöpfungskette ausgeschlossen. Im Fall einer Kooperation können sich die Unternehmen sowohl technisch als auch preislich verständigen, so dass sowohl die technischen Probleme vermieden werden, als auch die Kosten gesenkt werden. Weitergehend können z.B. auch Eingangskontrollen auf der nachfolgenden Stufe entfallen.

Technische Standards wirken damit auf alle drei Kostenebenen und bieten damit die Chance, umfassende Gestaltungsmaßnahmen zu implementieren. Diese Maßnahmen zeigen Möglichkeiten auf, die Kosten in der Wertschöpfungskette zu senken.

---

[615] Vgl. z.B. Fisher et al. 1994, 83-93; Magretta 1998, 104-114.

3.6.3 Abgleich der Kostenbegriffe mit den Entwicklungslinien des Kostenmanagements

3.6.3.1 Berücksichtigung der instrumentellen Ausdifferenzierung

Die verschiedenen Instrumente des Kostenmanagements zielen darauf ab, einzelne Kostenbestandteile einer verbesserten Analyse, Zurechnung und Gestaltung zugänglich zu machen. Dabei werden verschiedene Kostenbegriffe genutzt, die jeweils die Basis für die methodische Ausgestaltung des einzelnen Instruments bilden. Innerhalb der drei ausgewählten Instrumente Life-Cycle Costing, Target Costing und Prozesskostenrechnung wird durchgängig mit Einzel- und Gemeinkosten argumentiert, so dass keine weiteren Kostenbegriffe zu berücksichtigen sind. Die Ausdifferenzierung der Gemeinkosten bildet einen wesentlichen Inhalt des hier gewählten, dreigeteilten Kostengebriffs, so dass die instrumentelle Ausdifferenzierung des Kostenmanagements berücksichtigt wird.

3.6.3.2 Berücksichtigung der strategieorientierten Ausrichtung

Die strategieorientierte Ausrichtung des Kostenmanagements nutzt den Begriff der Kostentreiber umfassend, um Kosten zu analysieren. In Abschnitt 3.3.3.4 wurde eine Systematik von Kostentreibern entwickelt, die insgesamt sechs Ebenen berücksichtigt, von denen fünf konkret für Wertschöpfungsketten von Bedeutung sind:

- Externe Kostentreiber resultieren aus staatlichen, geographischen und anderen Rahmensetzungen. Diese Kostentreiber sind weitgehend exogen gegeben und können nur durch Lobby- oder Politikprozesse beeinflusst werden. Diese Ebene liegt noch oberhalb der Analyse von Wertschöpfungsketten und soll daher nicht berücksichtigt werden.
- Wertschöpfungskettenweite Kostentreiber wirken auf die gesamte Kette und werden durch gemeinsame Entscheidungen der Kooperationspartner in der Kette definiert.
- Unternehmensinterne, strukturelle Kostentreiber werden durch die grundlegenden Potenzialentscheidungen des Unternehmens festgelegt.
- Unternehmensinterne, operationale Kostentreiber werden in drei Bereiche untergliedert. Die dispositiven Kostentreiber resultieren aus Veränderungen des Produktprogramms oder aus Variationen administrativer Prozesse, wie sie z.B. für Anpassungen der Konstruktion, die Bearbeitung von Kundenaufträgen oder bei unterschiedlichen Bestellmengen in der Beschaffung notwendig sind.
- Elementare Kostentreiber sind die Folge konkreter Variationen in der Produktion, da in vielen Fällen Anpassungen des Produktionsprogramms notwendig sind, die zu unterschiedlichen Losgrößen, Intensitäten, Maschinenbelegungen und Fertigungszeiten führen und damit von der optimalen Lösung abweichen.
- Unmittelbare Kostentreiber sind mit den bei einem konkreten Produktionsschritt verbrauchten Faktormengen und deren Faktorpreisen gegeben.

Trotz dieser Differenzierung in fünf verschiedene Ebenen wird die hohe Interdependenz zwischen den einzelnen Ebenen deutlich, da z.B. der Ausfall einer Maschine durch fehlerhaftes Material, die kurzfristige Beschaffung neuen Materials (dispositiver Kostentreiber) zu höheren Preisen (unmittelbarer Kostentreiber) auslösen kann, die schließlich auch noch eine verspätete Lieferung an den Kunden bewirkt (wertschöpfungskettenweiter Kostentreiber), der dafür Ausgleichsmaßnahmen ergreifen muss. Zwar wird daraus die Logik der fünf Ebenen deutlich, doch wird damit keine Erklärung erreicht, welche Kosten beeinflusst werden. Die Erklärung des gleichen Falls mit Hilfe der Dreiteilung des Kostenbegriffs ergibt ein klareres Bild, da nun zwischen den Einzelkosten (höhere Materialpreise), höheren Prozesskosten für das Unternehmen mit dem Maschinenausfall durch zusätzliche Bearbeitungsschritte, höheren Prozesskosten für den Kunden durch interne Anpassungsmaßnahmen und zusätzlichen Transaktionskosten zwischen den beiden Unternehmen unterschieden werden kann.

3.6.3.3 Berücksichtigung der transaktionskostenorientierten Erweiterung

Der Begriff der Transaktionskosten wird als dritte Ebene in das Kostenmanagement eingebunden, so dass ein direkter Zusammenhang zu den Einzel- und den Prozesskosten hergestellt wird.

Das im Transaktionskostenansatz vorgegebene Analysemuster bietet einen Erklärungsrahmen, der für die Analyse und Gestaltung von Kosten in der Wertschöpfungskette nicht geeignet erscheint. Zum einen werden in der Regel nur zwei Stufen einer zumeist sehr viel längeren Wertschöpfungskette betrachtet, zum anderen werden Erklärungs- und Gestaltungsmöglichkeiten auf die drei Erklärungselemente (1) Ausmaß der transaktionsspezifischen Investitionen, (2) Umweltunsicherheit und (3) Transaktionshäufigkeit eingeschränkt.[616]

Der Transaktionskostenansatz ist eher ökonomisch orientiert, d.h. es soll erklärt werden, warum Unternehmen geeignete Konstrukte sind, zwischen denen eine Koordination über Märkte stattfindet. Der Ansatz zielt nicht darauf ab, die Transaktionskosten im Unternehmen rechenbar zu machen und Anschlussfähigkeit an betriebliche Rechensysteme bzw. Analyse-, Erklärungs- und Gestaltungsaufgaben im betrieblichen und überbetrieblichen Kostenmanagement herzustellen. Für die Ansprüche eines Supply Chain Costing kann der Transaktionskostenansatz daher lediglich hilfreiche Erklärungsansätze aufzeigen, wobei der Begriff der Transaktionskosten sinnvoll und nutzbar erscheint. Weitergehende Erklärungen werden vom Transaktionskostenansatz nicht geleistet, was allerdings auch nicht den mit dem Ansatz verfolgten Zielen entspricht.

Nachdem mit diesen Ausführungen eine Übersicht zu Entwicklungslinien des Kostenmanagements gegeben wurde, kann die abschließend entwickelte Dreiteilung des Kostenbegriffs genutzt werden, um im nächsten Kapitel mit den Überlegungen zum Supply Chain Management zusammengeführt zu werden.

[616] Vgl. Williamson 1990.

4 Supply Chain Costing

Kapitelzusammenfassung

Der Begriff des Supply Chain Costing wird definiert als die Analyse, Gestaltung und Steuerung von Kosten in der Wertschöpfungskette. Kosten umfassen dabei Einzel-, Prozess- und Transaktionskosten, die bei der Planung und Durchführung der Material- und Informationsflüsse in partnerschaftlich gestalteten Wertschöpfungsketten entstehen.

Das Konzept des Supply Chain Costing integriert damit die Produkt- und die Kooperationsdimension des Supply Chain Management und mit der Dreiteilung des Kostenbegriffs (vgl. Abbildung). Die weiteren Ausführungen dienen der Ausgestaltung dieses Konzepts. Dazu erfolgte zuerst eine Deskription im Verhältnis zum operativen und strategischen Kostenmanagement sowie eine Einordnung des Total Cost of Ownership und des Interorganisational Cost Management. Die weiteren Abschnitte greifen die Instrumente Life-Cycle Costing, Target Costing und Prozesskostenrechnung auf. Die Analyse entlang des Produktlebenszyklus zeigt die Bedeutung der Transaktions- und Prozesskosten in den Vorlaufphasen der Produkt- und Netzwerkgestaltung auf. Bisherige Erweiterungen des Target Costing und der Prozesskostenrechnung werden in das Supply Chain Costing eingeordnet. Auf dieser Grundlage werden Ansätze für ein Supply Chain Target Costing dargelegt. Kostenreduktionen können im Bereich der Einzel-, der Prozess- und der Transaktionskosten erzielt werden, wobei Abwägungen zwischen diesen Bereichen zu berücksichtigen sind. Prozessorientierte Analysen im Supply Chain Costing bieten die Möglichkeit, Prozess- und Transaktionskostentreiber zu identifizieren, so dass die Kostenentstehung und –beeinflussung in der Kette abgebildet werden kann.

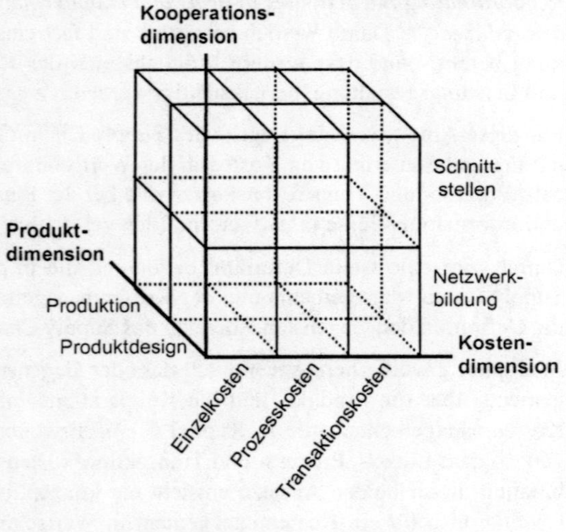

Konzept für das Supply Chain Costing

4.1 Begriffsdefinition und Gegenstandsbereich des Supply Chain Costing

Nachdem die Begriffe und Gegenstandsbereiche des Supply Chain Managements und des Kostenmanagements diskutiert wurden, werden diese beiden Ausgangspunkte zum Supply Chain Costing zusammengeführt. Das Kostenmanagement zielt üblicherweise auf unternehmensinterne Vorgänge, die analysiert, erklärt und gestaltet werden. Die Betrachtung einer Wertschöpfungskette von der Gewinnung der natürlichen Rohstoffe bis zur endgültigen Beseitigung spannt einen wesentlich weiteren Rahmen. Damit wird es notwendig, den analytischen Rahmen des Kostenmanagements zu erweitern, um eine Analyse der Kosteneinflussfaktoren in der Wertschöpfungskette zu ermöglichen.

Für den Begriff des Supply Chain Costing liegt bisher keine Definition vor. LaLonde und Pohlen sprechen davon, dass Supply Chain Costing einen Ansatz bietet, um Kosten messbar zu machen, die die gesamte Wertschöpfungskette umfassen.[617] Die Messbarkeit der Kosten alleine erscheint unzureichend, da sicherlich auch die Gestaltung und Steuerung der Kosten eine wichtige Rolle spielen, wenn das Supply Chain Costing seine volle Wirksamkeit entfalten soll. Eine alternative Definition wird von Cooper und Slagmulder, die den Begriff des „Interorganisational Cost Management" (ICM) nutzen, gegeben als *„a structured approach to coordinating the activities of firms in a supplier network so that total costs in the network are reduced."*[618] Damit werden sehr stark und fast einseitig die Maßnahmen zur Kostensenkung betont, ohne dass weitere Möglichkeiten des Kostenmanagements, z.B. der Kosten- und Leistungsgestaltung, berücksichtigt werden.

Für diese Arbeit wird der Begriff des Supply Chain Costing definiert als die Analyse, Gestaltung und Steuerung von Kosten in der Wertschöpfungskette. Kosten umfassen dabei Einzel-, Prozess- und Transaktionskosten, die bei der Planung und Durchführung der Material- und Informationsflüsse in partnerschaftlich gestalteten Wertschöpfungsketten entstehen.

Damit wird eine weite Definition bevorzugt, die in der Lage ist, die Teildefinitionen des Supply Chain Managements und des Kostenmanagements zu integrieren. Gleichzeitig zeigt die Definition den Gegenstandsbereich des Supply Chain Costing auf.

In Kapitel 2 wurde herausgearbeitet, dass der Gegenstandsbereich des Supply Chain Managements über die Produkt- und die Kooperationsdimension erfasst werden kann. Für das Kostenmanagement wurde in Kapitel 3 eine Erweiterung des Kostenbegriffes vorgeschlagen, so dass Einzel-, Prozess- und Transaktionskosten berücksichtigt werden. Aus der Kombination dieser beiden Ansätze entsteht ein konzeptioneller Rahmen für das Supply Chain Costing, also für ein Kostenmanagement in Wertschöpfungsketten, wie Abbildung 35 aufzeigt.

Das so entwickelte Konzept des Supply Chain Costing wird in den folgenden Teilen der Arbeit evaluiert und ausgestaltet.

---

[617] LaLonde/Pohlen 1996, 1.
[618] Cooper/Slagmulder 1999, 1.

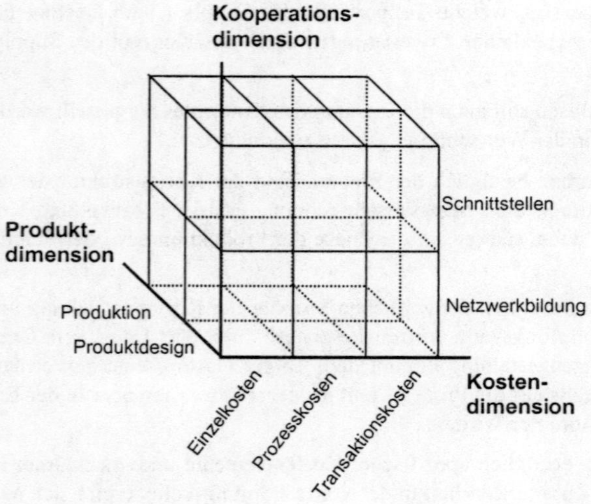

Abbildung 35: Konzeptioneller Rahmen des Supply Chain Costing
Quelle: eigene.

4.1.1 Inhaltliche Ausgestaltung des Supply Chain Costing

Die für die Ausgestaltung des Supply Chain Costing vorgenommenen Schritte lehnen sich an die vier identifizierten Entwicklungslinien des Kostenmanagements an. Allerdings werden diese Entwicklungslinien in unterschiedlicher Tiefe aufgegriffen.

Die transaktionskostenorientierte Erweiterung wurde direkt in die Kostendimension des Supply Chain integriert, so dass dafür keine eigene Überprüfung stattfindet. Vielmehr zeigen die folgenden Abschnitte auch, in welcher Form der so erweiterte Kostenbegriff geeignet ist, im Kontext einer Ausgestaltung des Supply Chain Costing eingesetzt zu werden.

Im ersten Schritt werden die Überlegungen aus dem strategisch orientierten Kostenmanagement aufgegriffen, so dass eine Beschreibung des Supply Chain Costing im Verhältnis zum operativen und zum strategischen Kostenmanagement gegeben wird.

Anschließend werden die bisher bestehenden Ansätze zum Kostenmanagement in Wertschöpfungsketten, nämlich das Interorganisational Cost Management und das Total Cost of Ownership in das Supply Chain eingeordnet. Beide Schritte dienen einer ersten Beschreibung, während die Instrumente des Kostenmanagements im Detail aufgegriffen werden.

Der dritte Schritt dient dazu, instrumentelle Erweiterungen aufzuzeigen, die auf der Basis der dargestellten Instrumente Life-Cycle Costing, Target Costing und Prozesskostenrechnung möglich sind.

Die Analyse entlang des Produktlebenszykluses greift das Life-Cycle Costing als Managementinstrument auf. Dadurch kann untersucht werden, welche Kosten in den vier Integrationsfeldern, mit denen der Gegenstandsbereich in der Produkt-Kooperations-Matrix des Supply Chain Managements erfasst wird, relevant sind und beeinflusst werden können. Dies schließt an die Darstellung der Instrumente des Supply Chain Managements an.

Für das Target Costing und die Prozesskostenrechnung wird überprüft, welche bisherigen Erweiterungen zu diesen, in ihrer Grundform vorgestellten Konzepten, bisher vorliegen.

Damit wird aufgezeigt, welche Teilbereiche des Supply Chain Costing bereits abgedeckt sind und welche zusätzlichen Erweiterungen durch das Konzept des Supply Chain Costing motiviert werden.

Durch diese Analysen soll auch die Eignung des Konzeptes dargestellt werden, die Transparenz der Kosten in der Wertschöpfungskette zu erhöhen:

- Die Transparenz bezüglich der Prozess- und der Kostenstruktur der Wertschöpfungskette wird durch die Prozesskostenrechnung erfasst. Prozess- und Kostenstruktur beziehen sich dabei stärker auf die Phase der Produktion bzw. der Schnittstellenoptimierung.
- Transparenz bezüglich der zeitlichen Struktur der Kostenentstehung und -zurechung in der Wertschöpfungskette wird insbesondere durch das Life-Cycle Costing geschaffen. Für die Kostengestaltung kommt dem Target Costing eine hervorragende Bedeutung zu, da ebenfalls auf die Prozess- und Kostenstruktur, nun aber in der Entstehungsphase, Einfluss genommen wird.
- Transparenz bezüglich spezifischer Kostenelemente und -strukturen, insbesondere der Kosten der Zusammenarbeit in der Wertschöpfungskette, ergibt sich aus der Integration des Transaktionskostenbegriffs. Gleichzeitig wird daran schon der innere Zusammenhang des Konzeptes deutlich, da die Kooperationsdimension explizit diesen Aspekt berücksichtigt.

Die gewählten Instrumente des Kostenmanagements werden durch die ausführliche Darstellung im dritten Schritt in das Supply Chain Costing eingebunden, so dass ihre bisherige Reichweite und weitere Entwicklungslinien aufgezeigt werden können. Im Rahmen dieser Arbeit liegt der Schwerpunkt darauf, den Umfang des Möglichen zu zeigen, als ganz konkrete Hinweise für die instrumentelle Ausgestaltung zu geben.

4.1.2 Deskription des Supply Chain Costing

Eine weitere Fassung des Konzeptes lässt sich unter Rückgriff auf die Beschreibung und Abgrenzung des strategischen und des operativen Kostenmanagements leisten. Mit der von Brokemper übernommenen Tabelle 8 (vgl. Abschnitt 3.3.2) liegen gleichermaßen Kriterien und Beschreibungen vor, die als Basis eines Abgleichs dienen. Diese Beschreibung bietet eine erste Charakterisierung des Supply Chain Costing. Als nächste folgt ein Vergleich zu bestehenden Ansätzen des Kostenmanagements in Wertschöpfungsketten.

Kriterium		Das operative Kostenmanagement	Das strategische Kostenmanagement	Das Supply Chain Costing
1.	Zieldimension	Effizienz (Wirtschaftlichkeit) „Tun wir die Dinge richtig?“	Effektivität (Wettbewerbsfähigkeit) „Tun wir die richtigen Dinge?“	Effizienz und Effektivität (Wettbewerbsfähigkeit) der Supply Chain „Tun wir kettenweit die richtigen Dinge?“
2.	Rechnungszweck	Planung und Kontrolle des Betriebsergebnisses Operative Lenkung	Unterstützung bei Strategiefindung/ -umsetzung Antizipative Gestaltung	Unterstützung bei Strategiefindung/ -umsetzung Antizipative Gestaltung

Tabelle 15: Deskription des Supply Chain Costing in Abgrenzung zu operativem und strategischem Kostenmanagement

Quelle: eigene; Erweiterung der Tabelle von Brokemper 1998, 24.

Kriterium	**Das operative Kostenmanagement**	**Das strategische Kostenmanagement**	**Das Supply Chain Costing**
3. Betrachtungsobjekte	• Produkte • Kunden • Funktionen	• Wertschöpfungskette • Potentiale • Prozesse • Produkte	• Wertschöpfungskette • Produkte • Prozesse • Kooperationen
4. Zeithorizont	Kurzfristig	Langfristig	Mittel- bis Langfristig
5. Blickrichtung	Interne Blickrichtung • Soll/Ist-Vergleich • Zeitvergleich	Externe Blickrichtung • Unternehmen • Kunden • Konkurrenten	Ketteninterne und -externe Blickrichtung • Konkurrierende Wertschöpfungsketten
6. Kostenkategorien	Teilkosten	Vollkosten	Vollkosten der gesamten Kette
7. Erklärung des Kostenverhaltens	Kurzfristige Kostenfunktion: Kosten = f(Ausbringungsmenge)	Langfristige Kostenfunktion: Kosten = f(strategische Entscheidungen, Managementfähigkeiten)	Langfristige Kostenfunktion: Kosten = f(Produkt-, Prozess- und Kooperationsgestaltung in der Kette)
8. Weitere Charakteristika	• Hoher Detaillierungsgrad • Geringer Gestaltungsspielraum • Gegebener strategischer Rahmen • Prospektive Orientierung • Aufgabe der Funktionsbereiche / unteres Management • Systembasiert (Kostenrechung)	• Hohes Aggregationsniveau • Hoher „kostenpolitischer" Gestaltungsspielraum • Strategischer Rahmen (Strukturen, Potentiale etc.) wird gesucht • Antizipative Orientierung • Aufgabe des oberen Managements • Basierend auf Analyseinstrumenten	• Hohes Aggregationsniveau • Umfassende Gestaltungsspielräume • Strategischer und operativer Rahmen werden zusammen mit Kooperationspartnern gesucht • Antizipative Orientierung • Aufgaben reichen vom oberen Management bis zum Prozessverantwortlichen • Analyse- und Getaltungsinstrumente

Tabelle 15: Deskription des Supply Chain Costing in Abgrenzung zu operativem und strategischem Kostenmanagement (Fortsetzung)

Quelle: eigene; Erweiterung der Tabelle von Brokemper 1998, 24.

4.1.3 Einordnung von TCO und ICM ins Supply Chain Costing

Im vorhergehenden Kapitel wurden die Ansätze des Total Cost of Ownership[619] und des Interorganisational Cost Management[620] vorgestellt. Diese beiden Ansätze werden nun in das Konzept des Supply Chain Costing eingeordnet.

Das Total Cost of Ownership analysiert die Kosten, die bei der konkreten Zusammenarbeit mit einem Lieferanten entstehen. Da dabei der Preis als Repräsentant der Einzelkosten, die Prozesskosten im Unternehmen und die Transaktionskosten zwischen den beiden Unternehmen in die Analyse einbezogen werden, wird die Kostendimension vollständig erfasst. Abweichungen ergeben sich bezüglich der Produkt- und der Kooperationsdimension. Die Phase der Produktentwicklung ist nicht Gegenstand des Total Cost of Ownership. Der Ansatz bleibt weitgehend auf die Phase der Produktion beschränkt. In der Kooperationsdimension wird primär die Optimierung der Schnittstellen betont.

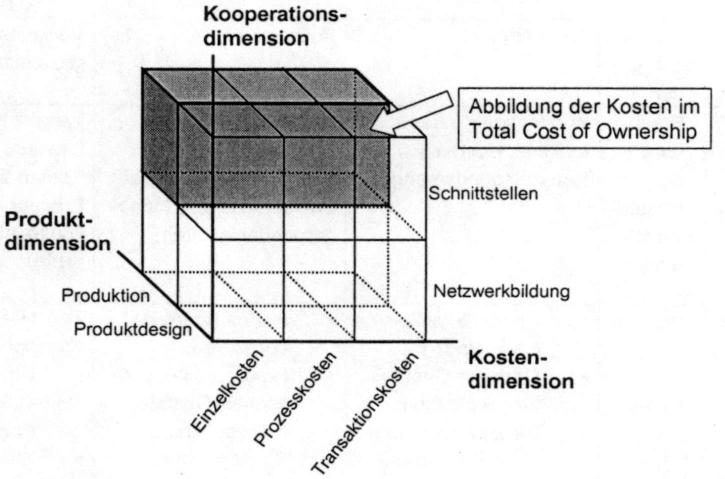

Abbildung 36: Einordnung des Total Cost of Ownership ins Supply Chain Costing
Quelle: eigene.

Überlegungen zur Auswahl von Lieferanten werden zwar integriert, doch zielt dies nicht auf die grundsätzliche Gestaltung von Wertschöpfungsketten. Aufgrund dieser Einordnungen des Total Cost of Ownership in das Supply Chain Costing ergibt sich die folgende Abbildung 36. Die Abbildung vermag nicht herauszustellen, dass die Anwendung des Total Cost of Ownership zumeist auf zwei Stufen der Wertschöpfungskette beschränkt bleibt.

---

619 Vgl. die vorgenannte Literatur, insbesondere: Ellram 1993a; Ellram 1993b; Ellram 1994.
620 Vgl. Cooper/Slagmulder 1999.

Aus dem Interorganisational Cost Management wurden die Produkt- und die Kooperationsdimension in das Konzept des Supply Chain Costing übernommen. Allerdings erfolgte durch die Kombination der beiden Dimensionen in der Produkt-Kooperations-Matrix eine deutliche Weiterentwicklung. Die Kostendimension wird im Interorganisational Cost Management nicht explizit berücksichtigt. Aufgrund der Instrumente, die innerhalb des Ansatzes eingesetzt werden, können Einzel- und Prozesskosten analysiert und gestaltet werden. Abbildung 37 stellt dies dar, wobei die markierte Fläche nur eine Hüllfläche bildet, da die Integration der einzelnen Phasen der Produkt- und der Kooperationsdimension im Interorganisational Cost Management nicht geleistet wird.

Das Konzept erweitert damit die bisher vorliegenden Ansätze. Die Überlegungen des Interorganisational Cost Management werden nahtlos aufgegriffen, wobei die zusätzliche Kombination der Produkt- und der Kooperationsdimension sowie die Einführung der Kostendimension eine erhebliche Erweiterung bietet. Dies gilt auch bezüglich des Total Cost of Ownership, dessen Detaillierungen ebenfalls einbezogen werden können. Gleichzeitig erlaubt das Supply Chain Costing die Berücksichtigung aller Schnittstellen entlang der Kette und hebt sich deutlich von der stärker dyadischen Ausrichtung des Total Cost of Ownership ab.

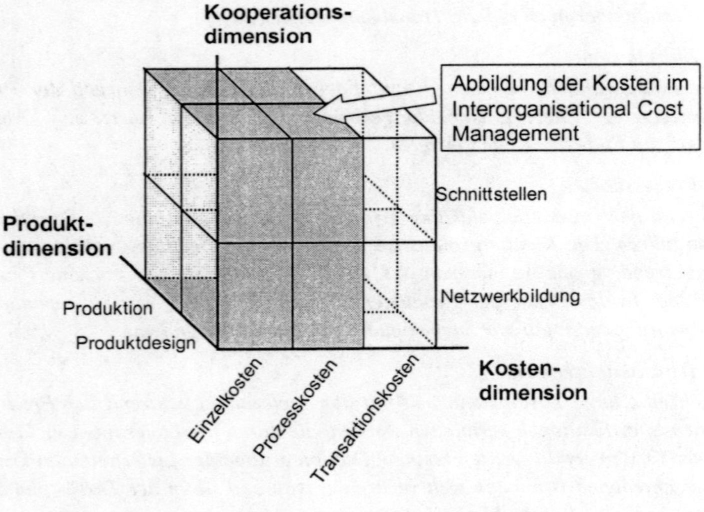

Abbildung 37: Einordnung des ICM in das Supply Chain Costing
Quelle: eigene.

Die Erläuterungen zeigen auf, dass das Konzept des Supply Chain Costing sowohl in der Lage ist, bisherige Ansätze zu integrieren, als auch darüber hinaus einen kompletten Rahmen für die Analyse und Gestaltung von Kosten in Wertschöpfungsketten zu geben.

4.2 Analyse entlang des Produktlebenszykluses

Die Einteilung in die Produkt- und die Kooperationsdimension haben es ermöglicht, den Gegenstandsbereich des Supply Chain Managements zu erfassen. Diese Systematisierung wurde direkt in das Konzept des Supply Chain Costing übernommen. Die folgenden Abschnitte dienen dazu, die sich daraus ergebenden Verknüpfungen darzustellen, so dass entlang der beiden Dimensionen und der daraus entstehenden vier Integrationsfelder eine Zusammenführung mit der Dreiteilung des Kostenbegriffs erarbeitet wird.

Die Produkt- und die Netzwerkdimension werden exemplarisch am Beispiel der textilen Kette betrachtet. Anschließend werden die Integrationsfelder hinsichtlich des Anfalls von Einzel-, Prozess- und Transaktionskosten untersucht.

Kasten 19: Kostenanalyse entlang der Produkt- und der Netzwerkdimension[621]

Die Kostenanalyse kann entlang der Produkt- und der Netzwerkdimension vorgenommen werden. Daraus ergeben sich für Optimierungen in der textilen Kette interessante Analysemöglichkeiten, die an dieser Stelle diskutiert werden. Viele Aspekte können am schon erwähnten Spezialfall der Herstellung ökologisch optimierter Bekleidung illustriert werden, wozu einzelne Argumente aus früheren Kästen wiederholt werden.

1. Produktentwicklung

Die Aussage, dass etwa 80% der Kosten während der Produktentwicklung festgelegt werden, wird normalerweise auf die Einzel- und die Prozesskosten bezogen. Sie trifft in gleichem Maße aber auch auf die Transaktionskosten zu.

- *Einzelkosten*

Materialauswahl, Produktdesign und Farbenwahl werden während der Produktentwicklung festgelegt. Diese Entscheidungen werden weitgehend durch den Konfektionär oder Handel am Ende der Kette getroffen.

- *Prozesskosten*

Während der Produktentwicklung erfolgen Marktanalysen, die zur Spezifikation der Produkte führen. Die Kleidungsindustrie widmet der Beobachtung von Modeströmungen und Designtrends große Aufmerksamkeit. Als Folge davon werden einzelne Produkte oft noch sehr spät in der Phase der Produktentwicklung geändert, was zu Veränderungen in der Produktion oder sogar zur Suche neuer Lieferanten führen kann.

- *Transaktionskosten*

Durch eine enge Zusammenarbeit mit den Lieferanten während der Produktentwicklung können Spezifikationen vermieden werden, die durch die Lieferanten nicht oder nur durch höhere Kosten erfüllt werden können. Die Integration der Lieferanten im Designprozess ist in verschiedenen Branchen weit verbreitet, während sie in der Textil- und Bekleidungsindustrie erst allmählich üblich wird.

Im Gegenzug treten bei technischen Innovationen durch die Lieferanten diese aktiv an ihre Kunden heran und versuchen, neue Produkte in der Kette zu platzieren. Ein Beispiel dafür bildet das antimonfreie Polyester. Das Unternehmen, das den antimonfreien Katalysator entwickelt hat, betreibt aktives Marketing. Erst durch eine erfolgreiche Ansprache kundennaher Unternehmen gelang es, die Innovation erfolgreich im Markt unterzubringen und auch die Zwischenstufen in der Kette zu überzeugen.

[621] Die Ausführungen basieren auf Seuring 2001.

2. Netzwerkbildung

Die Bildung des Produktionsnetzwerkes bildet die zweite wichtige Gruppe von Entscheidungen. Die Auswahl von Lieferanten bedeutet auch die Auswahl einer bestimmten Kostenstruktur. Dies impliziert eine dynamische Perspektive, da die Kostenstrukturen von Lieferanten im Laufe der Zeit sowohl ansteigen als auch fallen können.

- *Einzelkosten*

Der Übergang der Baumwollbauern zum kontrolliert biologischen Anbau bildet dafür ein gutes Beispiel. Die Verkaufserlöse gehen in den ersten Jahren deutlich zurück, da die Erntemengen geringer ausfallen und diese Baumwolle noch nicht als kbA-Baumwolle verkauft werden darf. Dieser Übergangsprozess gilt auch für andere Stufen der Wertschöpfungskette. Als Beispiel sei auf Anpassungen der technischen Prozesse während der Färbung durch den Einsatz neuer, umweltfreundlicher Farben verwiesen.

- *Prozesskosten*

Die zeitliche Integration der Prozesse spielt eine wichtige Rolle in der textilen Kette. Die Reservierung von Produktionskapazitäten bei den Lieferanten führt zur besseren Planung für alle beteiligten Firmen, so dass Prozess- und Transaktionskosten verringert werden.

- *Transaktionskosten*

Eine wichtige Position innerhalb der Transaktionskosten bildet die Auswahl und die Qualifizierung der Lieferanten. Plant der Handel oder der Konfektionär eine Konfektion, die ökologischen Ansprüchen gerecht wird, werden technische und ökologische Optimierungen bei den Lieferanten notwendig. Dafür können technische Unterstützungen von verschiedener Seite notwendig werden, um die notwendigen Umstellungen der Produktionsprozesse zu realisieren. Auf einzelnen Stufen der Kette können die Kosten dadurch schrittweise so weit gesenkt werden, dass sie sich immer mehr denen konventioneller Produkte annähern. Bis dies der Fall ist, können Kompensationszahlungen des Handels notwendig sein, die ebenfalls zu den Transaktionskosten zählen.

3. Produktion und Logistik

Die Produktion bildet den traditionellen Schwerpunkt der Kostenrechnung. Durch die Integration der Wertschöpfungsketten wird verstärkt Druck auf die einzelnen Unternehmen entlang der Kette ausgeübt.

- *Einzelkosten*

Der Einsatz umweltfreundlicher Farben und Hilfsmittel reduziert in vielen Fällen die Kosten der Abwasserbehandlung. Gleichzeitig verringert sich so die Anzahl an Gefahrstoffen, so dass die Arbeitssicherheit verbessert wird.

- *Prozesskosten*

Eine wichtige Einflussgröße für die Kosten der Produktion ist die Losgröße. Bei der Verarbeitung von kbA-Baumwolle werden oft kleinere Mengen verarbeitet als in der konventionellen Fertigung. Außerdem müssen die Produktionsanlagen zusätzlich gereinigt werden, um Verschleppungen unerwünschter Stoffe, z.B. Pestizide, aus der konventionellen Produktion zu vermeiden. Die zweite Maßnahme führt zu höheren absoluten Rüstkosten, während die erste den relativen Anteil der Rüstkosten an den Produktionskosten steigen lässt. Bei kleineren Losgrößen steigen auch die stückbezogenen Kosten der administrativen Prozesse.

- *Transaktionskosten*

Für die Verarbeitung von kbA-Baumwolle können Investitionen in neue Produktionsanlagen notwendig werden, um z.B. Verschleppungen unerwünschter Substanzen aus konventioneller Ware zu vermeiden. Ob diese Investitionen getätigt werden, hängt davon ab, ob die Lieferanten erwarten, diese zukünftig amortisieren zu können. Die Erlösminderungen der Baumwollbauern fallen ebenfalls in diese Kategorie. Abnahmegarantien des Handels verringern die Risiken der Vorstufen bei der Umstellung auf ökologische Produktion.

4. Schnittstellenoptimierung

Die enge Zusammenarbeit von Firmen in der Kette stellt die Integration der technischen und der Managementprozesse sicher. Maßnahmen können sowohl auf der Ebene des einzelnen Unternehmens als auch auf der Ebene der gesamten Kette ergriffen werden.

- *Einzelkosten*

Die Setzung technischer Standards für alle Partner in der Kette erlaubt es, typische Probleme unkoordinierter Ketten zu vermeiden. Auf der Ebene der Einzelkosten bestehen ebenfalls Verknüpfungen zwischen der Kostenentstehung in den einzelnen Unternehmen. Ein Beispiel bildet der Einsatz von Schlichten während des Spinnprozesses. Die Wahl der Schlichte beim Spinnen beeinflusst den Webprozess erheblich, da sie einer der Parameter ist, der die Anzahl der auftretenden Fadenbrüche bestimmt. Jeder Fadenbruch erfordert den Eingriff eines Produktionsmitarbeiters, um den Webprozess wieder in Gang zu setzen, was sich direkt auf die Kosten dieses Prozesses auswirkt. Indem die beteiligten Unternehmen sich über die Wahl der eingesetzten Schlichte verständigen, können die Kosten für die Spinnerei ansteigen, aber die Gesamtkosten reduziert werden. Deshalb kann es für die Weberei interessant sein, diese höheren Kosten der Spinnerei zu kompensieren, da sie selbst wesentlich von den Kostensenkungen profitiert.

- *Prozesskosten*

Das gerade gegebene Beispiel beeinflusst auch die Prozesskosten, da ein störungsfreier Produktionsablauf weniger administrative Eingriffe notwendig macht.
Ein weiterer wesentlicher Teil der Prozesskosten in der Kette wird durch die Koordination der administrativen Prozesse bestimmt. Der Einsatz von Informationstechnologien hat zu einer bedeutenden Senkung dieser Kosten geführt und ermöglicht, den Datenaustausch zwischen Unternehmen erheblich zu vereinfachen.

- *Transaktionskosten*

Die Lieferanten beeinflussen auch die Transaktionskosten. Falls gelieferte Produkte nicht den geforderten Spezifikationen entsprechen, können Nachbesserungen notwendig sein. Die dadurch verursachten Transaktionskosten können z.B. durch Qualitätskontrollen beim Lieferanten verhindert werden.
Auch wenn in dieser Analyse nur eine begrenzte Anzahl von Faktoren geschildert wurde, so belegt sie doch, welche Möglichkeiten der Kostenreduktion auf allen Stufen der Wertschöpfungskette bestehen und wie diese ineinander greifen.

4.2.1 Vorüberlegungen zu einer dynamischen Analyse

Innerhalb der Produkt- und der Kooperationsdimension sind in stark vereinfachter Weise zeitliche Abfolgen eingebunden, da diese beiden Dimensionen im Supply Chain Management als auf zwei Phasen vereinfachte Lebenszyklusbetrachtungen interpretiert werden. Damit wird begrenzt eine dynamische Analyse im Sinne des Life-Cycle Costing verbunden. Ein Abgleich der vier Integrationsfelder, die bereits im Sinne einer zeitlichen Abfolge interpretiert wurden, mit der Einteilung in Vorlauf-, Durchführungs- (begleitende) und Nachlaufphase oder -kosten[622] verdeutlicht dies:

- Die Konfiguration von Produkt und Netzwerk ist eindeutig den Vorlaufkosten zuzuordnen, da die wesentlichen Merkmale der Marktleistung festgelegt werden.
- Die Produktentwicklung in der Wertschöpfungskette fällt ebenfalls in den Bereich der Vorlaufkosten, da in dieser Phase die Forschung und Entwicklung durchgeführt werden.
- Die Gestaltung des Produktionsnetzwerkes bildet den Übergang von der Vorlaufphase zur Durchführungsphase, da nun die konkreten Vorbereitungen für die Erstellung des Produktes oder der Dienstleistung getroffen werden.
- Die Prozessoptimierung in der Wertschöpfungskette fällt mit der Durchführungsphase zusammen. Gleichzeitig werden an dieser Stelle spätere Anpassungen vorgenommen, die in der Nachlaufphase notwendig werden, z.B. veränderte optimale Lagermengen.

Bei dieser Zuordnung fällt die starke Betonung der Vorlaufphase und der darin beeinflussten Kosten auf. Das entspricht den Überlegungen aus dem Life-Cycle Costing, da in der Planungs- und Entstehungsphase eines Produktes bereits ca. 80% seiner gesamten Kosten festgelegt werden.[623] Entsprechend zielt ein guter Teil der Literatur zum Kostenmanagement gerade auf diesen Teil des Produktlebenszykluses und verknüpft verschiedene Instrumente unter diesem Aspekt miteinander.[624]

Weiterhin rechtfertigt sich diese Betonung dadurch, dass zwar oft von Kostenreduktionen in der Wertschöpfungskette gesprochen wird, doch bisher keine systematischen Ansätze vorliegen, die alle vier Felder einordnen. Gleichzeitig wird zwischen den anfallenden und den beeinflussten Kosten unterschieden, da in den Vorlaufphasen nur geringe Kosten entstehen, jedoch die wesentlichen Entscheidungen getroffen werden, die die Kosten späterer Phasen festlegen.[625]

4.2.2 Analyse der vier Integrationsfelder

Als Folge dieser Überlegungen erscheint es für die Konzeption des Supply Chain Costing daher sinnvoller, den Faktor Zeit über diese beiden Dimensionen einzubinden, auch wenn damit noch keine echte Dynamisierung des Betrachtungsgegenstandes gegeben ist.[626] Insofern zielen die angestellten Überlegungen auf eine fallweise Betrachtung, wie sie im Rahmen der Instrumente des Kostenmanagements regelmäßig angestellt wird.[627] Zudem wird keine quantitative Analyse der zeitlichen Folge im Sinne des Life-Cycle Costing angestrebt.[628] Aussagen zur jeweiligen relativen Höhe der Kosten in den einzelnen Phasen werden daher erst im Anschluss an die Einzelanalysen gemacht.

---

[622] Vgl. Back-Hock 1992, 707.

[623] Vgl. Berliner/Brimson 1988, 139; Coenenberg/Fischer/Schmitz 1994, 1; Tanaka 1989, 4; Cooper/Slagmulder 1999; XXI.

[624] Siehe insbesondere die Verknüpfungen zum Target Costing, z.B. bei: Coenenberg/Fischer/Schmitz 1994, 35; ausführlich: Gräfe 1998; Schmidt 2000.

[625] Siehe Abbildung 21 im Kapitel Kostenmanagement. Vgl. Wübberhorst 1992, 252.

[626] Daher wird betont, dass keinesfalls der Anspruch einer Dynamisierung im Sinne von Rechenmethoden erhoben wird, wie sie in dynamischen Investitionsrechnungen üblich sind. Dies liegt außerhalb des Fokuses dieser Arbeit.

[627] Vgl. Weber 1995, 567.

[628] Diese Überlegungen schließen an die Ausführungen zum Total Cost of Ownership an.

4.2.2.1 Konfiguration von Produkt und Netzwerk

Die Konfiguration von Produkt und Netzwerk umfasst die wesentlichen Entscheidungen in der Wertschöpfungskette. Oft werden diese bisher nicht integriert, sondern getrennt voneinander gesehen, so dass die Kostenwirkungen häufig entsprechend klassischer Einkaufsentscheidungen auf die Preisentscheidung und damit die Ebene der Einzelkosten beschränkt werden. Durch eine Berücksichtigung der Ebene der Prozess- und der Transaktionskosten wird das Bild vollständiger, so dass über den Preis hinausgehende Parameter einbezogen werden. Dies verknüpft die Basisentscheidungen bezüglich Produkt und Netzwerk mit den strategischen Überlegungen der Unternehmensleitung. So kann abgewogen werden, in welche Kooperationsbeziehungen zusätzlich investiert wird, so dass zwar höhere, einmalige Transaktionskosten entstehen, die Prozesskosten für die laufende Zusammenarbeit und die Einzelkosten der Marktleistung jedoch gesenkt werden können, da für jede Entwicklungs- und Fertigungsstufe optimale Partner ausgewählt werden.[629]

4.2.2.2 Produktentwicklung in der Wertschöpfungskette

Mit dem Übergang zur Produktentwicklung in der Wertschöpfungskette sind wesentliche Entscheidungen bereits getroffen, so dass nun die optimale Zusammenarbeit mit den Partnern in der Wertschöpfungskette innerhalb der Produktentwicklung im Mittelpunkt steht. Einzelne Autoren sprechen dabei von Design for Supply Chain Management.[630]

Auf der Ebene der durch die Netzwerkbildung bedingten Transaktionskosten sind wichtige Entscheidungen bereits gefallen. Je nach dem Umfang der zu beschaffenden Güter und Dienstleistungen steht ein intensiver Dialog mit Lieferanten und Kunden an. Dieser hängt davon ab, welchen Leistungsumfang die Lieferanten aufgrund ihrer Kompetenz übernehmen können und wollen.[631] Wertschöpfungspartner übernehmen aufgrund ihrer Produkt- und Verfahrenskompetenz weite Teile der Entwicklung selbst. Bei dieser Art der Zusammenarbeit entstehen die Transaktionskosten und die damit verbundenen internen Prozesse stärker aufgrund produktspezifischer als aufgrund kontinuierlicher Zusammenarbeit. Je geringer die Kompetenz des Lieferanten ist, desto mehr Transaktionskosten fallen an, da eine intensivere, kontinuierliche Betreuung notwendig wird.[632]

Ein Schwerpunkt liegt zudem bei den Prozesskosten, z.B. für die nun durchgeführten Forschungs- und Entwicklungsarbeiten. Diese Kosten sind wesentlich von den innerbetrieblichen Strukturen der dafür zuständigen Abteilungen abhängig. In gemeinsamen Entwicklungsarbeiten können durch höhere Transaktionskosten niedrigere Prozesskosten anfallen, da Entwicklungsleistungen durch Know-how-Transfer effizienter ausgeführt werden.[633]

Bei der Durchführung dieser Arbeiten fallen in geringerem Umfang auch Einzelkosten an, z.B. durch Materialverbrauch in der Forschung. Die Festlegung der in der zukünftigen Produktion anfallenden Einzel- und Prozesskosten ist insgesamt jedoch von wesentlich größerer Bedeutung.

4.2.2.3 Gestaltung des Produktionsnetzwerkes

Das Produktionsnetzwerk hat die Anforderungen der Kunden an die Leistungen der Wertschöpfungskette in konkreter Form zu berücksichtigen. Die von Fisher vorgestellte Eintei-

---

[629] Vgl. Vollmann/Cordon/Raabe 1998, 379.
[630] Vgl. Lee/Billington 1992, 71; Levy 1997, 98.
[631] Vgl. Heim 1994, 29.
[632] Die Höhe der Transaktionskosten wird begrenzt durch den Übergang zu einer marktlichen Beziehung, bei der keine Zusammenarbeit mit dem Lieferanten erfolgt.
[633] Vgl. Cooper/Slagmulder 1999, 233ff; Göpfert/Knecht 2000, 516.

lung in innovative und funktionale Produkte[634] sowie physisch-effiziente und marktresponsive Supply Chains[635] stellt deutlich heraus, dass Produkt und Supply Chain zueinander passen müssen. Die Kostenwirkungen dieser Überlegungen sind bei der Gestaltung des Produktionsnetzwerkes zu berücksichtigen, so dass die Produktionskompetenzen der einzelnen Unternehmen optimal vernetzt werden.[636]

Die Begriffe der effizienten und der responsiven Kette implizieren dabei bereits auch Kostenwirkungen, die Fisher in seinem Beitrag darstellt, ohne eine Trennung in verschiedene Kostenebenen vorzunehmen.[637] Effiziente Ketten zielen auf eine Minimierung der Transaktions- und Prozesskosten. Durch den Einsatz von Informationstechnologien, bespielsweise Electronic Data Interchange (EDI),[638] werden Quick Response (QR) und Efficient Consumer Response (ECR)[639] Lösungen möglich, die auf die optimale Gestaltung von Produktion und Lagerhaltung in der Lieferkette und vor allem der Verkaufsstelle abzielen.[640] Die entscheidenden Rahmenbedingungen für diese Optimierungen liegen in der relativ gleichmäßigen Nachfrage nach diesen, häufig preiswerten Produkten mit geringen Einzelkosten.

In responsiven Ketten, wie sie für modische Produkte mit in der Regel höheren Einzelkosten notwendig sind, kann nur begrenzt eine Optimierung der Transaktions- und der Prozesskosten erreicht werden. Die schnellen Produktwechsel führen dazu, dass eine regelmäßige Kommunikation entlang der Supply Chain notwendig wird. Damit sind verstärkt organisatorische Rahmenbedingungen zu schaffen, die eine Anpassung der Materialflüsse entlang der Kette erlauben.

Insgesamt sind in diesem Integrationsfeld die Einzelkosten bereits von größerer Bedeutung, da die Erfolge der Optimierung von der Art der Produkte abhängig sind. Schwerpunkt der Überlegungen bilden erneut die Transaktions- und Prozesskosten, die besonders im Produktionsnetzwerk direkt miteinander verknüpft sind, da jede Aktion eines Partners in der Kette, z.B. der Einsatz von Materialien mit leicht veränderten Eigenschaften, häufig direkt auf die Fertigungsprozesse des nächsten Unternehmens in der Kette wirkt. Als Folge entstehen neue Informationsaustausche und zusätzliche administrative Prozesse.

4.2.2.4 Prozessoptimierung in der Wertschöpfungskette

Nachdem in den vorhergehenden Integrationsfeldern die Entscheidungen auf den verschiedenen Ebenen getroffen wurden, zielt die Prozessoptimierung in der Wertschöpfungskette auf die operative Ausgestaltung der Kette ab. In diesem Feld findet sich der Schwerpunkt der Arbeiten zum Supply Chain Management. Darin werden direkte Bezüge einzelner Maßnahmen zu Kostensenkungen hergestellt.[641] Wie bereits angesprochen, sind Kostensenkungen zumeist die Folge von Maßnahmen, die primär an der Lieferzeit und dem Lagerbestand in der Kette gemessen werden.[642] Die Abbildung und Modellierung der operativen Prozesse erlaubt festzustellen, welche Einzelteile und -schritte besonders ressourcen- bzw. kostenin-

---

[634] Vgl. Fisher 1997, 107.
[635] Vgl. Fisher 1997, 108.
[636] Vgl. Bellmann 1996, 53.
[637] Vgl. Fisher 1997, 105-116.
[638] Vgl. Monczka/Trent/Handfield 1997, 649-659; Lummus/Vokurka 1999, 13.
[639] Vgl. zur Abgrenzung zwischen QR und ECR: Chase/Aquilano/Jacobs 1998, 488; Lummus/Vokurka 1999, 13.
[640] Vgl. Kuglin 1998, 102-105; Sharpe/Hill 1998, 104-122.
[641] Vgl. Stevens 1989, 3; Ellram 1991, 13; Cooper/Ellram 1993, 14; Hewitt 1994, 2; LaLonde/Pohlen 1996, 1; Abrahamson/Brege 1997, 35; Christoper 1998a, 25; Ganeshan et. al. 1998, 845; Tyndall et. al. 1998, 11; Beamon 1999, 277ff; Mason-Jones/Towill 1999, 62; Brewer/Speh 2000, 75; Chandra/Kumar 2000, 100-113; National Reserach Council 2000, 54.
[642] Vgl. z.B. Jones/Riley 1985; Lee/Billington 1992; Farris 1996,; Towill 1996b.

tensiv sind, so dass Einzel- und Prozesskosten analysiert und optimiert werden. Diese Ausgestaltung ist ebenfalls von der Zusammenarbeit mit den Partnern in der Wertschöpfungskette abhängig. Allerdings liegt der Schwerpunkt nicht auf den dadurch verursachten Transaktionskosten, die stärker in den vorangegangenen Feldern verursacht und beeinflusst werden.

4.2.3 Gesamtschau der Analyse in den vier Integrationsfeldern

Die Darstellung der einzelnen Integrationsfelder der Produkt-Kooperations-Matrix zeigt, dass sich die Kosten entlang dieser vier Schritte in der Tendenz von den Transaktionskosten hin zu den Einzelkosten bewegen. Die Einteilung des Life-Cycle Costing in Kostenanfall und -festlegung entspricht dieser Aussage. Die Prozesskosten sind in allen vier Schritten von hoher Relevanz, so dass sich als Gesamtschau für den Kostenanfall in den drei Kostenebenen Abbildung 38 ergibt. Dabei sei betont, dass immer alle drei Kostenebenen relevant sind, die Abbildung jedoch die Schwerpunkte des Kostenanfalls in den Integrationsfeldern herausstellt.

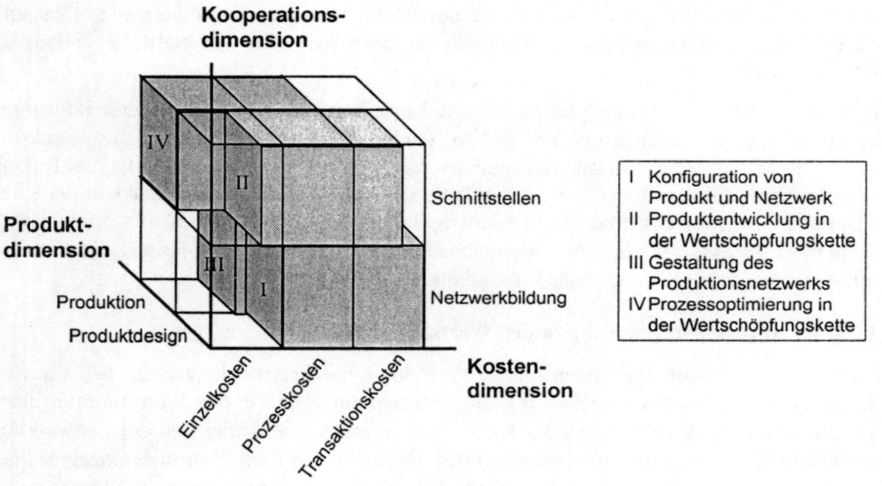

Abbildung 38: Kostenschwerpunkte in den vier Integrationsfeldern
Quelle: eigene.

Die relative Höhe der Kosten hängt stark von der Art des Produktes ab. Bei langlebigen Gütern mit relativ langen Marktzyklen (funktionale Produkte) werden die Einzel- und Prozesskosten entlang des Produktlebenszykluses die Transaktionskosten übersteigen. Bei diesen Produkten und den dazugehörigen effizienten Wertschöpfungsketten liegen große Potentiale im Integrationsfeld IV. Die Optimierung der Prozesse entlang der Kette erfolgt oft durch viele kleine Einzelschritte. Im Sinne des damit verbundenen Kaizen-Prozesses können aus einer Reihe kleiner Verbesserungen schließlich wesentliche Verbesserungen der Leistungsfähigkeit der gesamten Kette resultieren.[643]

[643] Vgl. Schroeder/Robinson 1991, 67-81.

Bei Produkten, die aufgrund modischer oder technologischer Zyklen sehr kurzlebig sind, steigen dagegen die Kosten in frühen Phasen erheblich an. Da der Vermarktungszyklus dieser Produkte häufig kürzer ist als der Entstehungszyklus, besteht ein hohes Risiko, die in frühen Phasen getätigten Investitionen nicht wieder einzuspielen.[644] Aufgrund dieser Tatsache kommt den Transaktions- und den Prozesskosten innerhalb der Gesamtkosten der Wertschöpfungskette dieser Produkte eine besondere Bedeutung zu. Die vorstehende, grobe Analyse im Sinne des Life-Cycle Management wird nun detailliert. Dazu werden das Target Costing und die Prozesskostenrechnung aufgegriffen.

4.3 Supply Chain Target Costing

Sowohl das Target Costing als auch die Prozesskostenrechnung haben verschiedene Erweiterungen und Anwendungen erfahren. Eine kurze Übersicht zu diesen Arbeiten dient als Ausgangspunkt, um den bisherigen Einsatzbereich mit dem Gegenstandsbereich des Supply Chain Costing abzugleichen. Daran anschließend wird dargelegt, welche über die bestehenden Ansätze hinausgehenden Erweiterungen der beiden Instrumente notwendig sind, um den gesamten Gegenstandsbereich des Supply Chain Costing zu erfassen.

4.3.1 Erweiterungen des Target Costing

Das Target Costing in seiner „klassischen" Ausprägung zielt auf die Gestaltung der Kosten eines Produktes in der Phase der Produktentwicklung, wobei Vorgaben des Marktes in die Planung und Gestaltung des Produktes und damit der Kosten eingebunden werden.[645] Diese Ausprägung des Instruments Target Costing kann im Supply Chain Costing in die Phase der Produktentwicklung in der Produktdimension eingeordnet werden, wobei in der engsten Ausprägung lediglich die Einzelkosten der Produkte beachtet werden.[646]

Mittlerweile hat das Target Costing eine Reihe von Erweiterungen erfahren. Wesentlich können diese in sechs verschiedene Bereiche eingeordnet werden:

- Anwendung in der Produktentwicklung von Dienstleistungen,[647]
- Anwendung bei bestehenden Produkten und Prozessen,[648]
- Einbindung von Kunden und Lieferanten,[649]
- Verknüpfung mit kontinuierlichen Verbesserungsprozessen (Kaizen Costing),[650]
- Integration mit anderen Instrumenten des Kostenmanagements, insbesondere der Prozesskostenrechnung[651] und
- dem Life-Cycle Costing.[652]

---

[644] Vgl. Fisher et. al. 1994, 83ff.

[645] Siehe die Ausführungen zum Target Costing in Abschnitt 3.2.3.

[646] Siehe auch die darauf beschränkten Ausführungen bei Werner 2000a, 190-192.

[647] Gerade in diesem Bereich liegen eine Vielzahl von Beiträgen vor, wodurch die Bedeutung der Anwendung des Target Costing unterstützt wird. Vgl. Gleich 1996; Niemand 1996; Funke 1998; Rudolph 1998; Baumöl 1999; Kastrup 1999.

[648] Vgl. Shank/Fisher 1999, 73-82.

[649] Vgl. Seidenschwarz/Niemand 1994, 262-270; Cooper/Slagmulder 1999, 181-232; Lockamy/Smith 2000, 213-216; Smith/Lockamy 2000, 67-78.

[650] Das dadurch gegebene Kaizen Costing kann auch als ein eigenes Instrument des Kostenmanagements gesehen werden. In der Regel wird es aber in sehr engem Zusammenhang zum Target Costing gesehen. Vgl. Monden 1995, 287-330; Cooper/Slagmulder 1999, 271-303.

[651] Vgl. Mayer 1993, 75-92; Monden 1995, 331-340; Lockamy/Smith 2000, 212-213.

[652] Vgl. insbesondere Schmidt 2000; auch Gräfe 1998.

Da alle Erweiterungen im Rahmen dieser Arbeit von Bedeutung sind, werden sie kurz einzeln dargestellt und jeweils in die Systematik des Supply Chain Costing eingeordnet. Daran schließt sich eine zusammenfassende Übersicht zu den Erweiterungen an, die erlaubt, noch nicht genutzte Einsatzmöglichkeiten im Rahmen des Target Costing aufzuzeigen.

4.3.1.1 Target Costing in Dienstleistungsunternehmen

Um die Breite der Arbeiten vorzustellen, die den Anwendungsbereich des Target Costing schrittweise auf Produkte und Dienstleistungen[653] außerhalb klassischer Industrien ausweiten, werden exemplarisch einige Beispiele genannt: Target Costing für die montierende Industrie,[654] für industrielle Dienstleistungen,[655] bei der Softwareentwicklung,[656] bei Kreditinstituten,[657] für Rundfunkanstalten,[658] im Krankenhaus,[659] in öffentlichen Betrieben und Verwaltungen.[660] Diese Auswahl belegt die vielfältigen Anwendungszusammenhänge, in denen Target Costing eingesetzt wird. Damit wird die Nutzbarkeit des Target Costing in verschiedenen Kontexten deutlich.

Die einzelnen Beiträge finden ihre Ausgestaltung vor allem in der Anpassung des idealtypischen Target Costing Prozesses auf den jeweiligen Anwendungskontext. Eine der wesentlichen Schwierigkeiten liegt schon alleine darin, das Produkt oder die Dienstleistung entsprechend festzulegen.[661] Alleine dadurch wird häufig eine stärker prozess(kosten)orientierte Vorgehensweise notwendig. Diese branchen- oder unternehmensspezifischen Anwendungen vorausgesetzt, bleibt der Einsatzbereich des Target Costing weitgehend auf die Produktentwicklung beschränkt.

4.3.1.2 Target Costing bei bestehenden Produkten und Prozessen

Von besonderer Bedeutung ist die Ausweitung der Target Costing Methodik über die Prozesse der Produktentwicklung hinaus, zumal ein guter Teil der Literatur sich mit diesem Anwendungsfeld beschäftigt. Damit können für bestehende Produkte sowie Produktions- und Administrationsprozesse im Unternehmen die Abweichung zu den Marktpreisen der Konkurrenten festgestellt werden.[662] Von dieser Analyse ausgehend, werden dann entsprechend dem Vorgehen in der Zielkostenspaltung Vorgaben für einzelne Prozesse im Unternehmen erarbeitet.[663] Die so gesetzten Ziele sind dann durch geeignete Maßnahmen im Unternehmen zu erreichen. Shank und Fisher betonen, dass die dabei angestrebten Verbesserungen weit über den im Rahmen kontinuierlicher Verbesserungsprozesse (Kaizen) erreichbaren Zielen liegen.[664] Dafür müssen bestehende Strukturen sowohl in den Produktionsprozessen als auch in der betrieblichen Kostenrechnung in Frage gestellt werden.[665]

---

[653] Für eine Übersicht zum Thema siehe: Kaplan/Cooper 1997, 228-251.
[654] Vgl. Gleich 1996.
[655] Vgl. Niemand 1996.
[656] Vgl. Baumöl 1999.
[657] Vgl. Rudolph 1998.
[658] Vgl. Kastrup 1999.
[659] Vgl. Müller 1998.
[660] Vgl. Funke 1998.
[661] Vgl. Ausführungen in noch industriebezogenen Arbeiten: Gleich 1996, 20ff; Niemand 1996, 5ff.
[662] Dazu kann z.B. das Cost Benchmarking eingesetzt werden. Vgl. z.B. Becker 1993, 25; Horváth/Lamla 1995, 63-88; Hoffjan 1997, 343-355.
[663] Vgl. Shank/Fisher 1999, 74.
[664] Vgl. Shank/Fisher 1999, 74f.
[665] Vgl. Shank/Fisher 1999, 74.

4.3.1.3 Target Costing und Kaizen Costing

Das Kaizen Costing bildet durch seine dauerhafte Anwendung eine Ergänzung zum eher projekt- und entwicklungsbezogenen Target Costing in der Produktion. Entsprechend wird Kaizen Costing definiert als die Anwendung von Methoden der kontinuierlichen Verbesserung, die darauf abzielen, Kosten in der Höhe einer vorher festgelegten Zielgröße zu reduzieren.[666] Noch stärker formuliert, werden diese Kostenreduktionsziele in Vorgriff auf zukünftige Erwartungen festgelegt. Durch diese antizipativen Maßnahmen können Unternehmen vermeiden, später auf Kostendruck vom Markt her reagieren zu müssen.[667]

Diese Kostenreduktion wird in zwei Arten unterschieden. Entweder werden auf die Gemeinkosten ausgerichtete fabrik- bzw. abteilungsspezifische Ziele oder auf die Einzelkosten fokussierende produktspezifische Zielgrößen formuliert,[668] wobei gleichzeitig ein Zeithorizont für die Zielerreichung festgelegt wird.[669] Damit werden im Kaizen Costing in besonderer Weise die Prozessperspektive und die Zielerreichung miteinander verbunden[670] und die kreativen Potentiale der Mitarbeiter aktiviert.[671] Für den Kaizen Costing Prozess müssen den beteiligten Mitarbeitern regelmäßig Kosteninformationen zur Verfügung gestellt werden. Da diese gerade für neue Produkte aus den Zielkosten abgeleitet werden,[672] wird das enge Zusammenspiel der beiden Verfahren unmittelbar deutlich.[673] Target Costing und Kaizen Costing bilden daher nicht zwei getrennte Instrumente, sondern ein umfassendes Instrumentarium für das Kostenmanagement entlang des Produktlebenszykluses. Die Zweiteilung entspricht dabei den beiden Phasen der Produktdimension des Supply Chain Managements.[674]

Zudem zeigt das Kaizen Costing erneut auf, welche Managementbedeutung Kosteninformationen zukommen, so dass es nicht um die „richtige rechentechnische Erfassung", sondern um die Eignung der Informationen für die Analyse und Gestaltung von Produkten und Prozesse geht.[675]

4.3.1.4 Einbindung von Lieferanten ins Target Costing

Überlegungen zur Einbindung von Lieferanten ins Target Costing finden sich bereits in frühen Arbeiten zum Thema.[676] Seidenschwarz und Niemand haben einen umfassenden Ansatz vorgelegt, der die Integration der Zulieferer in den Prozess des Target Costing beinhaltet.[677] In jüngeren Arbeiten wird das Thema nun durchgehend berücksichtigt,[678] wobei erneut Cooper und Slagmulder eine ausführliche Darstellung dazu bieten.[679]

Der Ausgangspunkt des Target Costing liegt in der Regel bei Unternehmen am Ende der Wertschöpfungskette. Durch die Nähe zum Kunden bestehen ideale Voraussetzungen, die Wünsche der Kunden in die Produktentwicklung einzubringen.[680] Entsprechend der allge-

---

666 Vgl. Horváth/Seidenschwarz/Sommerfeldt 1993, 16; Hasegawa 1994, 7; Cooper/Slagmulder 1997, 56.
667 Vgl. Cooper/Slagmulder 1999, 271.
668 Vgl. Monden 1995, 289; Cooper/Slagmulder 1999, 273.
669 Vgl. Monden 1995, 291; Cooper/Slagmulder 1999, 273.
670 Vgl. Kaplan/Cooper 1997, 58.
671 Vgl. Kaplan/Cooper 1997, 58; Cooper 1997, 457.
672 Vgl. Horváth/Seidenschwarz/Sommerfeldt 1993, 16; Cooper/Slagmulder 1999, 273.
673 Vgl. Monden 1995, 7.
674 Vgl. Jehle/Willeke 1996, 258.
675 Vgl. Kaplan/Cooper 1997, 58f; auch Turney/Anderson 1989, 37-47.
676 Vgl. Seidenschwarz 1993, 236-237; Franz 1993, 128; Klinger 1993, 202.
677 Vgl. Seidenschwarz/Niemand 1994, 262-270.
678 Vgl. Ansari/Bell 1997, 92ff; Hagenloch 1997, 325; Gleich/Seidenschwarz 1999, 577ff.
679 Vgl. Cooper/Slagmulder 1999, 181-232.
680 Vgl. Tanaka 1989, 49-71; Rösler 1995, 214-219; Cooper/Chew 1996, 88-97.

meinen Vorgehensweise werden über die Schritte des Market-Driven Costing und des Product-Level Target Costing die Component-Level Target Costs ermittelt, die dann an die Lieferanten der einzelnen Teile weitergegeben werden.

Für die Einbindung der Lieferanten bildet ein kooperatives Verhältnis eine wichtige Voraussetzung, so dass Risiken und Nutzen entlang der Wertschöpfungskette geteilt werden.[681] Diese Überlegung findet sich auch in anderen Konzepten, z.B. im Lean Management,[682] und haben zur Ausprägung des Kooperationsmanagements geführt.[683]

Ausgangspunkt der Lieferantenintegration bildet die Analyse der bisherigen Leistungsfähigkeit der Lieferanten,[684] wobei der Einkaufsabteilung eine besondere Bedeutung zukommt.[685] Aufgrund dieser Informationen kann die konkrete Festsetzung der Zielkosten für die Lieferanten vorgenommen werden. Das gewählte Vorgehen hängt dabei von der Art der Lieferteile, der Machtkonstellation und der Know-how-Verteilung zwischen Lieferant und Kunde ab.[686] Je größer die Macht und das spezifische Wissen des Lieferanten ist, desto weniger ist es möglich, Zielkosten vorzuschreiben, so dass ein Aushandlungsprozess notwendig ist. Bei abhängigen Lieferanten dagegen werden die Zielkosten oft bis hin zum einzelnen Teil eines gelieferten Modells konkret vorgegeben. Erscheint es notwendig, kann sogar auf die Erreichung der Zielkosten durch den Lieferanten Einfluss genommen werden.[687]

Die Fortsetzung dieser Vorgehensweise über mehrere Stufen der Wertschöpfungskette führt dann zum Chained Target Costing, das Abbildung 39 exemplarisch für zwei Stufen aufzeigt.

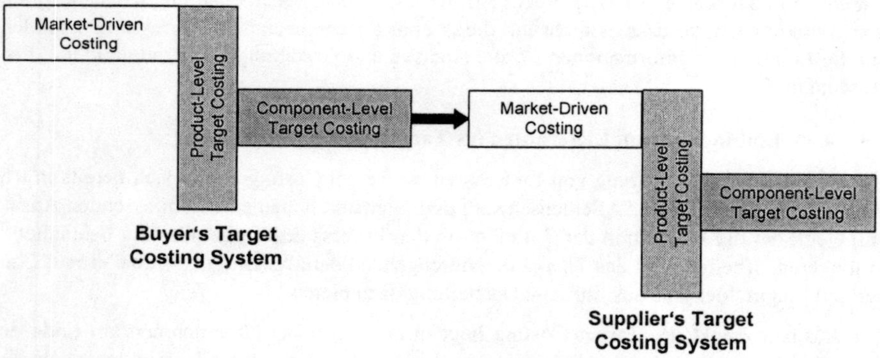

Abbildung 39: Chained Target Costing zwischen zwei Unternehmen
Quelle: Cooper/Slagmulder 1999, 204.

Dieser Prozess setzt sich über die gesamte Wertschöpfungskette fort[688] und wird schließlich da begrenzt, wo keine spezifischen Teile mehr zugeliefert werden bzw. Lieferanten in der Kette, z.B. aufgrund ihrer Unternehmensgröße, sich dem Druck des Kunden entziehen kön-

[681] Vgl. Monden/Nagao 1989, 182f; Fites 1996, 85f; Handfield/Nichols 1999, 67f; Handfield et. al. 1999, 62; National Reserach Council 2000, 59f.
[682] Vgl. Womack/Jones/Ross 1991, 148; Levy 1997, 95; MacDuffie/Helper 1997, 118.
[683] Vgl. z.B. Pampel 1993, 9ff; Aulinger 1996, 30ff; Horstmann 1998, 32ff.
[684] Vgl. die Ausführungen zum Konzept des Total Cost of Ownership in Abschnitt 3.5.3.
[685] Vgl. Ellram 2000, 39-50.
[686] Vgl. Cooper/Slagmulder 1999, 191.
[687] Vgl. Cooper/Slagmulder 1999, 194.
[688] Vgl. für ein Beispiel: Cooper/Yoshikawa 1994, 52.

nen.[689] Insgesamt werden die Vorteile der Lieferantenintegration in das Target Costing in der Verkürzung der Entwicklungszeiten im Sinne des Simultaneous Engineering[690] und verbesserte Nutzung des Know-hows der einzelnen Partner in der Kette gesehen.

4.3.1.5 Integration von Target Costing und Prozesskostenrechnung

Die Prozesskostenrechnung stellt insbesondere für Gemeinkostenbereiche Informationen zur Verfügung, die eine Basis für im Target Costing auf die einzelnen Produkte oder Komponenten verrechneten Gemeinkosten bilden,[691] wie Abbildung 40 veranschaulicht.

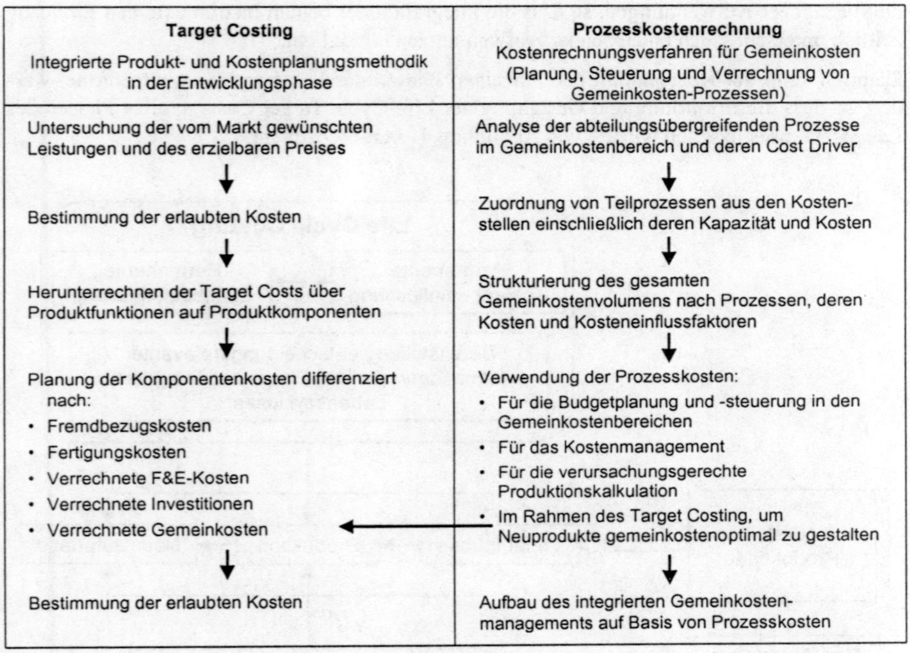

Abbildung 40: Zusammenhang Target Costing – Prozesskostenrechnung
Quelle: Mayer 1993, 79.

Die Einbindung der Prozesskostenrechnung schließt damit eng an die Darstellung der Erweiterungen des Target Costing über die industrielle Produktentwicklung hinaus an. Informationen der Prozesskostenrechnung können in (fast) allen Bereichen die Datenbasis für die Planung, Steuerung und Kontrolle der Kosten bilden,[692] so dass auch durch Kaizen Prozesse unterstützt werden.[693]

---

689 Vgl. Cooper/Slagmulder 1999, 205ff.
690 Vgl. Ansari/Bell 1997, 94; Cooper/Slagmulder 1999, 257.
691 Vgl. Mayer 1993, 84f; Freidank 1993, 392; Sakurai/Keating 1994, 84; Kaplan/Cooper 1997, 217. In ähnlicher Weise können Informationen der Prozesskostenrechnung auch in anderen Instrumenten des Kostenmanagements eingesetzt werden. Vgl. z.B. zum TCO: Ellram 1994, 171-192.
692 Vgl. Stoi 1999, 38ff.
693 Vgl. Freidank 1993, 392; Kaplan/Cooper 1997, 57.

4.3.1.6 Entwicklung eines Life-Cycle Target Costing

Da auch in diesem Fall bereits beide Ansätze dargestellt wurden, kann direkt auf die Integration der beiden Instrumente eingegangen werden. Zumeist erfolgt dabei eine Integration des Lebenszykluses in das Target Costing.[694]

Auch die Verbindung zwischen Life-Cycle Costing und Target Costing findet sich bereits in frühen Arbeiten.[695] Das Target Costing setzt generell in früheren Phasen des Produktlebenszykluses an, insbesondere in der Produktentwicklung, da in dieser Phase die Beeinflussbarkeit der Kosten noch sehr hoch ist. Zumeist werden die durchschnittlichen Kosten einer Produkteinheit betrachtet. Die Integration des Life-Cycle Costing führt zur Betrachtung produktbezogener Aufwendungen, so dass die Integration der beiden Instrumente den Einbezug zeitlich unterschiedlich entstehender Aufwendungen ermöglicht.[696]

Dadurch kann der Kostenanfall den einzelnen Phasen des Lebenszykluses zugeordnet werden, so dass die Ermittlung und Gestaltung der Life-Cycle Target Costs in allen Phasen des Lebenszykluses möglich wird,[697] wie Abbildung 41 veranschaulicht.

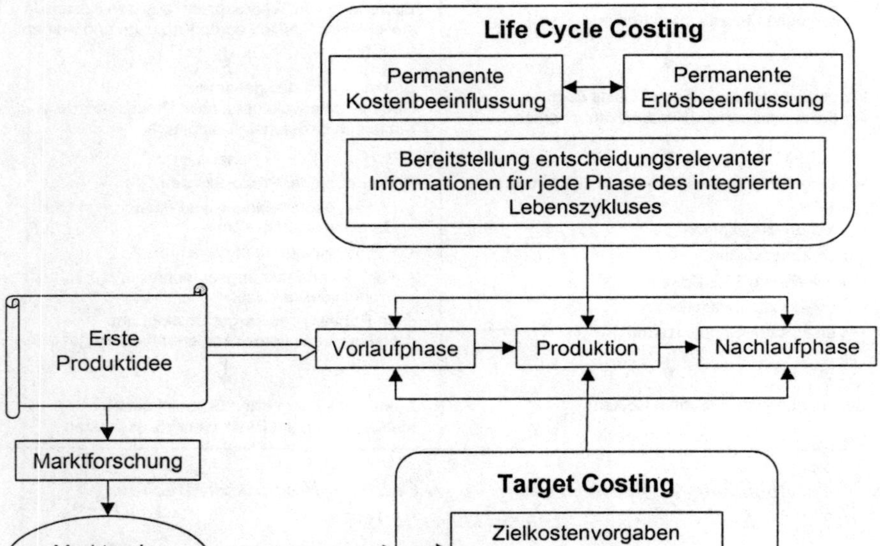

Abbildung 41: Life-Cycle Costing und Target Costing
Quelle: Schmidt 2000, 77.

Die Ausführungen geben eine Übersicht, welche Erweiterungen das Target Costing bisher erfahren hat. Damit sind bereits vielfältige Punkte angesprochen, die das Instrument in engen Zusammenhang zum Supply Chain Costing stellen.

---

[694] Vgl. Ansari/Bell 1997, 45; Schmidt 2000, 41ff.
[695] Vgl. Coenenberg/Fischer/Schmitz 1994, 35; Seidenschwarz 1994, 75.
[696] Vgl. Schmidt 2000, 77; Brühl 1996, 322.
[697] Vgl. Schmidt 2000, 77.

4.3.1.7 Abdeckung des Supply Chain Costing durch die bisherigen Erweiterungen

Wie bereits erwähnt, kann das Instrument Target Costing im Supply Chain Costing in die Phase der Produktentwicklung in der Produktdimension einsortiert werden. Im folgenden Schritt werden die fünf Erweiterungen des Target Costing in die Dimensionen des Supply Chain Costing eingeordnet. Die Anwendung des Target Costing außerhalb der Produktentwicklung findet dabei nur Berücksichtigung bezüglich des Einsatzes zum Kostenmanagement administrativer oder produktiver Prozesse.

Target Costing Erweiterungen	**Bezug zum Supply Chain Costing**		
	Produktdimension	Kooperationsdimension	Kostendimension
	Erweiterung der Dimension auf		
Anwendung in Dienstleistungsunternehmen			Prozesskosten
Anwendung bei bestehenden Produkten und Prozessen	Produktionsphase		Prozesskosten
Kaizen Costing	Produktionsphase		Prozesskosten
Einbindung von Lieferanten und Kunden		Schnittstellenoptimierung	Prozesskosten
Integration mit der Prozesskostenrechnung	Produktionsphase		Prozesskosten
Life-Cycle Target Costing	Produktionsphase		

Tabelle 16: Target Costing Erweiterungen im Kontext des Supply Chain Costing
Quelle: eigene.

Wie Tabelle 16 zusammenstellt, werden insgesamt nur drei Arten von Erweiterungen vorgenommen. Am häufigsten werden die Produktionsphase und die Prozesskosten berücksichtigt. Indem Lieferanten und Kunden in das Target Costing eingebunden werden, müssen zwangsweise auch die Schnittstellen zu diesen analysiert und gestaltet werden.

Die Beschränkung der bisherigen Ansätze im Verhältnis zum Konzept des Supply Chain Costing wird aus Abbildung 42 deutlich. Aus dieser Veranschaulichung geht klar hervor, dass die Bildung des Netzwerkes mit den Lieferanten nicht einbezogen wurde, so dass es fast konsequent erscheint, dass auch die wertschöpfungskettenweiten Transaktionskosten, die aus den Interaktionen mit Kunden und Lieferanten entstehen, nicht zum Gegenstand des Target Costing gemacht wurden.

Die Diskussion der einzelnen Erweiterungen hat die Breite der Anwendungsmöglichkeiten des Target Costing belegt. Die Methodik des Target Costing kann daher im gesamten Gegenstandsbereich des Supply Chain Costing eingesetzt werden. Eine Vorgehensweise dafür wird anschließend vorgestellt.

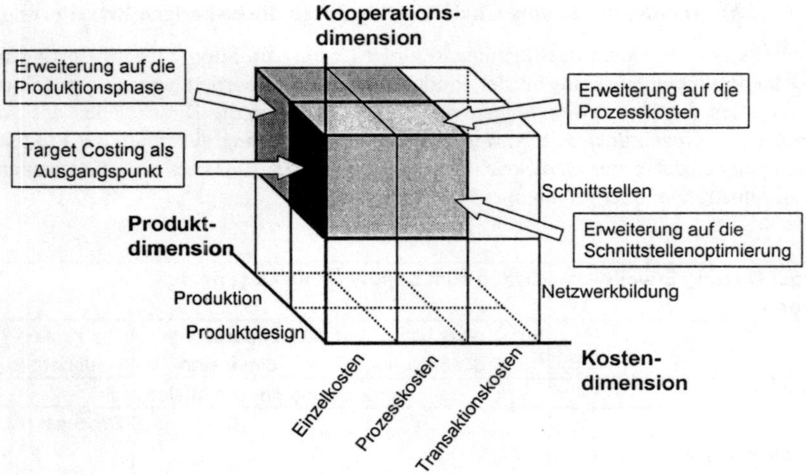

Abbildung 42: Target Costing Erweiterungen im Supply Chain Management
Quelle: eigene.

4.3.2 Zur Ausgestaltung des Supply Chain Target Costing

Die vorstehenden Ausführungen zeigten auf, dass sich die Methodik des Target Costing für viele Anwendungsbereiche als leistungsfähig erwiesen hat. Daher wird veranschaulicht, wie das Target Costing an den gesamten, durch das Supply Chain Costing abgedeckten Gegenstandsbereich angepasst werden kann. Wie bereits dargelegt, geht die Einbindung der Lieferanten in der Regel von dem Unternehmen aus, das am Ende der Wertschöpfungskette steht. Der Marktvorbau, also die Schnittstelle zu den Kunden, bildet dabei den Ausgangspunkt. Die Anwendung des Target Costing für die Produktentwicklung im Unternehmen verändert sich durch die Integration in das Supply Chain Costing.

4.3.2.1 Rahmenbedingungen des Supply Chain Target Costing

Produktentwicklungen werden nur noch selten von einem Unternehmen alleine geleistet. Einerseits bestehen enge Beziehungen zu den Kunden für Produkte die „customised", also individualisiert werden, andererseits bildet das Know-how der Lieferanten eine wichtige Basis für die Entwicklung des Gesamtproduktes. Die Festlegung der Einzelkosten folgt dabei den im Target Costing üblichen Mustern. Die Verhandlung der Preise für die Zulieferteile kann ebenfalls über Marktmechanismen erfolgen. Bei unbedeutenden Teilen sind diese Mechanismen anderen Lösungen überlegen.

Beim Zukauf wichtiger Einzelteile, die entscheidenden Einfluss auf die Gestaltung und/oder Funktionsweise des Produktes haben, wird die engere Zusammenarbeit zwischen den Unternehmen erforderlich. Diese führt zu steigenden Prozess- und Transaktionskosten, die nun ebenfalls in die Überlegungen des Target Costing einbezogen werden.

Die Entwicklung spezifischer Zulieferteile, die nur an einen Kunden verkauft werden können, macht eine enge Zusammenarbeit erforderlich. Das Risiko, ein Teil zu entwickeln, dass die Anforderungen nicht erfüllt, ist für beide Seiten so hoch, dass Maßnahmen zur Risikobegrenzung ergriffen werden.

Auch die Kosten und der Zeitbedarf der Produktentwicklung selbst können Gegenstand des Target Costing sein, da zu hohe Entwicklungskosten im Laufe des Lebenszykluses nicht wieder eingespielt werden können.[698] Daher muss sowohl der innerbetriebliche als auch der kettenweite Aufwand für Forschung und Entwicklung in der Gesamtplanung des Produktes berücksichtigt werden. Aus den geplanten Verkaufserlösen wird im Sinne des Tragfähigkeitsprinzips[699] auf die maximal zur Verfügung stehende Summe für die Entwicklungsleistungen geschlossen.

Im Entwicklungsprozess entstehen vor allem Prozess- und Transaktionskosten, so dass die Anzahl der verfolgbaren Alternativen und damit die Anzahl der Lieferanten, die aktiv in die Produktentwicklung einbezogen werden, stark begrenzt sind. Als Folge davon wird in vielen Fällen nur noch mit einem (Single Sourcing) oder mit zwei (Dual Sourcing) Lieferanten zusammengearbeitet.[700]

Dies ist kongruent mit der im Supply Chain Management verfolgten Strategie der Reduktion der Lieferantenzahl, die zu einer erheblichen Verringerung der Prozesskosten für das interne Lieferantenmanagement und der Transaktionskosten für die Informations- und Verhandlungsprozesse mit den Lieferanten führen kann.[701] Empirische Studien beschrieben dies vor allem für die Automobilindustrie.[702] Dort werden oft Dual Sourcing Strategien bevorzugt, da einerseits die hohe Spezifität der Entwicklung und deren Kosten nur die Einbindung sehr weniger Lieferanten zulassen, andererseits aber die Abhängigkeit von nur einem Lieferanten vermieden werden soll.[703]

Auf der Basis der beschriebenen Zusammenhängen wird nun eine Vorgehensweise für das Supply Chain Target Costing vorgestellt, die sich im ersten Schritt an der Produktentwicklung orientiert und im zweiten Schritt auf den gesamten Gegenstandsbereich erweitert wird.

4.3.2.2 Die drei Kostenebenen im Supply Chain Target Costing

Den Ausgangspunkt der Vorgehensweise bildet ein Unternehmen, das am Ende der Wertschöpfungskette steht und die Anforderungen der Kunden aufgreift. Davon ausgehend bleibt die Vorgehensweise im Market-Driven Costing unverändert, so dass aus den Marktbedingungen zuerst Zielverkaufspreise und dann Zielkosten (allowable costs) abgeleitet werden. Aus der Differenz ergibt sich die notwendige Kostenreduktion. Da die Einzel- oder Produktkosten gemeinsam mit den Prozess- und Transaktionskosten optimiert werden sollen, erfolgt nun eine Aufspaltung in diese drei Bereiche, wie Abbildung 43 veranschaulicht. Dazu ist es notwendig, die bisher entstehenden Kosten für die drei Ebenen Einzel-, Prozess- und Transaktionskosten zu bestimmen.

Die Aufteilung in die drei Kostenebenen bietet die Möglichkeit, die weiteren Aspekte des Supply Chain Costing in die Analyse und Gestaltung der Kosten zu integrieren. Die Vorgehensweise für die Einzelkosten und die Prozesskosten ist durch die bisherigen Ausführungen abgedeckt. Bei den Transaktionskosten ist zu erfassen, welche Kosten durch die Zusammenarbeit mit den Lieferanten entstehen. Indem die Kosten für die Zusammenarbeit mit Lieferanten ermittelt werden, kann das Gesamtkostenoptimum über alle drei Kostenebenen hinweg gesucht werden.

---

698 Vgl. Gierl/Kotzbauer 1992, 974f; Ehrlenspiel 1995, 316.
699 Vgl. Brockhoff 1987, 853; Graßhoff/Gräfe 2000, 346.
700 Vgl. Homburg 1995, 813-816; Arnold 1997, 97f.; Prabhu/Talpade/Ramarapu 1997, 269-278.
701 Vgl. Burt 1989, 127; Vollmann/Cordon/Raabe 1998, 378; Cooper/Slagmulder 1999, 84.
702 Vgl. Helper 1991, 15-28; Helper/Sako 1995, 77-84; Dyer 1996, 42-56; Dyer/Cho/Chu 1998, 57-77.
703 Vgl. Arnold 1997, 99; Arnold/Eßig 2000, 125.

Dabei sind entsprechend der Definition die Informations- und Koordinationskosten für die Anbahnung, Vereinbarung, Kontrolle und Anpassung wechselseitiger Leistungsbeziehungen[704] zu erheben.

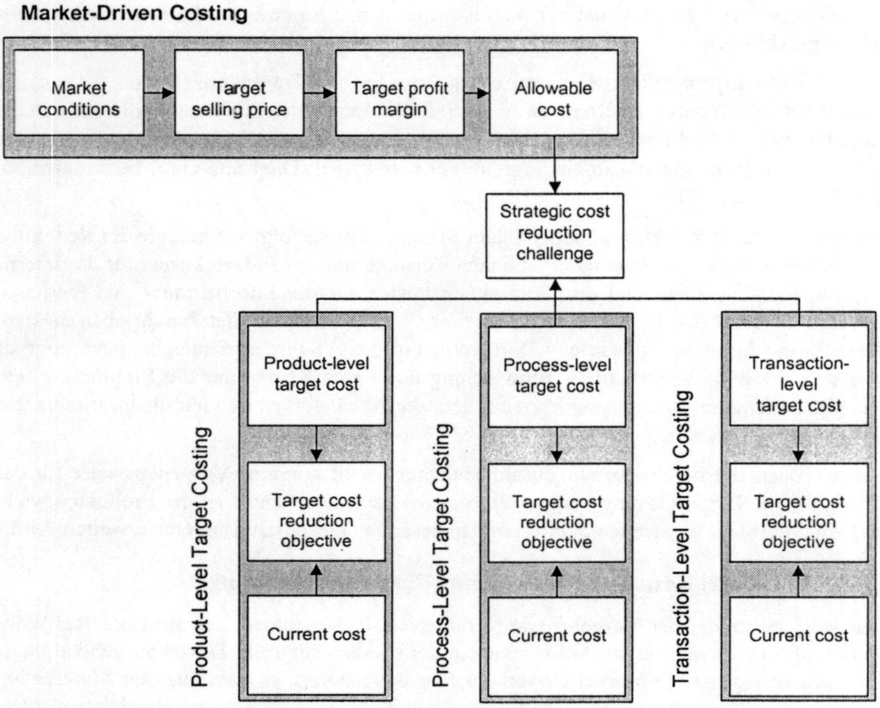

Abbildung 43: Produkt-, Prozess- und Transaktions-Target Costing
Quelle: eigene.

Das Unternehmen am Ende der Kette hat dabei zu beachten, dass eine starke Reduktion der Prozess- und Transaktionskosten durch die Beschränkung auf eine minimale Anzahl an Lieferanten ebenfalls zu Problemen führen kann. Damit gilt diesbezüglich keine strenge Minimierungsvorschrift, sondern es ist die richtige Mischung zwischen der Anzahl der Lieferanten, deren Leistungsfähigkeit und den damit verbundenen Kosten anzustreben. Damit fließen Überlegungen aus dem Total Cost of Ownership ein, da der Ausfall eines Lieferanten zu stark erhöhten Prozess- und Transaktionskosten führen kann. Indem das Unternehmen diese Überlegungen berücksichtigt, werden schließlich alle drei Dimensionen des Supply Chain Costing integriert.

Die aktive Einbindung der Lieferanten in das Supply Chain Target Costing erweitert die Perspektive zusätzlich.

[704] Vgl. Picot 1982, 270; Picot/Dietl 1990, 178.

4.3.2.3 Integration von Lieferanten ins Supply Chain Target Costing

Über die bisher geschilderte Einbindung der Lieferanten, die auf der Basis der Kosten von Komponenten geschieht, wird nun der Blick auf die Kooperationsdimension des Supply Chain Managements gerichtet. Einzel-, Prozess- und Transaktionskosten entstehen nicht nur beim Endglied der Wertschöpfungskette, sondern bei jedem Kettenglied.

Damit sind Optimierungen entlang der gesamten Wertschöpfungskette anzustreben, die die Kostenvorteile und -nachteile aller Partner in der Kette berücksichtigen, da nur so die dauerhafte Wettbewerbsfähigkeit der gesamten Kette sichergestellt wird.

Als Beispiel für die Abwägungen zwischen den Kostenebenen werden Aspekte der Teileanzahl und der Teileverfügbarkeit diskutiert. Durch gemeinsame Anstrengungen der Unternehmen in der Kette können Standardteile ausfindig gemacht werden, die in verschiedenen Anwendungen eingesetzt werden können. Dadurch entstehen im ersten Schritt erhöhte Transaktionskosten zwischen den Unternehmen, die allerdings dazu führen, dass für alle Unternehmen geringere Prozesskosten für das Handling einer geringeren Anzahl an Teilen anfallen. Zudem können durch die Bündelung auf wenige Teile beim Zulieferer die Losgrößen in der Produktion optimiert werden.

Das Beispiel zeigt, wie übliche Zielsetzungen im Supply Chain Management mit der Dreiteilung des Kostenbegriffs analysiert werden können. Außerdem wird deutlich, dass die Zielkosten des Produktes am Markt keineswegs nur durch Maßnahmen im Bereich der Einzelkosten erreicht werden können. Durch kooperative Zielsetzungen auf allen drei Ebenen und das Wissen um die drei Kostenebenen werden einseitige Maßnahmen der Kostenreduktion vermieden, die letztlich die Leistungsfähigkeit des Gesamtsystems beeinträchtigen können. Daher gilt es, die „cost-trade-offs" zwischen den drei Kostenebenen zu berücksichtigen (vgl. Abbildung 44).

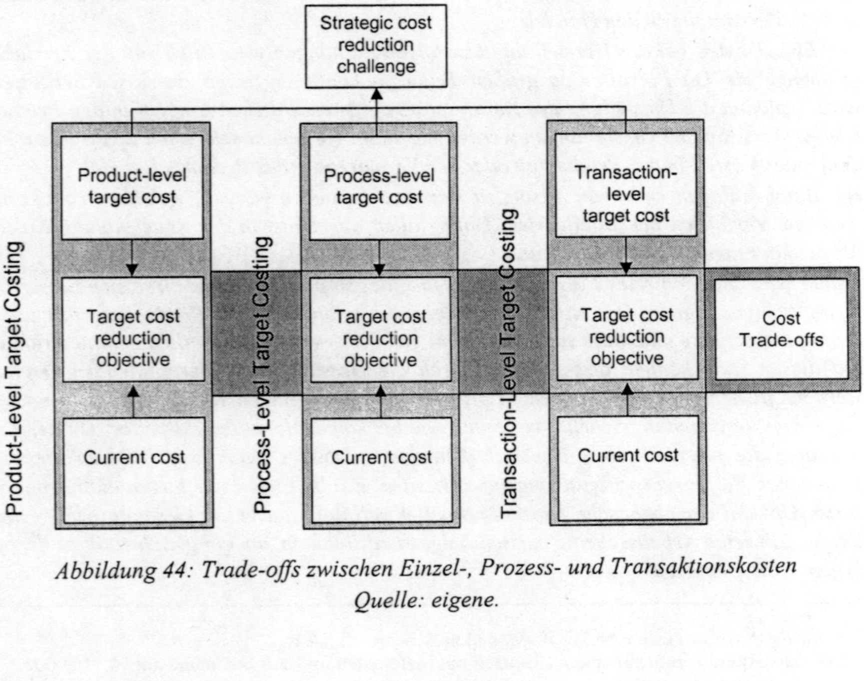

Abbildung 44: Trade-offs zwischen Einzel-, Prozess- und Transaktionskosten
Quelle: eigene.

Aus der Diskussion wird deutlich, dass es notwendig ist, eine gemeinsame Datenbasis für die einzelnen Maßnahmen zu gewinnen. Da die gesamte Wertschöpfungskette prozessorientiert modelliert werden kann,[705] bietet es sich an, die Prozesskostenrechnung aufzugreifen.

Kasten 20: Futterstoffe aus antimonfreiem Polyester bei Klaus Steilmann[706]

Die Beschaffung der Futterstoffe bei Steilmann war bereits Gegenstand der Diskussion in Kasten 7. Eine größere Herausforderung lag in der Umstellung der Futterstoffe auf ökologisch optimierte Qualitäten. Futterstoffe bestehen oft aus Polyester, bei dessen Herstellung Antimonoxid als Katalysator eingesetzt wird. Die wesentliche ökologische Optimierung lag in der Umstellung des Katalysators. Der neue Katalysator ist antimonfrei, so dass die Entsorgung von bedenklichen Reststoffen in der Produktion wegfällt.

Da bisher nur geringe Mengen an antimonfreiem Polyester hergestellt werden, führt dies zu erhöhten Preisen für die Rohware, die dann in der Kette weitergegeben werden. Diese erhöhten Preise für den Konfektionär bilden die „drifting costs", während der Marktpreis für konventionelle Futterstoffe die „target costs" vorgibt. Um die „drifting costs" an die Zielkosten anzupassen, sind verschiedene Maßnahmen notwendig, die alle drei Kostenebenen betreffen.

Die erhöhten Einzelkosten sollen durch Optimierungen auf der Ebene der Prozess- und Transaktionskosten soweit als möglich reduziert werden, um Futterstoffe aus antimonfreiem Polyester wettbewerbsfähig zu machen. Optimierungen nur auf der Ebene des Futterstofflieferanten und des Konfektionärs greifen zu kurz, da so nur ein Teil der Kosten beeinflusst werden kann. Ansatzpunkte sind daher entlang der gesamten Wertschöpfungskette zu suchen.

Vereinfacht kann die Wertschöpfungskette durch fünf Stufen abgebildet werden: (1) Herstellung des Polyesters, (2) Verspinnen des Polyesters zum Garn, (3) Weben, Färben und Veredeln der Polyesterfutterstoffe, (4) Verarbeitung der Futterstoffe in Kleidungsstücke und (5) Verkauf durch den Handel.

Die Einzelkosten bei der Herstellung des Polyesters hängen wesentlich von der Produktionsmenge ab. Da Polyester zu großen Teilen in kontinuierlichen Prozessen hergestellt wird, bedeutet die Umstellung des Katalysators einen erheblichen Eingriff in den Produktionsprozess. Solche Umstellungen werden nur dann vorgenommen, wenn dadurch ein bedeutender Vorteil in der Produktion oder der Vermarktung des Produkts besteht.

Bei Batch-Anlagen kann von Ansatz zu Ansatz entschieden werden, welches Produkt mit welchem Verfahren hergestellt wird. Dafür fallen allerdings in der Regel höhere Kosten als bei kontinuierlichen Anlagen an.

Bisher wird antimonfreies Polyester in Batch-Anlagen produziert, da diese sich besser für kleine Mengen eignen. Das antimonfreie Polyester erfordert in der Produktion zusätzliche Reinigungsschritte und muss zudem getrennt gelagert werden. Wesentliche Optimierungen auf dieser Stufe können insbesondere durch die Herstellung größerer Mengen erreicht werden. Bisher wird antimonfreies Polyester nur von wenigen Kunden nachgefragt.Die folgenden Verarbeitungsschritte verlaufen wie bei konventionellem Polyester. Da der Katalysator die physikalischen Eigenschaften des Polyesters beeinflusst, müssen die verschiedenen Verfahrensprozesse angepasst werden. Ein Beispiel dafür bilden die Färbeprozesse. Obwohl der chemische Prozess schneller verläuft, dauert der Gesamtprozess etwas länger. Einzelne Arbeitsschritte müssen langsamer ablaufen, um ein gleichmäßiges Färbeergebnis zu erreichen.

[705] Siehe die Ausführungen zum SCOR-Modell in Abschnitt 2.5.4.1.

[706] Die Darstellung beruht auf einem Gespräch mit Lieferanten im Haus Steilmann am 14.11.2000.

Diese Beispiele reichen aus, um zu illustrieren, dass höhere Einzelkosten anfallen. Einzelne Maßnahmen wurden bereits ergriffen, um die Einzelkosten zu reduzieren. Dazu arbeitet der Hersteller des Polyesters und die folgenden Stufen der Kette zusammen, so dass die technischen Prozesse optimal an die physischen Eigenschaften angepasst wurden. Die damit „investierten" Transaktionskosten führen dann zu verringerten Einzelkosten. Ähnlich können auch die Prozesskosten beeinflusst werden.

Durch diese Maßnahmen konnte nur ein Teil der Kosten reduziert werden, so dass ergänzend weitere Optimierungen auf den anderen Kostenebenen zu suchen waren. Die Prozesskosten der einzelnen Unternehmen hängen wesentlich von den verarbeiteten Losgrößen ab. Ohne eine Koordination der Kette kann jede Stufe der Wertschöpfungskette ihre Produktionsplanung und Lagerhaltung nur bezogen auf das eigene Unternehmen optimieren. Ein Beispiel gemeinsamen Vorgehens wurde bereits mit der Reduktion der Farben für die Futterstoffe im Kasten 7 gegeben.

Ähnliche Abstimmungen wurden auch zwischen den Hersteller der Polyesterchips, der Garne und der Futterstoffe vorgenommen. Durch die Abstimmung von Losgrößen und Produktionsterminen könnten die Prozesskosten und die Transaktionskosten zwischen den Unternehmen deutlich gesenkt werden. Der Beitrag des Unternehmens Steilmann lag wesentlich darin, eine Abnahmegarantie für die Futterstoffe zu geben, wodurch alle Lieferanten sicher sein konnten, ihre produzierte Ware auch absetzen zu können.

Für die Zusammenarbeit entlang der gesamten Kette wurden Trade-offs zwischen den einzelnen Kostenebenen diskutiert. Dazu mussten alle beteiligten Unternehmen Teile ihrer Kosteninformationen offen legen, so dass die überlebensnotwendigen Interessen jedes einzelnen Unternehmens ebenso berücksichtigt werden konnten wie das Ziel, antimonfreie Futterstoffe zu wettbewerbsfähigen Preisen herstellen zu können.

Als Ergänzung zu der gegebenen Beschreibung sei darauf hingewiesen, dass die beschriebenen Prozesse der Kooperation in der Wertschöpfungskette nur schrittweise entstehen. Auch wenn sich alle Partner bereits seit Jahren kennen und miteinander Geschäfte betreiben, so waren doch viele vertrauensbildende Maßnahmen notwendig, bis das gesetzte Ziel erreicht werden konnte. Schließlich musste jedes Unternehmen der Wertschöpfungskette einen Beitrag leisten, um das Gesamtziel zu erreichen.

4.4 Prozessorientiertes Supply Chain Costing

Die wesentliche Vorgehensweise der Prozesskostenrechnung wurde ebenfalls im Kapitel zum Kostenmanagement vorgestellt. Während das Target Costing die Zielorientierung betont, wird durch die Prozesskostenrechnung die Prozessperspektive in das Kostenmanagement eingebracht.[707] In der instrumentellen, operativen Ausgestaltung des Supply Chain Managements werden in der Regel prozessorientierte Vorgehensweisen gewählt. Als Beispiel wurde bereits die Abbildung der Wertschöpfungskette durch das SCOR-Modell vorgestellt. Bevor der Einsatz der Prozesskostenrechnung in diesem Kontext erörtert wird, bietet sich ein Rückgriff auf den bisherigen Anwendungsbereich der Prozesskostenrechnung an. Wie schon bei der Darstellung des Instruments erwähnt, wird in letzter Zeit vermehrt von Prozesskostenmanagement gesprochen, insbesondere dann, wenn stärker der Bezug zur Managementwirkung als zur rechentechnischen Abbildung von Kosten hergestellt wird.[708]

4.4.1 Anwendungen des Prozesskostenmanagements

Die Prozesskostenrechnung wird in Unternehmen für verschiedene Zwecke eingesetzt. In der ursprünglich von Cooper und Kaplan entwickelten Ausprägung des Activity-based Costing lag der wesentliche Zweck auf der Zurechnung der Fertigungsgemeinkosten in der Produktkalkulation.[709] Schon durch die bald darauf folgenden Arbeiten von Horváth und Mayer wurde dieser Anwendungsbereich wesentlich erweitert, indem im Gemeinkostenbereich zwischen leistungsmengeninduzierten (lmi) und leistungsmengenneutralen (lmn) Prozessen unterschieden wurde.[710]

Die Einsatzmöglichkeiten der Prozesskostenrechnung bzw. des Prozesskostenmanagements sind vielfältig diskutiert worden.[711] Stoi arbeitet vier Einsatzbereiche des Prozesskostenmanagements heraus:

- prozessorientierte Budgetierung,
- prozessorientiertes Performance Measurement,
- prozessorientierte Kalkulation,
- prozessorientierte Ergebnisrechnung.[712]

Die vier Felder decken den Aufgabenbereich der Planung, Steuerung und Kontrolle von Kosten ab. Da die Prozesskostenrechnung als Vollkostenrechnung[713] konzipiert ist, werden damit bezüglich der Kostendimension Einzel- und Prozesskosten berücksichtigt, während

---

[707] Vgl. Kajüter 1997, 209-231.

[708] Vgl. Kloock 1995, 582; Glad/Becker 1995; Kaplan/Cooper 1997, 202; Horváth & Partner 1998; Stoi 1999; MacArthur 2000, 397-410.

[709] Vgl. Cooper/Kaplan 1988, 99.

[710] Vgl. Horváth/Mayer 1989, 216-219. Zur Abgrenzung der beiden Konzepte siehe: Friedl 1994, 152-163; Gaiser 1998, 65-77.

[711] Vgl. Cooper/Kaplan 1988, 96-103; Horváth/Mayer 1989, 216-219; Pfohl/Stölzle 1991, 1281-1305; Glaser 1992, 281-287; Kloock 1992, 237-245; Horváth/Mayer 1993, 15-28; Freidank 1993, 391; Reckenfelderbäumer 1994, 81-114; Kloock 1995, 582-608; Friedl 1994, 135-166; Dambrowski/Hieber 1997, 293-312; Cooper/Kaplan 1998, 109-119; Lelke/Kress 1998, 145-152; Gaiser 1998, 65-77; Schiller/Lengsfeld 1998, 525-547; Mayer/Kaufmann 2000, 312-319.

[712] Vgl. Stoi 1999, 38.

[713] Vgl. z.B. Franz 1991, 536-540; Kloock 1992, 184; Fröhling 1992, 725; Küting/Lorson 1995, 93.

die getrennte Abbildung der wertschöpfungskettenweiten Transaktionskosten nicht zu den Bestandteilen der Prozesskostenrechnung gehören.

Bei der Einordnung der Prozesskostenrechnung in das Supply Chain Costing werden damit in der Produktdimension beide Phasen abgebildet. Die Prozesskostenrechnung bildet als laufende Rechnung[714] die Phase der Produktion ab. Die Kalkulation der Produktpreise ist ein wichtiges Anliegen der Prozesskostenrechnung. Dies wirkt auf die Phase der Produktentwicklung ein, da Produktvarianten in der Prozesskostenrechnung exakter kalkuliert werden können.[715] Gleichzeitig besteht darin die schon vorgestellte Verknüpfung zum Target Costing.[716]

Die Kooperationsdimension des Supply Chain Managements erfährt bisher keine Beachtung. Die aufgeführten Einsatzbereiche des Prozesskostenmanagements sind für das Supply Chain Management von hoher Relevanz, so dass einer Erweiterung der Prozesskostenrechung im Sinne des Supply Chain Costing eine große Bedeutung zukommt.

4.4.1.1 Bisherige Nutzung von Prozesskosten im Supply Chain Management

Die Breite der zur Prozesskostenrechnung vorliegenden Arbeiten ist so hoch, dass keine spezifischen Ansatzpunkte vorgestellt werden, sondern eine Beschränkung auf Anwendungen im Kontext des Supply Chain Managements erfolgt. Innerhalb des strategischen Kostenmanagements besteht schon länger die Forderung, bei Kostenanalysen alle Aktivitäten in der Wertschöpfungskette zu berücksichtigen.[717] Wie bereits angeführt, ist bisher jedoch kein analytisches Schema entwickelt worden, dass dieser Forderung gerecht wird. Insbesondere die Diskussion um verschiedene Kostentreiber hat gleichzeitig Lösungsansätze und Probleme aufgezeigt.[718]

Im weiteren Kontext des Supply Chain Managements haben einzelne Arbeiten begonnen, das Prozesskostenmanagement aufzugreifen und für spezifische Problemstellungen nutzbar zu machen.[719]

Diese Arbeiten können unter vier Punkten zusammengefasst werden:[720]

- Einbindung in (lebenszyklusbezogene) Kostenanalysen während des Produktdesigns;[721]
- Nutzung von Daten für die Lieferantenauswahl;[722]
- Analyse und Optimierung bestehender Partnerschaften in der Wertschöpfungskette;[723]
- Abbildung einer spezifischen, bestehenden Wertschöpfungskette und Simulation ausgewählter Veränderungen.[724]

---

714 Vgl. Horváth/Mayer 1989, 215; Mayer 1998, 21f.
715 Vgl. Cooper/Kaplan 1988, 96-103; Cooper 1988, 45-54; Reckenfelderbäumer 1994, 15f; Mayer 1998, 16f.
716 Vgl. Mayer 1993, 84f; Freidank 1993, 392; Sakurai/Keating 1994, 84; Kaplan/Cooper 1997, 217.
717 Vgl. Shank/Govindarajan 1995, 27; Dellmann/Franz 1994b, 18; Brokemper 1998, 32-33; Horváth/Brokemper 1998, 589.
718 Vgl. Abschnitt 3.3.3.
719 Vgl. Ellram 1995b, 22-30; LaLonde/Pohlen 1996, 1-12; Kaplan/Cooper 1997, 202-223; Emblesvåg/Bras 1997, 339-354; Cullen et. al. 1999, 30-32; Dekker/van Goor 2000, 41-52.
720 In Abgrenzung zur Darstellung beim Target Costing werden an dieser Stelle nur Arbeiten betrachtet, die das Prozesskostenmanagement auf Wertschöpfungsketten beziehen. Beim Target Costing setzte die Analyse an der Gesamtheit der vorliegenden Arbeiten an. Aufgrund der Breite und Vielfalt der Literatur zum Prozesskostenmanagement erscheit dies nicht angebracht.
721 Vgl. Kaplan/Cooper 1997, 210-222; Emblesvåg/Bras 1997, 339-354.
722 Vgl. Ellram 1995b, 22-30; Kaplan/Cooper 1997, 203-210; auch Pfaff/Kunz 2000, 360-363.
723 Vgl. Cullen et. al. 1999, 30-32.

Die Bezüge zu den beiden Dimensionen des Supply Chain Managements werden deutlich, da Produktentwicklung und Produktion ebenso thematisiert werden wie die Schnittstellenoptimierung der Kooperationsdimension. Der Einsatzbereich der Prozesskostenrechnung im Verhältnis zum Supply Chain Costing wird in Abbildung 45 dargestellt.

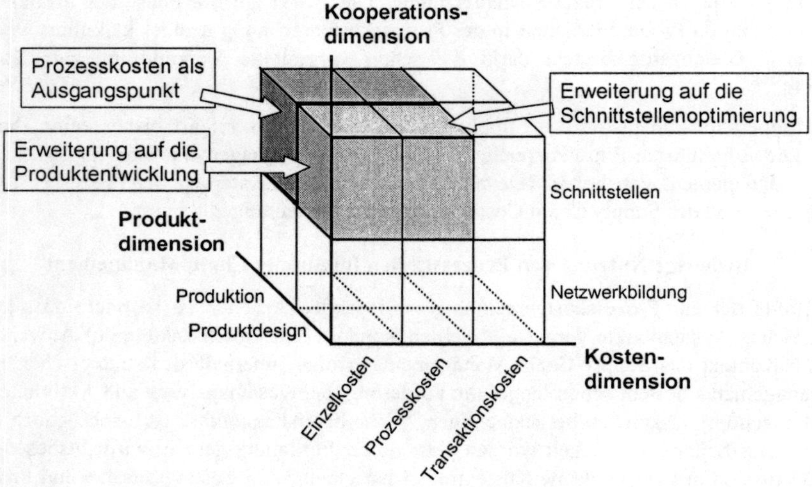

Abbildung 45: Anwendungsbereich des Prozesskostenmanagements in Wertschöpfungsketten
Quelle: eigene.

Interessanterweise ergibt sich der gleiche Anwendungs- bzw. Erweiterungsbereich wie beim Target Costing. Daraus wird deutlich, wie stark vorliegende Arbeiten noch einem engeren Verständnis des Supply Chain Managements verhaftet sind. Der Gegenstandsbereich des Supply Chain Costing wird insbesondere durch die Transaktionskosten und die Netzwerkbildung gegenüber anderen Kostenkonzepten charakterisiert. Ansatzpunkte für die Erweiterung des Prozesskostenmanagements auf die nicht abgedeckten Bereich werden nachfolgend aufgezeigt.

4.4.1.2 Analyse von Prozesskosten in der Wertschöpfungskette

Für das methodische Vorgehen bei der Durchführung einer Prozesskostenanalyse wurden folgende drei wesentliche Schritte unterschieden:

1. Prozessanalyse,
2. Bezugsgrößenwahl und
3. Prozesskostenermittlung.[725]

Die Basis dieser Analyse bildet die innerbetriebliche Prozesskette. LaLonde und Pohlen haben ein 6-Stufen-Schema zur systematischen Ermittlung der Kosten in der Wertschöpfungs-

---

[724] Vgl. Dekker/van Goor 2000, 41-52.
[725] Vgl. Mayer 1998, 5.

kette vorgelegt, das sich eng an diese Vorgehensweise im Prozesskostenmanagement anlehnt. Die einzelnen Schritte darin sind:

1. Analyse der Prozesse in der Wertschöpfungskette und Darstellung in einem Prozessdiagramm;
2. Identifikation der einzelnen Aktivitäten im Prozess durch Zerlegung in Teilschritte;
3. Bestimmung der Ressourcen, die zur Ausführung der Aktivität notwendig sind, und Zuordnung zum jeweiligen Partner entlang der Kette;
4. Bestimmung der gesamten Kosten, die durch die Ausführung der Aktivität verursacht werden;
5. Zuordnung der Kosten der Aktivitäten zu den Outputs der Wertschöpfungskette;
6. Analyse und Simulation der Kosteneinflussgrößen.[726]

Die wesentliche Unterscheidung dieses Ablaufs ergibt sich aus der Zuordnung der Gesamtkosten über Unternehmensgrenzen hinweg, wobei explizit Kosten der Transaktionen zwischen den Unternehmen eingeschlossen werden.[727] Der Einsatzbereich dieser Vorgehensweise entspricht dem der Prozesskostenrechnung, da bestehende Produkte und Produktionsverfahren betrachtet werden. Bei einer hierarchischen Integration der gesamten Wertschöpfungskette in einem Unternehmen ergäbe sich folglich kein Unterschied zwischen der Prozesskostenrechnung und dem von LaLonde und Pohlen vorgestellten Ansatz. Daher werden die Defizite in der vollständigen Abdeckung des Gegenstandsbereichs des Supply Chain Costing nicht gelöst. Ein erster Schritt dazu bietet sich in der gemeinsamen Modellierung von Prozessen.

4.4.2 Ausgestaltung des prozessorientierten Supply Chain Costing

4.4.2.1 Integration der Prozessmodellierung

Für eine Abbildung von Prozessen in Wertschöpfungsketten wurde das SCOR-Modell bereits beschrieben. Die Vorgehensweise des SCOR-Modells beinhaltet einen Top-Down-Ansatz, in dem die Prozessanalyse schrittweise verfeinert wird.[728] Die Prozesskostenrechnung geht dagegen Bottum-up vor, so dass auf der Ebene der Kostenstellen beginnend, eine Analyse der Tätigkeiten erfolgt, die dann zu Prozessen verdichtet werden.[729]

Zwischen beiden Ansätzen bestehen Überschneidungen der Analysebereiche, wobei die Prozessebene des SCOR-Modells und der Prozesskostenrechnung identisch sind, wie Abbildung 46 darstellt. Damit können die beiden Ansätze integriert werden, so dass die Daten der Prozesskostenrechnung für die Modellierung der Wertschöpfungskette genutzt werden können. Indem eine einheitliche Prozessdefinition verwendet wird, können Prozessabbildungen und die zugehörigen Kostendaten der einzelnen Unternehmen vergleichbare Aussagen liefern.[730] Dazu ist eine Unterscheidung der Gemeinkosten in Prozess- und Transaktionskosten vorzunehmen.

---

[726] Vgl. LaLonde/Pohlen 1996, 5-8.
[727] Vgl. LaLonde/Pohlen 1996, 5.
[728] Siehe Abbildung 15 in Abschnitt 2.5.4.1.
[729] Vgl. Horváth/Mayer 1993, 16; Mayer 1998, 5ff.
[730] Vgl. Dekker/van Goor 2000, 46.

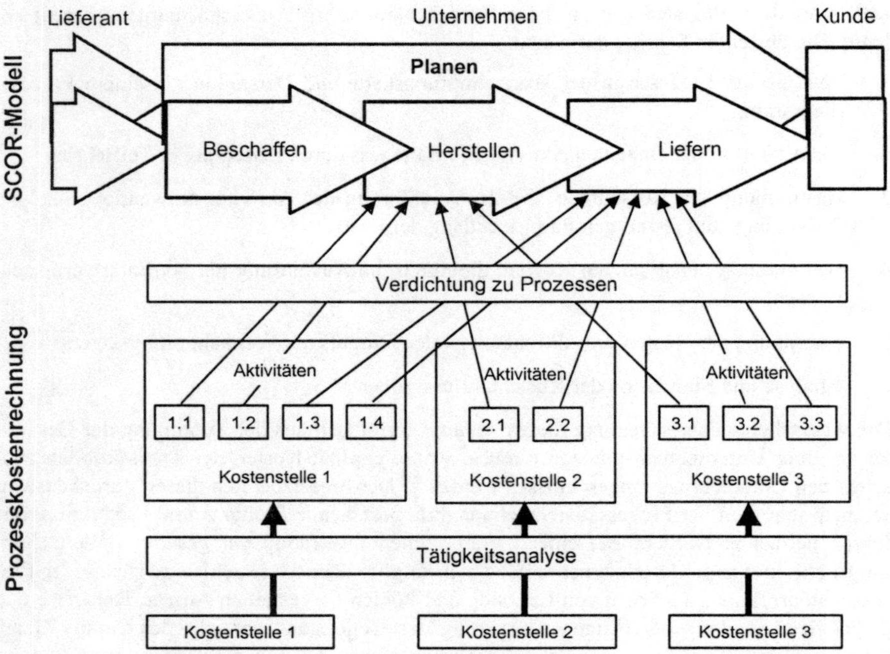

Abbildung 46: Integration von Prozesshierarchien in Prozesskostenrechnung und SCOR-Modell

Quelle: eigene, basierend auf Horváth/Gaiser 1994, 53 und Supply Chain Council 1997, Folie 42.

4.4.2.2 Analyse der Kostenentstehung

Die Prozesskostenrechnung bietet eine Möglichkeit, Gemeinkosten auf Prozesse zu verrechnen. Für unternehmensinterne Anwendungen, z.B. in der Produktkalkulation, werden damit die Einflussgrößen der Prozesse erfasst.

Im Sinne der Unterscheidung in Gemeinkosten erster und zweiter Ordnung ist es notwendig, bei der Analyse der Prozesse und den anfallenden Kosten zwischen diesen beiden Kostenebenen zu differenzieren. Diese Zuordnung zu diesen beiden Kostenebenen wird auf der Basis der Analyse der Aktivitäten vorgenommen. Dadurch wird unterschieden, welche (Prozess-)Kosten durch Entscheidungen im Unternehmen und welche (Transaktions-) Kosten durch Entscheidungen in der Wertschöpfungskette festgelegt werden. Auf dieser Ebene wird vorrangig die konkrete Kostenentstehung betrachtet. Dabei besteht das Problem, eine Trennung zwischen den beiden Kostenebenen vorzunehmen, zumal in der Prozesskostenrechnung die Wahl der Bezugsgrößen möglichst so erfolgen soll, dass der Kosteneinfluss eindeutig beschrieben wird. Durch eine Ausdifferenzierung der Bezugsgrößen wird zwar die Genauigkeit erhöht, so dass es theoretisch möglich ist, alle relevanten Kosteneinflüsse zu erfassen. Gleichzeitig steigt dadurch die Komplexität so stark, dass die Anwendbarkeit des Systems verloren geht.[731] Daher wird die Betrachtung der Kostenentstehung verfeinert, in-

[731] Vgl. Horváth/Mayer 1993, 18 unter Rückgriff auf Kilger 1993, 325.

dem eine Zuordnung der ermittelten Kostentreiber auf Prozesskosten- und Transaktionskosten vorgenommen wird (vgl. Abbildung 47). Die Unterscheidung zwischen den beiden Kostenebenen erfolgt entsprechend der Definition der beiden Begriffe danach, ob der Kosteneinfluss von innerbetrieblichen Entscheidungen oder von Entscheidungen innerhalb der Wertschöpfungskette abhängig ist. Als Beispiel sei auf die Kosten für die Auftragsabwicklung eingegangen. Diese Kosten fallen zwar im Unternehmen an, sind jedoch von den durch die Kunden vorgenommenen Bestellvorgänge abhängig und geben damit ein Beispiel für einen Transaktionskostentreiber.

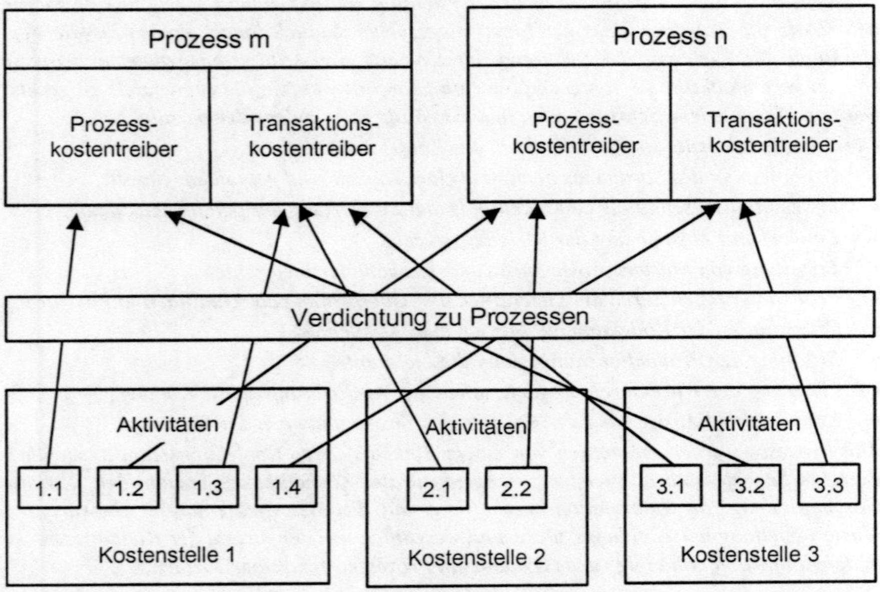

Abbildung 47: Zuordnung von Aktivitäten zu Prozess- und Transaktionskosten
Quelle: eigene.

Diese Zuordnung zwischen den beiden Kostenebenen bedarf eines schrittweisen Vorgehens, wobei zuerst die einzelnen Unternehmen ihre Zuordnung treffen. Anschließend werden Abgleiche zwischen den Unternehmen vorgenommen, so dass eine höhere Transparenz bezüglich der Kostenentstehung zwischen den Unternehmen geschaffen wird. Aus der Argumentation wird die Bedeutung dieser Vorgehensweise als Managementinstrument deutlich, da es vorrangig darauf ankommt, die Kostenentstehung in ihrer Kausalität zu erschließen.

Eine Analyse bezüglich der aus dem Life-Cycle Costing stammenden Unterscheidung in Kostenbeeinflussung und Kostenentstehung[732] wird durch diese Methodik nicht zugänglich. Dabei bietet gerade diese Abgrenzung bedeutende Ansatzpunkte für Analysen entlang der Wertschöpfungskette, da das einzelne Unternehmen in vielen Fällen nur begrenzt über die Kostenwirkungen entscheiden kann.[733] Die Analyse der Kosten entlang der Prozesskette ist daher zu verfeinern. Für alle drei Kostenebenen ist zu analysieren, welches Unternehmen

---

[732] Vgl. Wübbenhorst 1992, 252.
[733] Vgl. Seuring/Schneidewind 2000, 240f.

der Kette wesentliche Entscheidungen trifft, die die Kosten determinieren. So können spezifische, kundennah getroffene Entscheidungen zu einer erhöhten Material- oder Variantenvielfalt auf den Vorstufen führen. Die Auswirkungen zeigen sich auf der Ebene der Einzelkosten, da z.B. höhere Einstandspreise für geringere Losgrößen an Zukaufteilen anfallen. Dies wirkt zudem direkt auf die Prozesskosten, da durch die größere Teilevielfalt höhere Kosten für die Lagerung und das Handling der Teile anfallen.[734]

Kasten 21: Prozess- und Transaktionskostentreiber in der Bekleidungskonfektion

Die Bedeutung der Vorlaufphase in der Herstellung von Bekleidung wurde bereits ebenso betont wie die Tatsache, dass der Entstehungszyklus deutlich länger dauert als die Vermarktung der Kleidung. Die während der Konfektionserstellung ausgeführten Prozesse können vereinfacht in die folgenden Schritte unterteilt werden, die sequentiell aufgezählt werden. Verschiedene Schritte laufen in der Realität ineinander oder parallel ab.
Die einzelnen Schritte sind aus der Sicht des Konfektionärs:

- *Grobplanung des Sortiments nach Artikelart, -anzahl und geplantem Umsatz,*
- *Informationsbeschaffung zu Modetrends und Auswertung der gelaufenen Saison,*
- *Entwurf und Abstimmung der Kleidungsstücke,*
- *Erstellung von Mustern sowie Suche und Auswahl der Lieferanten,*
- *Probelieferungen durch die Lieferanten und Überprüfung der Qualität und Passform,*
- *Präsentation der Kollektion auf Messen bzw. Kundentest,*
- *Erteilung der Produktionsaufträge an die Lieferanten,*
- *Lieferung der Ware durch die Lieferanten und Auslieferung an die Kunden,*
- *Kontrolle und Auswertung der Kollektion während und nach der Saison.*

Alle Prozesse werden wesentlich von einem Einkaufs- oder Konfektionsteam ausgeführt. Einzelne Schritte sind den leistungsmengenneutralen Gemeinkosten zuzuordnen, z.B. die Gesamtplanung, die Informationsbeschaffung und die Messepräsentation. Entwurf und Mustererstellung der Kleidungsstücke sind wesentlich von der Anzahl der Kleidungsstücke in der Konfektion abhängig, so dass damit ein Prozesskostentreiber vorliegt.
Die weiteren Schritte erfolgen in Zusammenarbeit mit den Lieferanten, wobei die Zahl der Lieferanten als Transaktionskostentreiber wirkt, da entsprechend mehr Lieferverträge abgeschlossen und Lieferbeziehungen überwacht werden müssen.

4.4.2.3 Analyse der Kostenbeeinflussung

Das gemeinsame, partnerschaftliche Verständnis der Prozesse bildet die Basis für die prozessorientierte Analyse im Supply Chain Costing. Durch die bisherige Unterscheidung sind die Transaktionskosten als dritte Ebene einer Analyse zugänglich gemacht worden. Bei bestehenden Prozessen beschränkt sich dies weitgehend auf die Phase der Produktion bzw. das Integrationsfeld der Prozessoptimierung in der Wertschöpfungskette.

Es wurde bereits mehrfach auf die Probleme verwiesen, ein klares analytisches Schema für die Kostenbeeinflussung bzw. die Ermittlung von Kostentreibern in der Wertschöpfungskette zu formulieren. Auch eine Prozessanalyse hilft nur begrenzt weiter, da gegebene Prozesse durch konfigurative Entscheidungen in Frage gestellt werden. Genau diese Entscheidungen haben jedoch eine hohe Wirkung auf die Kosten. Die vielfältigen Interdependenzen zwischen den einzelnen Entscheidungen verhindern, dass eine eindeutige Kostenanalyse vorge-

[734] Vgl. Adam/Rollberg 1995, 667-669; Hungenberg 2000, 545.

nommen werden kann. So können Maßnahmen eines Unternehmens, die zur Senkung seiner Einzelkosten führen, erhöhte Einzelkosten durch verlängerte Fertigungsprozesse oder erhöhte Prozesskosten durch zusätzliche Arbeitsschritte in der getrennten Auftragsbearbeitung bei Partnern in der Kette nach sich ziehen. Als Folge davon werden dann zusätzliche Verhandlungen zwischen den Unternehmen notwendig, so dass Transaktionskosten anfallen, die eventuell zu einer kooperativen Lösung des Problems in der Wertschöpfungskette führen können. Am Beispiel einer vereinfachten, zweistufigen Kette zeigt Abbildung 48 dieses Beispiel auf. Um die Komplexität der Abbildung zu begrenzen, werden nur direkte Wirkungen dargestellt, da neben den eingezeichneten Beziehungen vielfältige Wechselwirkungen zwischen allen Kostenebenen bestehen.

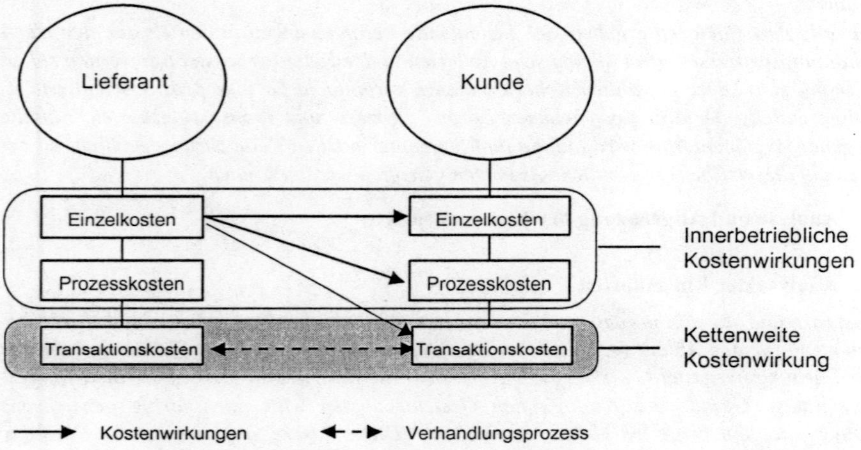

Abbildung 48: Vereinfachte Analyse der Kostenbeeinflussung
Quelle: eigene.

An diesem Punkt wird die Bedeutung von Trade-offs zwischen den Kostenebenen deutlich, die im Supply Chain Target Costing angesprochen wurden. Die prozessorientierte Kostenanalyse dient dazu, die ermittelten Target Costs der drei Kostenebenen mit den anfallenden Kosten zu vergleichen, so dass damit die schon beschriebene Verbindung zwischen Target Costing und Prozesskostenrechnung entsteht.[735]

Kasten 22: Analyse der Kostenbeeinflussung im Supply Chain Costing

1. Ausgewählte Einflussfaktoren

Vielfältige Produkteigenschaften oder -merkmale von Kleidungsstücken wirken auf die Prozesse und die Kosten in der Wertschöpfungskette. Ohne eine Klassifikation dieser Faktoren vorzunehmen, werden exemplarisch die Faserart, Farbvielfalt und Schadstoffrestgehalte herausgriffen und deren Bedeutung an Beispielen kurz erläutert:

[735] Vgl. Abschnitt 4.3.1.5.

Faserart: *Die Faserart steht für eine Produkteigenschaft, die viele Prozesse der Wertschöpfungskette determiniert. Beispielsweise wachsen Baumwollfasern in unterschiedlichen Längen, was deren Verarbeitungs- und Trageeigenschaften wesentlich beeinflusst.*

Farbvielfalt: *Farben sind ein wichtiger modischer Faktor für Bekleidung. Gleichzeitig werden hohe technische Anforderungen an die Farben gestellt. Von großer Bedeutung für die Bearbeitungsschritte bei der Herstellung einer ganzen Kollektion ist zudem die Farbvielfalt, die sowohl in der Produktion als auch in der Kettenlogistik kostentreibend wirkt.*

Schadstoffrestgehalt: *Bei (fast) allen Produktionsprozessen werden (Textil-)Hilfsmittel verwendet. Die Einsatzgebiete reichen von Pestiziden und Düngern für Baumwollfelder über Schlichten in der Faserbearbeitung bis zur chemischen Ausrüstung von Kleidungsstücken. Ebenso vielfältig wie die Chemikalien sind die dadurch verursachten Umweltprobleme.*

Für alle drei Faktoren ergeben sich bedeutende Veränderungen in den Kosten der Wertschöpfungsprozesse, wenn ökologische Kriterien in der Kette berücksichtigt werden sollen oder müssen. Diese gewählten Kriterien dienen vereinfacht für eine prozessorientierte Analyse entlang der drei Kostenebenen Einzel-, Prozess- und Transaktionskosten. Für die folgende Argumentation wird auf die fünf Stufen der textilen Kette zurückgegriffen, da bereits auf dieser Ebene wesentliche Aussagen getroffen werden können.

2. Analyse und Abgrenzung der Kostenebenen

- **Analyse der Einzelkosten**

Faserart und die Einhaltung von Grenzwerten für Schadstoffrestgehalte sind direkt bestimmend für den Ablauf verschiedener Produktionsschritte. Wird das Flächengewebe vor der Färbung hergestellt, wirken die Farben bzw. die Farbvielfalt nur auf die Bekleidungsherstellung. Gerade aus ökologischen Gesichtspunkten wird auch farbig gewachsene Baumwolle, von beige bis violett, verwendet.[736] *Diese Fasern sparen zwar die Färbung, müssen aber auf allen Stufen getrennt bearbeitet werden.*

- **Analyse der Prozesskosten**

Sowohl Verarbeitungs- als auch administrative Prozesse werden durch die zusätzlichen ökologischen Anforderungen verändert, was am Einfluss der Farbvielfalt auf die Prozesskosten deutlich wird. Reduziert oder erhöht sich diese, so wirkt dies direkt auf die Handlingkosten jeder Stufe, da jede zusätzliche Farbe eigene Produktions-, Lagerhaltungs- und Verwaltungsprozesse, auch im Handel, beansprucht.

- **Analyse der Transaktionskosten**

Die Ebene der Transaktionskosten verdeutlicht, dass der Konfektionär / Handel über die nachgefragten Produkteigenschaften auf die gesamte textile Kette wirkt. So entstehen Transaktionskosten bei der Festlegung ökologischer Kriterien, da oft umfangreiche Abstimmungs- und Aushandlungsprozesse notwendig sind. Dies betrifft alle Kettenglieder unmittelbar, so dass sich direkte Rückkopplungen auf die Einzel- und Prozesskosten ergeben. Besteht auf dem Markt kein entsprechendes Angebot, ist eine Lieferantenentwicklung notwendig, die weitere Kosten verursacht.[737] *Bei der Faserart beginnt die Wirkung z.B. schon beim Baumwollanbau durch den Verzicht auf Pestizide und setzt sich in der Verarbeitung und Veredelung fort. Die Bedeutung der Farbvielfalt für die Transaktionskosten erschließt sich unmittelbar aus den vorhergehenden Anmerkungen. Abbildung 49 stellt die*

[736] Vgl. Vreeland 1998, 193.
[737] Vgl. Meyer 1999, 167.

Einflüsse am Beispiel der Transaktionskosten für die gesamte Wertschöpfungskette anschaulich dar. Der Bereich der hellen Unterlegung der Farbvielfalt resultiert aus der Verwendung farbig gewachsener Baumwolle, da nur bei deren Verwendung bezüglich dieser Stufen höhere Prozess- und Transaktionskosten resultieren.

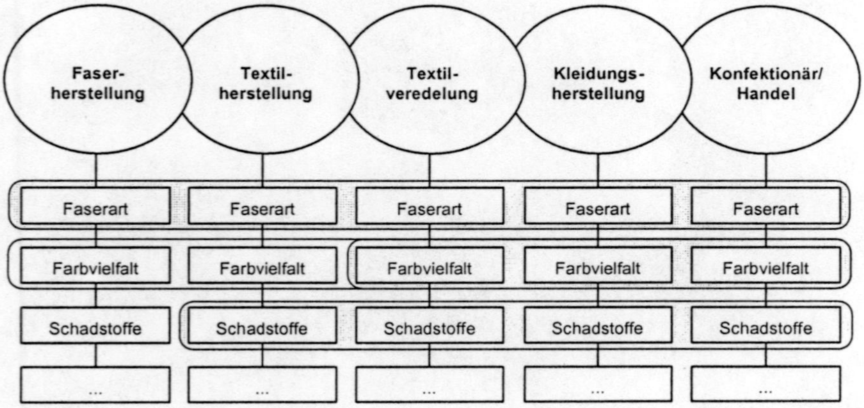

Abbildung 49: Beispielhafte Analyse der Transaktionskosten in der Wertschöpfungskette

Die exemplarische Untersuchung anhand der drei Produkteigenschaften Faserart, Farbvielfalt und Schadstoffgehalt zeigt die hohe Komplexität der Analyse der Kostenbeeinflussung durch die einzelnen Partner in der Wertschöpfungskette. Die Abgrenzung zwischen Prozess- und Transaktionskostentreibern kann dabei immer nur fallweise entschieden werden. Die Darstellung einer allgemeinen Vorgehensweise wird daher durch die Komplexität des Untersuchungsobjekts deutlich begrenzt.

In diesem Kapitel wurde eine Konzeption für das Supply Chain Costing vorgestellt, Die Ansätze zur lebenszyklusorientierten Ausgestaltung, zum Supply Chain Target Costing und zur prozessorientierten Kostenanalyse geben erste Hinweise, wie das Konzept eingesetzt werden kann. Das Konzept erweist sich als leistungsfähig, um Analysen bezüglich bisheriger Entwicklungen von Instrumenten des Kostenmanagements zu erfassen und Hinweise auf die weitere Ausgestaltung zu geben.

5 Ausblick

Der konzeptionelle Rahmen, der in dieser Arbeit entwickelt wird, sollte in weiteren Forschungsarbeiten tiefer ausgestaltet werden. Die dargestellten Ansätze zeigen erste Möglichkeiten auf. Die Ein- und Durchführung des Supply Chain Costing muss so angelegt sein, dass eine dauerhafte Nutzung im Unternehmen sichergestellt wird. Die Ziel- und Prozessperspektive bieten erste Ansatzpunkte, die weiter zu operationalisieren sind. Einzelfallstudien zum Supply Chain Target Costing und zum prozessorientierten Supply Chain Costing können dazu geeignet sein, die Möglichkeiten und Probleme bei der Anwendung des Konzeptes zu untersuchen.

Ein weiterer Aspekt ergibt sich aus der Einbindung des Kostenmanagements in das Controlling. Die Informationsgewinnung für das Supply Chain Costing ist mit den im Unternehmen bestehenden Instrumenten zu verbinden. Bisher steht die Entwicklung eines Supply Chain Controlling[738] noch aus. Einzelne Arbeiten liegen zum Performance Measurement[739] oder zum Einsatz der Balanced Scorecard[740] im Supply Chain Management vor. Diese Ansätze sind weiterzuführen, um so ein ganzheitliches Konzept für die Planung, Steuerung und Kontrolle von Wertschöpfungsketten zu erhalten. Die Produkt- und die Netzwerkdimension bieten hierzu einen Bezugsrahmen, der für solche Konzepte geeignet ist, da die vielfältigen Aktivitäten in Wertschöpfungsketten systematisiert werden können.

Eine enge Anbindung an bestehende Instrumente des Controlling und des Kostenmanagements ermöglicht, vorhandene Daten zu nutzen. Dadurch können die Kosten der Kostenmanagementsysteme begrenzt werden,[741] denn wie bei allen Instrumenten der Unternehmensführung ist die Wirtschaftlichkeit zwischen den gewonnenen Informationen und den dafür anfallenden Kosten zu berücksichtigen.

Eine besondere Bedeutung kommt bei der Konzeption eines Supply Chain Costing der Frage der Informationsgewinnung und -verarbeitung zu. Schon die Analyse, welcher Partner der Kette welche Informationen über vor- oder nachgelagerte Unternehmen benötigt, wirft erhebliche Probleme auf. Eine Fundierung aus der Sicht von Organisationstheorien ist dazu ebenso hilfreich[742] wie empirische Einzelfallanalysen[743]. Erstere können den Rahmen des Supply Chain Management erweitern, während letztere dazu dienen, anhand erfolgreicher Beispiele zu illustrieren, wie Supply Chain Controlling als Konzept gefasst und in Instrumenten ausgestaltet werden kann.

Unterschiedliche Wertschöpfungsketten erfordern dabei, die Informationsgewinnung für jede Kette speziell auszugestalten, so dass die Koordinationsfunktion des Controlling wirkungsvoll eingesetzt werden kann. Die Ebenen der Einzel-, Prozess- und Transaktionskosten leisten eine Differenzierung, die insbesondere für eine systematische Erfassung von Infor-

---

[738] Eine Ausnahme bildet die auf das Produktionsmanagement fokussierte Arbeit von Zäpfel/Peikarz 1996.

[739] Vgl. van Hoek 1998, 187-192; Brunner/Sprich 1998, 30-36; Beamon 1999, 275-292; Tan et. al. 1999, 1034-1052.

[740] Vgl. Brewer/Speh 2000, 75-94; Werner 2000a, 200-210; Werner 2000b, 8-11 und 14-15; Lange/Schaefer/Daldrup 2000, 1-13.

[741] Vgl. Ewert/Ernst 1999, 24.

[742] Vgl. Goldbach 2001.

[743] Vgl. Kohl/Zimmermann 2001, 36-40.

mationen hilfreich ist, da die immer bedeutendere Handlungsebene der Wertschöpfungskette und die darin notwendige Zusammenarbeit besonders zum Ausdruck kommt.

Als Folge entsteht ein Zielkonflikt zwischen der unternehmensweit einheitlichen und kettenbezogen angepassten Gestaltung des Controllinginstrumentariums, der nur fallbezogen gelöst werden kann.

Die Analyse und Gestaltung der Kosten stellen insgesamt nur einen Teilaspekt des Supply Chain Managements dar. Dekker und van Goor betonen: „*Finally, it is commented that using accounting measure can be important, but is not sufficient for the success of Supply Chain Management.*“[744] Das Kostenmanagement steht in einem vielfältigen Beziehungsgeflecht zu anderen Instrumenten und Ansätzen sowohl der Unternehmensführung als auch des Managements von Wertschöpfungsketten.[745] Die vielfältigen Entwicklungen der letzten Jahre weisen deutlich über diese Kontroll- und Messfunktion hinaus. So nahmen die Gestaltung und Optimierung der Wertschöpfungskette in dieser Arbeit einen breiten Raum ein.

Abschließend sei ein Zitat von Heinen angeführt: „*Der Kostenbegriff gehört zu den vielseitigsten und schwierigsten Grundbegriffen der betriebswirtschaftlichen Theorie und Rechnungspraxis.*“[746] Die im Supply Chain Management bestehenden Potentiale rechtfertigen es, sich mit diesen Schwierigkeiten intensiv auseinander zu setzen, wozu das entwickelte Konzept des Supply Chain Costing einen ersten Rahmen bietet.

---

[744] Dekker/van Goor 2000, 42.
[745] Vgl. exemplarisch die Breite der berücksichtigten Themen in: Brinker 2000; Fischer 2000a.
[746] Heinen 1983, 43.

Literaturverzeichnis

Abrahamsson, M./Brege, S. (1997): Structural Changes in the Supply Chain, in: The International Journal of Logistics Management, Vol. 8, No. 1 (1997), S. 35-44.

Adam, D./Rollberg, R. (1995): Komplexitätskosten, in: Die Betriebswirtschaft, Vol. 55, No. 5 (1995), S. 667-669.

Adolphs, B. (1997): Stabile und effiziente Geschäftsbeziehungen: Eine Betrachtung von vertikalen Koordinationsstrukturen in der deutschen Automobilindustrie, Köln.

Albach, H. (1988): Kosten, Transaktionen und externe Effekte im betrieblichen Rechnungswesen, in: Zeitschrift für Betriebswirtschaft, Vol. 58, No. 11 (1988), S. 1143-1170.

Albright, T/Davis, S. (2000): Supply Chain Management, in: Brinker, B. J. (Hrsg.) Guide to Cost Management, New York, S. 164-178.

Anderson, R. F. (1996): Total cost of ownership: getting past the 10% solution, in: Hydrocarbon processing, Vol. 75, No. 7 (1996), S. 105-109.

Ansari, S. L./Bell, J.E. (1997): Target Costing – The Next Frontier in Strategic Cost Management, Chicago.

Anuba, C. J./Siemieniuch, C. E./Sinclair, M. A. (2000): Supply chain implications of concurrent engineering, in: International Journal of Physical Distribution & Logistics Management, Vol. 30, No. 7/8 (2000), S. 566-597.

Arnold, U. (1997): Beschaffungsmanagement, 2. Auflage, Stuttgart.

Arnold, U. (1999): Basisstrategien des Outsourcing aus Sicht des Beschaffungsmanagements, in: Controlling, Vol. 10, No. 7 (1999), S. 309-316.

Arnold, U./Eßig, M. (2000): Sourcing-Konzepte als Grundelemente der Beschaffungsstrategie, in: Wirtschaftswissenschaftliches Studium, Vol. 29, No. 3 (2000), S. 122-128.

Aulinger, A. (1996): (Ko-)Operation Ökologie – Kooperationen im Rahmen ökologischer Unternehmenspolitik, Marburg.

Back-Hock, A. (1988): Lebenszyklusorientiertes Produktcontrolling: Ansätze zur computergestützten Realisierung mit einer Rechnungswesen-Daten- und -Methodenbank, Berlin.

Back-Hock, A. (1992): Produktlebenszyklusorientierte Ergebnisrechung, in: Männel, W. (Hrsg.): Handbuch Kostenrechung, Wiesbaden, S. 703-714.

Baden, A. (1997): Strategische Kostenrechnung: Einsatzmöglichkeiten und Grenzen, Wiesbaden.

Baden, A. (1998): Die strategische Kostenrechnung – Eine „revolutionäre Umorientierung des internen Rechnungswesens"?, in: Zeitschrift für Betriebswirtschaft, Vol. 68, No. 6 (1998), S. 605-626.

Baumöl, U. (1999): Target costing bei der Softwareentwicklung: eine Controlling-Konzeption und instrumentelle Umsetzung für die Anwendungssoftware, München.

Beamon, B. M. (1999): Measuring supply chain performance, in: International Journal of Operations & Production Management, Vol. 19, No. 3 (1999), S. 275-292.

Bechtel, C./Jayaram, J. (1997): Supply Chain Management: A Strategic Perspective, in: The International Journal of Logistics Management, Vol. 8, No. 1 (1997), S. 15-34.

Becker, W. (1993): Aufgaben und Instrumente der frühzeitigen kostenpolitischen Steuerung, in: Kostenrechnungspraxis, Vol. 40, Sonderheft 1 (1996), S. 20-28.

Becker, W. (1996): Aufgaben und Instrumente der frühzeitigen Kostenpolitischen Steuerung, in: Kostenrechungspraxis, Vol. 40, Sonderheft 1 (1996), S. 20-28.

Becker, W. (1997): Kostenrechnung und Kostenpolitik, in: Freidank, C.-C./Götze, U./Huch, B./Weber, J (Hrsg.): Kostenmanagement – Aktuelle Konzepte und Anwendungen, Berlin, S. 25-55.

Bellmann, K. (1996): Produktionsnetzwerke – ein theoretischer Bezugsrahmen, in: Wildemann, H. (Hrsg.): Produktions- und Zuliefernetzwerke, München, S. 47-63.

Benkenstein, M. (1993): Beteiligungen und Unternehmensverbund als Indikatoren vertikaler Integration, in: Das Wirtschaftsstudium, Vol. 22, No. 5 (1993), S. 443-449.

Benkenstein, M. (1994): Die Gestaltung der Fertigungstiefe als wettbewerbsstrategischer Entscheidungsproblem – Eine Analyse aus transaktions- und produktionskostentheoretischer Sicht, in: Zeitschrift für betriebswirtschaftliche Forschung, Vol. 46, No. 6 (1994), S. 483-498.

Bennett, M./James, P. (1998): Life-Cycle Costing and Packaging at Xerox Ltd, in: Bennett, M./James, P. (Hrsg.): The Green Bottom Line: Environmental Accounting for Management – Current Practice and Future Trends, Sheffield, S. 347-361.

Berens, W./Schmitting, W. (2000): Möglichkeiten der entscheidungsorientierten Kostenbewertung – beschaffungs- und absatzmarktorientierte Fundierung, in: Fischer, T. M. (Hrsg.): Kostencontrolling – Neue Methoden und Inhalte, Stuttgart, S. 53-77.

Berliner, C./Brimson, J. A. (1988): Cost Management for Today's Advanced Manufacturing, Boston.

Beschorner, T./Pfriem, R. (2000): Evolutorische Ökonomik und Theorie der Unternehmung, Marburg.

Bessant, J./Levy, P./Sang, B./Lamming, R. (1994): Managing successful total quality relationships in the supply chain, in: European Journal of Purchasing and Supply Management, Vol. 1, No. 1 (1994) , S. 7-17.

Bhattacharya, A. K./Coleman, J. L./Brace, G./Kelly, P. J. (1996): The structure conundrum in supply chain management, in: The International Journal of Logistics Management, Vol. 7, No. 1 (1996), S. 39-48.

Blecker, T. (1999): Unternehmung ohne Grenzen – Konzepte, Strategien und Gestaltungsempfehlungen für das Strategische Management, Wiesbaden.

Blancero, D./Ellram, L. M. (1997): Strategic supplier partnering: a psychological contract perspective, in: International Journal of Physical Distribution & Logistics Management, Vol. 27, No. 9/10 (1997), S. 616-629.

Bleicher, K. (1987): Grenzen des Rechnungswesens für die Lenkung der Unternehmensentwicklung, in: Die Unternehmung, Vol. 41, No. 5 (1987), S. 380-397.

Bleicher, K. (1996): Das Konzept Integriertes Management, (St. Galler Management-Konzept), 4., revidierte und erweiterte Auflage, Frankfurt am Main.

Bloemhof-Ruwaard, J. M./van Beek, P./Hordijk, L./van Wassenhove, L. N. (1995): Interactions between operational research and environmental management, in: European Journal of Operations Research, Vol. 85, No. 2 (1995), S. 229-244.

Blois, K. J. (1999): Trust in business to business relationships: An evaluation of its status, in: Journal of Management Studies, Vol. 36, No. 2 (1999), S. 197-215.

Bohr, K./Schwab, H. (1984): Überlegungen zu einer Theorie der Kostenrechnung, in: Zeitschrift für Betriebswirtschaft, Vol. 54, No. 2 (1984), S. 139-159.

Botta, V. (1996): Lean Management – Überlegungen zur effizienten Gestaltung von Produktionsnetzwerken, in: Wildemann, H. (Hrsg.): Produktions- und Zuliefernetzwerke, München, S. 169-189.

Boutellier, R./Peter, M./Fink, K./Pletscher, R. (1995): Mit ausgewählten Lieferanten intensiver zusammenarbeiten, in: io Management, Vol. 64, No. 3 (1995), S. 28-32.

Bovet, D./Martha, J. (2000): Value Nets – Breaking the supply chain to unlock hidden profits, New York.

Bowersox, D. J./Closs. D. J. (1996): Logistical Management – The Integrated Supply Chain Process, 1. Auflage, New York.

Brede, H. (1993): Entwicklungstrends in Kostenrechnung und Kostenmanagement, in: Die Unternehmung, Vol. 47, No. 4 (1993), S. 333-357.

Brewer, P. C./Speh, T. W. (2000): Using the Balanced Scorecard to Measure Supply Chain Performance, in: Journal of Business Logistics, Vol. 21, No. 1 (2000), S. 75-94.

Brink, H.-J. (1992): Einflussfaktoren auf die Gestaltung der Kostenrechungssystemen, in: Männel, W. (Hrsg.): Handbuch Kostenrechung, Wiesbaden, S. 167-181.

Brinker, B. J. (Hrsg.) (2000): Guide to Cost Management, New York.

Brockhoff, K. (1987): Budgetierungsstrategien für Forschung und Entwicklung, in: Zeitschrift für Betriebswirtschaft, Vol. 57, No.9 (1987), S. 846-869.

Brokemper, A. (1998): Strategieorientiertes Kostenmanagement, München.

Brokemper, A./Gleich, R. (1997): Strategisches Kostenmanagement, in: Die Betriebswirtschaft, Vol. 57, No. 5 (1997), S. 715-716.

Brühl, R. (1996): Die Produktlebenszyklusrechnung zur Informationsversorgung des Zielkostenmanagements, in: Zeitschrift für Planung, Vol. 7 (1996), S. 319-335.

Brunner, J./Sprich, O. (1998): Performance Management und Balanced Scorecard, in: io Management, Vol. 67, No. 6 (1998), S. 30-36.

Bühner, R./Tuschke, A. (1997): Outsourcing, in: Die Betriebswirtschaft, Vol. 57, No. 1 (1997), S. 20-29.

Bungenstock, C. (1995): Entscheidungsorientierte Kostenrechnungssysteme – Eine entwicklungsgeschichtliche Analyse, Wiesbaden.

Burt, D. N. (1989): Managing Suppliers up to Speed, in: Harvard Business Review, Vol. 67, No. 4 (1989), S. 127-135.

Buzzell, R. D./Quelch, J. A./Salmon, W. J. (1990): The Costly Bargain of Trade Promotions, in: Harvard Business Review, Vol. 68, No. 2 (1990), S.141-148.

Cachon, G. P. (1999): Managing Supply Chain Demand Variability with Scheduled Ordering Policies, in: Management Science, Vol. 45, No. 6 (1999), S. 843-856.

Cachon, G. P./Fischer, M. (1997): Campbell Soup's continuous replenishment program: evaluation and enhanced inventory decision rules, in: Production and Operations Management, Vol. 6, No. 3 (1997), 266-276.

Carter, J. R./Ferrin, B. G (1995): The impact of transportation costs on supply chain management, in: Journal of Business Logistics, Vol. 16, No. 1 (1995), S. 189-212.

Cavinato, J. L. (1991): Identifying interfirm total cost advantages for supply chain competitiveness, in: International Journal of Purchasing and Materials Management, Vol. 27, No. 4 (1991), S. 10-15.

Cavinato, J. L. (1992): A total cost/value model for supply chain competitiveness, in: Journal of Business Logistics, Vol. 13, No. 2 (1992), S. 285-301.

Chandra, C./Kumar, S. (2000): Supply chain management in theory and practice: a passing fad or a fundamental change?, in: Industrial Management & Data Systems, Vol. 100, No. 3 (2000) S. 100-113.

Chase, R. B./Aquilano, N. J./Jacobs, F. R. (1998): Production and Operations Management: Manufacturing and Services, 8. Edition, Boston.

Christopher, M. (1998a): Logistics and Supply Chain Management, 2. Edition, Harlow.

Christopher, M. (1998b): Relationships and alliances – Embracing the era of network competition, in: Gattorna, J. (Hrsg.): Strategic Supply Chain Alignment: Best practice in supply chain management, Aldershot, S. 272-284.

Clark, K. B. (1996): Competing through manufacturing and the new manufacturing paradigm: Is manufacturing strategy passé?, in; Production and Operations Management, Vol. 5, No. 1 (1996), S. 42-58.

Closs, D. J./Stank, T. P. (1999): A cross-functional curriculum for supply chain education at Michigan State University, in: Journal of Business Logistics, Vol. 20, No. 1 (1999), S. 59-72.

Coase, R. H. (1937): The Nature of the firm, in: Economica, No. 4 (1937), S. 386-405.

Coenenberg, A. G. (1999): Kostenrechnung und Kostenanalyse, 4., aktualisierte Auflage, Landsberg am Lech.

Coenenberg, A. G./Fischer, T. M. (1991a): Prozesskostenrechnung – Strategische Neuorientierung in der Kostenrechnung, in: Die Betriebswirtschaft Vol. 51, No. 1 (1991), S. 21-38.

Coenenberg, A. G./Fischer, T. M. (1991b): Zusammenfassende Stellungnahme zu den Diskussionsbeiträgen zum Thema "Prozesskostenrechnung – Strategische Neuorientierung in der Kostenrechnung", in: Die Betriebswirtschaft, Vol. 51, No. 4 (1991), S. 547-548.

Coenenberg, A. G./Fischer, T. M. (1996): Strategisches Kostenmanagement, in: Eversheim, W./Schuh, G. (Hrsg.): Betriebshütte: Produktion und Management, 7. völlig überarbeitete Auflage, Berlin, S. 8.38-8.46.

Coenenberg, A. G./Fischer, T./Schmitz, J. (1994): Target Costing und Product Life Cycle Costing als Instrumente des Kostenmanagements, in: Zeitschrift für Planung, Vol. 5 (1994), S. 1-38.

Cohan, D. (1996): Integrated Life-Cycle Management, in: Fiskel, J. (Hrsg.) (1996): Design for Environment – Creating Eco-Efficient Products and Processes, New York, S. 127-151.

Cohen, M. A./Cull, C./Lee, H. L./Willen, D. (2000): Saturn's Supply-Chain Innovation: High Value in After-Sales Service, in: Sloan Management Review, Vol. 41, No. 3 (2000), S. 93-101.

Cohen, M. A./Mallik, A. (1997): Global Supply Chains: Research and Applications, in: Production and Operations Management, Vol. 6, No. 3 (1997), S. 193-210.

Cooper, M. C./Ellram, L. M. (1993): Characteristics of Supply Chain Management and the Implications for Purchasing and Logistics Strategy, in: The International Journal of Logistics Management, Vol. 4, No. 2 (1993), S. 3-24.

Cooper, M. C./Lambert, D. M./Pagh, J. D. (1997): Supply Chain Management: More than a new name for Logistics, in: The International Journal of Logistics Management, Vol. 8, No. 1 (1997), S. 1-14.

Cooper, M. C./Ellram, L. M./Gardner, J. T./Hanks, A. M. (1997): Meshing mutiple alliances, in: Journal of Business Logistics, Vol. 18, No. 1 (1997), S. 67-90.

Cooper, R. (1988): The Rise of Activity-Based Costing – Part One: What is an activity-based cost system, in. Journal of Cost Management, Summer (1988), S. 45-54.

Cooper, R (1992): Activity-Based Costing, in: Männel, W. (Hrsg.): Handbuch Kostenrechung, Wiesbaden, S. 360-383.

Cooper, R. (1997): The changing practice of Management Accounting: A US-Perspective of Cost Management, in: Franz, K.-P./Kajüter, P. (Hrsg.): Kostenmanagement – Wettbewerbsvorteile durch systematische Kostensteuerung, Stuttgart, S. 449-465.

Cooper, R./Chew, W. B. (1996): Control tomorrow's costs through today's design, in: Harvard Business Review, Vol. 74, No. 1 (1996), S. 88-97.

Cooper, R./Kaplan, R. S. (1988): Measure Costs Right – Make the right decision, in: Harvard Business Review, Vol. 66, No. 1 (1988), S. 96-103.

Cooper, R./Kaplan, R. S. (1998): The promise – and peril – of integrated cost systems, in: Harvard Business Review, Vol. 76, No. 4 (1998), S. 109-119.

Cooper, R./Slagmulder, R. (1997): Target Costing and Value Engineering, Portland.

Cooper, R./Slagmulder, R. (1999): Supply Chain Development for the Lean Enterprise – Interorganisational Cost Management, Portland.

Cooper, R./Yoshikawa, T. (1994): Inter-organisational cost management systems: The case of the Tokyo-Yokohama-Kamakury supplier chain, in: International Journal of Production Economics, Vol. 37 (1994), S. 51-62.

Copacino, W. C. (1997): Supply Chain Management – The Basics and Beyond, Boca Raton.

Corsten, H. (Hrsg.) (1994): Handbuch Produktionsmanagement: Strategie – Führung – Technologie – Schnittstellen, Wiesbaden.

Council of Logistics Management (1986): What is it all about?, Illinois.

Cullen, J./Berry, W./Seal, A./Dunlop, A./Ahmend, M./Marson, J. (1999): Interfirm Supply Chains – the contribution of management accounting, in: Management Accounting, Vol. 77, No. 6 (1999), S. 30-32.

Dambrowski, J./Hieber, W. L. (1997): Activity Based Budgeting (ABB – Effizienzsteigerung in der Budgetierung, in: Gleich, R./Seidenschwarz, W. (Hrsg.): Die Kunst des Controlling, München, S. 293-312.

Daniels, B. (1999): Integration of the supply chain for total through-cost reduction, in: Total Quality Management, Vol. 10, No. 4&5 (1999), S. 481-490.

Davidow, W. H./Malone, M. S. (1993): Das virtuelle Unternehmen. Der Kunde als Co-Produzent, Frankfurt am Main.

Davies, G./Brito, E. (1996): The relative cost structures of competing grocery supply chains, in: The International Journal of Logistics Management, Vol. 7, No. 1 (1996), S. 49-60.

Davis, T. (1993): Effective Supply Chain Management, in: Sloan Management Review, Vol. 34, No. 2 Summer (1993), S. 35-46.

Degraeve, Z/Labro, E./Roodhooft, F. (2000): An evaluation of vendor selection models from a total cost of ownership perspective, in: European Journal of Operational Research, Vol. 125, No. 1 (2000), S. 34-58.

Degraeve, Z./Roodhooft, F. (1999a): Effectively selecting suppliers using total cost of ownership, in: The Journal of Supply Chain Management, Vol. 35, No. 1 (1999), S. 5-10.

Degraeve, Z./Roodhooft, F. (1999b): Improving the efficiency of the purchasing process using total cost of ownership information: The case of heating electrodes at Cockerill Sambre S.A., in: European Journal of Operational Research, Vol. 112, No. 1 (1999), S. 42-53.

Dekker, H. C./van Goor, A. R. (2000): Supply Chain Management and Management Accounting: A case study of activity-based costing, in: International Journal of Logistics, Vol. 3, No. 1 (2000), S. 41-52.

Dellmann, K./Franz, K.-P. (Hrsg.) (1994a): Neuere Entwicklungen im Kostenmanagement, Stuttgart.

Dellmann, K./Franz, K.-P. (1994b): Von der Kostenrechnung zum Kostenmanagement, in: Dellmann, K./Franz, K.-P. (Hrsg.): Neuere Entwicklungen im Kostenmanagement, Stuttgart, S. 15-30.

Donelan, J. G./Kaplan, E. A. (1998): Value Chain Analysis: A strategic approach to cost management, in: Journal of Cost Management, Vol. 12, No. 2 (1998), S. 7-15.

Drucker, P. F. (1990): The emerging theory of manufacturing, in: Harvard Business Review, Vol. 68, No. 3 (1990), S. 94-102.

Dyer, J. H. (1996): How Chrysler Created an American Keiretsu, in: Harvard Business Review, Vol. 74, No. 4 (1996), S. 42-56.

Dyer, J. H./Cho, D. S./Chu, W. (1998): Strategic Supplier Segmentation: The next "best practice" in supply chain management, in: California Management Review, Vol. 40, No. 2 (1998), S. 57-77.

Ebers, M./Gotsch, W. (1995): Institutionenökonomische Theorien der Organisation, in: Kieser, A. (Hrsg.): Organisationstheorien, 2. Auflage, Stuttgart, S. 185-235.

Ebinger, F. (2000): Wertschöpfungskettennetzwerke – Kooperative ökologische Produktgestaltung, in: Schneidewind, U./Truscheit, A./Steingräber, G. (Hrsg.): Nachhaltige Informationsgesellschaft – Analyse und Gestaltungsempfehlungen aus Management- und institutioneller Sicht, Marburg, S. 325-350.

Ehrlenspiel, K. (1995): Frühzeitige Kostenbeeinflussung durch Produktkosten-Controlling und Simultaneous Engineering, in: Kostenrechnungspraxis, Vol. 39, No. 6 (1995), S. 313-320.

Ellram, L. M. (1991): Supply Chain Management: The Industrial Organisation Perspective, in: International Journal of Physical Distribution & Logistics Management, Vol. 21, No. 1 (1991), S. 13-22.

Ellram, L. M. (1993a): A framework for total cost of ownership, in: The International Journal of Logistics Management, Vol. 4, No. 2 (1993), S. 49-60.

Ellram, L. M. (1993b): Total Cost of Ownership: Elements and Implementation, in: International Journal of Purchasing and Materials Management, Vol. 29, No. 4 (1993), S. 2-11.

Ellram, L. M. (1994): A taxonomy of total cost of ownership models, in: Journal of Business Logistics, Vol. 15, No. 1 (1994), S. 171-192.

Ellram, L. M. (1995a): Total cost of ownership: An analysis approach for purchasing, in: International Journal of Physical Distribution & Logistics Management, Vol. 25, No. 8 (1995), S 4-23.

Ellram, L. M. (1995b): Activity-Based Costing and Total Cost of Ownership: A critical linkage, in: Journal of Cost Management, Vol. 8, No. 4 (1995), S. 22-30.

Ellram, L. M. (1996): A structured method for applying purchasing cost management tools, in: International Journal of Purchasing and Materials Management, Vol. 32, No. 1 (1996), S. 11-19.

Ellram, L. (1999): Total Cost of Ownership, in: Hahn, D./Kaufmann, L. (Hrsg.): Handbuch industrielles Beschaffungsmanagement, Wiesbaden, S. 595-607.

Ellram, L. (2000): Purchasing and Supply Management's Participation in the Target Costing Process, in: The Journal of Supply Chain Management, Vol. 36, No. 2 (2000), S. 39-50.

Ellram, L. M./Cooper, M. C. (1993): The relationship between Supply Chain Management and Keiretsu, in: The International Journal of Logistics Management, Vol. 4, No. 1 (1993), S. 1-12.

Ellram, L. M./Feitzinger, E. (1997): Using total profit analysis to model supply chain decisions, in: Journal of Cost Management, Vol. 11, No. 1 (1997), S. 12-22.

Ellram, L. M./Maltz, A. B. (1995): The use of Total Cost of Ownership Concepts to Model the Outsourcing Decision, in: The International Journal of Logistics Management, Vol. 6, No. 2 (1995), S. 55-66.

Ellram, L. M./Siferd, S. P. (1993): Purchasing: The cornerstone of the total cost of ownership concept, in: Journal of Business Logistics, Vol. 14, No. 1 (1993), S. 163-184.

Ellram, L. M./Siferd, S. P. (1998): Total cost of ownership: A key concept in strategic cost management decisions, in: Journal of Business Logistics, Vol. 19, No. 1 (1998), S. 55-84.

Emblemsvåg, J./Bras, B. (1997): Method for Life-Cycle Design Cost Assessment using Activity-Based Costing and Uncertainty, in: Engineering Design & Automation, Vol. 3, No. 4 (1997), S. 339-354.

Enquete-Kommission „Schutz des Menschen und der Umwelt" des Deutschen Bundestages (Hrsg.) (1994): Die Industriegesellschaft gestalten – Perspektiven für einen nachhaltigen Umgang mit Stoff- und Materialströmen, Bonn.

Evans, R./Danks, A. (1998): Strategic supply chain management – Creating shareholder value by aligning supply chain strategy with business strategy, in: Gattorna, J. (Hrsg.): Strategic Supply Chain Alignment: Best practice in supply chain management, Aldershot, S. 18-37.

Eversheim, W./Caesar, C. (1991): Produktionsnahe Kostenbewertung am Beispiel variantenreicher Serienprodukte, in: Die Betriebswirtschaft, Vol. 51, No. 4 (1991), S. 533-536.

Ewert, R./Ernst, C. (1999): Target costing, co-ordination and strategic cost management, in: The European Accounting Review, Vol. 8, No. 1 (1999), S. 23-49.

Farris, M. T. (1996): Utilising inventory flow models with suppliers, in: Journal of Business Logistics, Vol. 17, No. 4 (1996), S. 35-62.

Feitzinger, E./Lee, H. L. (1997): Mass Customization at Hewlett-Packard: The Power of Postponement, in: Harvard Business Review, Vol. 75, No. 1 (1997), S. 116-121.

Ferk, H. (1996): Geschäftsprozessmanagement: Ganzheitliche Prozessoptimierung durch Cost Driver-Analyse – Methodik, Implementierung, Erfahrungen, München.

Fessler, N. J./Fisher, J. (2000): Target Costing, in: Brinker, B. J. (Hrsg.) Guide to Cost Management, New Yor, S. 31-46.

Fisher, M. L. (1997): What is the right Supply Chain for your product, in: Harvard Business Review, Vol. 75, No. 2 (1997), S. 105-116.

Fisher, M. L./Hammond, J./Obermeyer, W./Raman, A. (1994): Managing supply meet demand in an uncertain world, in: Harvard Business Review, Vol. 72, No. 3 (1994), S. 83-93.

Fisher, M. L./Hammond, J./Obermeyer, W./Raman, A. (1998): Configuring a supply chain to reduce the cost of demand uncertainty, in: Production and Operations Management, Vol. 6, No. 3 (1998), S. 211-225.

Fischer, T. M. (Hrsg.) (2000a): Kosten-Controlling – Neue Methoden und Inhalte, Stuttgart.

Fischer, T. M. (2000b): Kostenrechung, Kostenmanagement und Kosten-Controlling, in: Fischer, T. M. (Hrsg.): Kosten-Controlling – Neue Methoden und Inhalte, Stuttgart, S. 3-20.

Fiskel, J. (Hrsg.) (1996): Design for Environment – Creating Eco-Efficient Products and Processes, New York.

Fine, C. H. (2000): Clockspeed-based strategies for supply chain design, in: Production and Operations Management, Vol. 9, No. 3 (2000), S. 213-221.

Fites, D. V. (1996): Make your dealers your partners – with its strong network of dealers, Caterpillar designs better products and provides superior customer service, in: Harvard Business Review, Vol. 74, No. 2 (1996), S. 84-95.

Fleischmann, B./Meyr, H./Wagner, M. (2000): Advanced Planning, in: Stadler, H./Kliger, C. (Hrsg.): Supply Chain Management and Advanced Planning – Concepts, Models, Software and Case Studies, Berlin, S. 57-71.

Fletcher, K./Waayer, N./Vreeland, J. M./Grose, L. (1999): Creating a final product, in: Myers, D./Stolton, S. (Hrsg.) (1999): Organic Cotton – From Field to Final Product, London, 45-64.

Forrester, J. W. (1961): Industrial Dynamics, Cambridge, MA.

Forrester, J. W. (1978): Industrial Dynamics – A Major Breakthrough, in: Roberts, E. B. (Hrsg.): Managerial Applications of System Dynamics, Cambrigde, MA, S. 37-65.

Franz, K.-P. (1991): Prozesskostenrechnung – Renaissance der Vollkostenidee?, in: Die Betriebswirtschaft, Vol. 51, No. 4 (1991), S. 536-540.

Franz, K.-P. (1992): Moderne Methoden der Kostenbeeinflussung, in: Männel, W. (Hrsg.): Handbuch Kostenrechung, Wiesbaden, S. 1492-1505.

Franz, K.-P. (1993): Target Costing: Konzept und kritische Bereiche, in: Controlling, Vol. 4, No. 3 (1993), S. 124-130.

Franz, K.-P./Kajüter, P. (Hrsg.) (1997a): Kostenmanagement – Wettbewerbsvorteile durch systematische Kostensteuerung, Stuttgart.

Franz, K.-P./Kajüter, P. (1997b): Proaktives Kostenmanagement als Daueraufgabe, in: Franz, K.-P./Kajüter, P. (Hrsg.): Kostenmanagement – Wettbewerbsvorteile durch systematische Kostensteuerung, Stuttgart, S. 5-27.

Franz, K.-P./Kajüter, P. (1997c): Kostenmanagement in Deutschland – Ergebnisse einer empirischen Untersuchung in deutschen Großunternehmen, in: Franz, K.-P./Kajüter, P. (Hrsg.): Kostenmanagement – Wettbewerbsvorteile durch systematische Kostensteuerung, Stuttgart, S. 481-502.

Freidank, C.-C. (1993): Die Prozesskostenrechnung als Instrument des strategischen Kostenmanagements, in: Die Unternehmung, Vol. 47, No. 5 (1993), S. 387-406.

Freidank, C.-C. (1997): Kostenrechung, 6., vollständig überarbeitete und erweiterte Auflage, Oldenbourg.

Freidank, C.-C. (1999): Kostenmanagement, in: Wirtschaftswissenschaftliches Studium, Vol. 28, No. 9 (1999), S. 462-467.

Freidank, C.-C./Götze, U./Huch, B./Weber, J (Hrsg.) (1997): Kostenmanagement – Aktuelle Konzepte und Anwendungen, Berlin.

Friedl, B. (1994): Prozesskostenrechnung als Instrument eines programmorientierten Kostenmanagements, in: Dellmann, K./Franz, K.-P. (Hrsg.): Neuere Entwicklungen im Kostenmanagement, Stuttgart, S. 135-166.

Friedl, B. (1997): Strategieorientiertes Kostenmanagement in der Industrieunternehmung, in: Küpper, H.-U./Troßmann, E. (Hrsg.): Das Rechnungswesen im Spannungsfeld zwischen strategischem und operativem Management, Berlin, S. 413-432.

Friedrich, S. A./Hinterhuber, H. H. (1999): Wettbewerbsvorteile durch Wertschöpfungspartnerschaft – Paradigmenwechsel in der Hersteller/Handels-Beziehung, in: Wirtschaftswissenschaftliches Studium, Vol. 28, No. 1 (1999), S. 2-8.

Friedrich, S. A./Hinterhuber, H. H./Rodens, B. (1995): Handel und Industrie: Der Wertschöpfungspartnerschaft gehört die Zukunft, in: io Management, Vol. 64, No. 11 (1995), S. 40-44.

Frigo-Mosca, F.(1998): Referenzmodelle für Supply Chain Management nach den Prinzipien der zwischenbetrieblichen Kooperation – Eine Herleitung und Darstellung des Modells Advanced Logistic Partnership, Zürich.

Fröhling, O. (1992): Thesen zur Prozesskostenrechnung, in: Zeitschrift für Betriebswirtschaft, Vol. 62, No. 7 (1992), S. 723-741.

Fröhling, O. (1994a): Dynamisches Kostenmanagement- Konzeptionelle Grundlagen und praktische Umsetzung im Rahmen eines strategischen Kosten- und Erfolgs-Controlling, München.

Fröhling, O. (1994b): Strategisches Kostenmanagement: Paradigmenbeschwörung überdeckt Konzeptionsdefizite, in: Dellmann, K./Franz, K.-P. (Hrsg.): Neuere Entwicklungen im Kostenmanagement, Stuttgart, S. 79-131.

Fröhling, O./Spilker, D. (1990): Life Cycle Costing, in: io Management, Vol. 59, No. 10 (1990), S. 74-78.

Funke, A. (1998): Zielkostenmanagement in öffentlichen Betrieben und Verwaltungen, Frankfurt am Main.

Gablers Wirtschaftslexikon (1997): Galbers Wirtschaftslexikon, 14. Auflage, Wiesbaden.

Gaiser, B. (1998): Prozesskostenrechnung und Activity Based Costing, in: Horváth & Partner (Hrsg.) (1998): Prozesskostenmanagement, 2. Auflage, München, S. 65-77.

Ganeshan, R./Jack, E./Magazine, M. J./Stephens, P. (1998): A taxonomic review of supply chain management research, in: Tayur, S./Ganeshan, R./Magazine, M. (Hrsg.): Quantitative models for supply chain management, Dordrecht, S. 839-879.

Garigiet, G. G. (1995): Prozessimplementierung im Supply Chain Management – Eine empirische Einzelfallstudie am Beispiel der Pflanzenschutzdivision der Ciba-Geigy AG, Bern.

Gerhardt, T./Nippa, U./Picot, A. (1992): Die Optimierung der Leistungstiefe, in: Harvard Manager, Vol. 14, No. 3 (1992), S. 134-142.

Gierl, H./Kotzbauer, N. (1992): Der Einfluss des F&E-Aufwandes auf den wirtschaftlichen Erfolg von Industrieunternehmen, in: Zeitschrift für betriebswirtschaftliche Forschung, Vol. 44, No. 11 (1992), S. 974-989.

Gilmore, J. H./Pine, B. J. (1997): The four Faces of Mass Customization, in: Harvard Business Review, Vol. 75, No. 1 (1997), S. 91-101.

Glad, E./Becker, H. (1995): Activity-based costing and management, Chicester.

Glaser, H. (1992): Prozesskostenrechnung: Darstellung und Kritik, in: Zeitschrift für betriebswirtschaftliche Forschung, Vol. 44, No. 3 (1992), S. 275-288.

Gleich, R. (1996): Target Costing für die montierende Industrie, München.

Gleich, R./Seidenschwarz, W. (1999): Target Costing und Zuliefererintegration, in: Hahn, D./Kaufmann, L. (Hrsg.): Handbuch industrielles Beschaffungsmanagement, Wiesbaden, S. 577-593.

Göpfert, J. R./Knecht, T. C. (2000): Simultaneous Costing – Ein kundenorientiertes Konzept zur Kostenplanung in der Produktentwicklung, in: Die Betriebswirtschaft, Vol. 60, No. 4 (2000), S. 513-528.

Götze, U. (2000): Lebenszykluskosten, in: Fischer, T. M. (Hrsg.): Kostencontrolling – Neue Methoden und Inhalte, Stuttgart, S. 265-289.

Goldbach, M. (2001): Akteursbeziehungen in nachhaltigen Wertschöpfungsnetzen", Diskussionsbeitrag Nr. 3 am Lehrstuhl für Produktion und Umwelt an der Universität Oldenburg, Oldenburg.

Gräfe, C. (1998): Kostenmanagement im Entstehungszyklus eines Serienerzeugnisses – Konzeptionelle und instrumentelle Lösungsvorschläge für Theorie und Unternehmenspraxis, Hamburg.

Graham, G./Hardaker, G. (2000): Supply-chain management across the Internet, in: International Journal of Physical Distribution & Logistics Management, Vol. 30, No.3/4 (2000), S. 286-295.

Graßhoff, J./Gräfe; C. (2000): FuE-Kosten, in: Fischer, T. M. (Hrsg.): Kostencontrolling – Neue Methoden und Inhalte, Stuttgart, S.325-351.

Günther, T. (1997): Neuentwicklungen der Kostenrechung – Eine Antwort auf geänderte Fragestellungen, in: Freidank, C.-C./Götze, U./Huch, B./Weber, J (Hrsg.): Kostenmanagement – Aktuelle Konzepte und Anwendungen, Berlin, S. 97-120.

Gumbleton, K. (1999): Lean Supplier Networks, in: Cooper, R./Slagmulder, R. (1999): Supply Chain Development for the Lean Enterprise – Interorganisational Cost Management, Portland, S. 115-141.

Gutschelhofer, A./Roberts, H. (1997): Anglo-Saxon and German Life-Cycle Accounting, in: The International Journal of Accounting, Vol. 32, No. 1 (1997), S. 23-44.

Hagenloch, T. (1997): Zielkostenmanagement und unterstützende Instrumente, in: Kostenrechnungspraxis, Vol. 41, No. 6 (1997), S. 319-327.

Hahn, C. K. (1986): Cost of Competition – Implications for Purchasing Strategy: in Journal of Purchasing and Materials Management, Vol. 22, Fall (1986), S. 2-7.

Hahn, D. (2000): Problemfelder des Supply Chain Management, in: Wildemann, H. (Hrsg.): Supply Chain Management, München, S. 9-19.

Hammel, T. R./Kopczak, L. R. (1993): Tightening the supply chain, in: Production and Inventory Management Journal, Vol. 34, No. 2 (1993), S. 63-70.

Handfield, R. B./Krause, D. R./Scannell, T. V./Monczka, R. M. (2000): Avoid the Pitfalls in Supplier Development, in: Sloan Management Review, Vol. 41, No. 2 (2000), S. 37-50.

Handfield, R. B./Nichols, E. L. (1999): Introduction to Supply Chain Management, New Jersey.

Handfield, R. B./Ragatz, G. L./Petersen, K. J./Monczka, R. M. (1999): Involving Suppliers in New Product Development, in: California Management Review, Vol. 42, No. 1 (1999), S. 59-82.

Hasegawa, T. (1994): Entwicklung des Management Accounting Systems und der Management Organisation in japanischen Unternehmungen, in: Controlling, Vol. 5, No. 1 (1994), S. 4-11.

Hauschildt, J. (1997): Die vernachlässigten Kosten des Schnittstellen-Managements, in: Küpper, H.-U./Troßmann, E. (Hrsg.): Das Rechnungswesen im Spannungsfeld zwischen strategischem und operativem Management, Berlin, S. 147-160.

Heim, W. (1994): Outsourcing – wettbewerbsfähiger durch optimale Nutzung der Potenziale von Zulieferern, in: io Management, Vol. 63, No. 7/8 (1994), S. 28-33.

Heinen, E. (1983): Betriebswirtschaftliche Kostenlehre – Kostentheorie und Kostenentscheidungen, 6. Auflage, Wiesbaden.

Helper, S. R. (1991): How much has really changed between U.S. Automakers and their suppliers?, in: Sloan Management Review, Vol. 32, No. 32 (1991), S. 15-28.

Helper, S. R./Sako, M. (1995): Supplier Relations in Japan and the United States: Are they converging?, in: Sloan Management Review, Vol. 36, No. 1 (1995), S. 77-84.

Henseling, K.-O./Schneidewind, U./Seuring, S. (2000): Vielversprechende Landkarte – Der aktuelle Stand des Stoffstrommanagements in Deutschland, in: Ökologisches Wirtschaften, No. 1 (2000), S. 29-31.

Heußinger, M. (2000): Koordinationsdefizite in der Bekleidungswirtschaft, Frankfurt am Main.

Hewitt, F. (1994): Supply Chain Redesign, in: The International Journal of Logistics Management, Vol. 5, No. 2 (1994), S. 1-10.

Hilton, R. W./Maher, M. W./Selto, F. H. (2000): Cost Management – Strategies for Business Decisions, Boston.

Hines, P. (1998): Benchmarking Toyota's Supply Chain: Japan versus U.K., in: Long Range Planning, Vol. 31, No. 6 (1998), S. 911-918.

Hiromoto, T. (1988): Another Hidden Edge – Japanese Management Accounting, in: Harvard Business Review, Vol. 76, No. 4 (1988), S. 22-26.

Hiromoto, T. (1989): Management Accounting in Japan: Ein Vergleich zwischen japanischen und westlichen Systemen des Management Accounting, in: Controlling, Vol. 1, No. 6 (1989), S. 316-322.

Hobbs, J. E. (1996): A transaction cost approach to supply chain management, in: Supply Chain Management, Vol. 1, No. 2 (1996), S. 15-27.

Höft, U. (1992): Lebenszykluskonzepte: Grundlage für das strategische Marketing- und Technologiemanagement, Berlin.

Hofer, A. (1997): Textil- und Modelexikon, 7., vollständig überarbeitete und erweiterte Auflage, Frankfurt am Main.

Hoffjan, A. (1997): Cost Benchmarking als Instrument des strategischen Kostenmanagement, in: Freidank, C.-C./Götze, U./Huch, B./Weber, J. (Hrsg.): Kostenmanagement – Aktuelle Konzepte und Anwendungen, Berlin, S. 343-355.

Homburg, C. (1995): Single Sourcing, Double Sourcing, Multiple Sourcing ...? – Ein ökonomischer Erklärungsansatz, in: Zeitschrift für Betriebswirtschaft, Vol. 65, No. 8 (1995), S. 813-833.

Homburg, C./Daum, D. (1997a): Marktorientiertes Kostenmanagement: Gedanken zur Präzisierung eines modernen Kostenmanagementkonzeptes, in: Kostenrechnungspraxis, Vol. 41, No. 4 (1997), S. 185-191.

Homburg, C./Daum, D. (1997b): Grundlagen eines modernen Kostenmanagements in der Beschaffung, in: Kostenrechnungspraxis, Vol. 41, No. 5 (1997), S. 249-260.

Homburg, C./Zimmer, K. (1999): Optimale Auswahl von Kostentreibern in der Prozesskostenrechnung, in: Zeitschrift für betriebswirtschaftliche Forschung, Vol. 51, No. 11 (1999), S. 1042-1055.

Horstmann, S. (1998): Vertikale Vertriebskooperationen in der Bekleidungswirtschaft, Frankfurt am Main.

Horváth, P./Brokemper, A. (1998): Strategieorientiertes Kostenmanagement: Thesen zum Einsatz von Kosteninformationen im strategischen Planungsprozess, in: Zeitschrift für Betriebswirtschaft, Vol. 68, No. 6 (1998), S. 581-604.

Horváth, P./Gaiser, B. (1994): Aufgaben und Einsatz der Prozesskostenrechnung, in: Seicht, G. (Hrsg.): Jahrbuch für Controlling und Rechnungswesen 1994, Wien, S. 49-63.

Horváth, P./Lamla, J. (1995): Cost Benchmarking und Kaizen Costing, in: Reichmann, T. (Hrsg.): Handbuch Kosten- und Erfolgs-Controlling, München, S. 63-88.

Horváth, P./Mayer, R. (1989): Prozesskostenrechung – Der neue Weg zu mehr Kostentransparenz und wirkungsvolleren Unternehmensstrategien, in: Controlling, Vol. 1, No. 4 (1989), S. 214-219.

Horváth, P./Mayer, R. (1991): Anmerkungen zum Beitrag von A. G. Coenenberg/T. M. Fischer: Prozesskostenrechnung – Strategische Neuorientierung in der Kostenrechnung, in: Die Betriebswirtschaft, Vol. 51, No. 4 (1991), S. 540-542.

Horváth, P./Mayer, R. (1993): Prozesskostenrechung – Konzeption und Entwicklungen, in: Kostenrechnungspraxis, Vol. 37, Sonderheft 2 (1993), S. 15-28.

Horváth, P./Seidenschwarz, W. (1991): Strategisches Kostenmanagement der Informationsverarbeitung, in: Heinrich, L. J./Pomberger, G./Schauer, R. (Hrsg.): Die Informationswirtschaft in Unternehmen, Linz, S. 297-322.

Horváth, P./Seidenschwarz, W. (1992): Zielkostenmanagement, in: Controlling, Vol. 3, No. 3 (1992), S. 142-150.

Horváth, P./Seidenschwarz, W./Sommerfeldt, H. (1993): Von Genka Kikaku bis Kaizen, in: Controlling, Vol. 4, No. 1, (1993), S. 10-17.

Horváth & Partner (Hrsg.) (1998): Prozesskostenmanagement, 2. Auflage, München.

Houlihan, J. B. (1985): International Supply Chain Management, in: International Journal of Physical Distribution & Logistics Management, Vol. 15, No. 1 (1985), S. 22-38.

Hughes, J./Ralf, M./Michels, B. (1998): Transform Your Supply Chain – Releasing Value in Business, London.

Hummel, J. (1997): Strategisches Öko-Controlling – Konzeption und Umsetzung in der textilen Kette, Wiesbaden.

Hummel, S. (1992): Die Forderung nach entscheidungsrelevanten Kosteninformationen, in: Männel, W. (Hrsg.): Handbuch Kostenrechung, Wiesbaden, S. 76-83.

Hummel, S./Männel, W. (1986): Kostenrechnung – 1. Grundlagen, Aufbau und Anwendung, 4., völlig neu bearbeitete und erweiterte Auflage, Wiesbaden.

Hungenberg, H. (2000): Komplexitätskosten, in: Fischer, T. M. (Hrsg.): Kostencontrolling – Neue Methoden und Inhalte, Stuttgart, S. 539-553.

Ihde, G. B. (1996): Lieferantenintegration, in: Kern, W. Schröder, H.-H./Weber, J. (Hrsg.): Handwörterbuch der Produktionswirtschaft, 2., völlig neu gestaltete Auflage, Stuttgart, Sp. 1086-1095.

Industrievereinigung Chemiefaser e.V. (Hrsg.) (1999): Die Chemiefaser-Industrie in der Bundesrepublik Deutschland 1999, Frankfurt am Main.

ISO 14001 (1996): Umweltmanagementsysteme – Spezifikation mit Anleitung zur Anwendung, Berlin.

ISO 14040 (1997): Ökobilanz – Prinzipien und allgemeine Anforderungen, Berlin.

Jacobs, F. R. (2000): Playing the beer distribution game over the internet, in: Production and Operations Management, Vol. 9, No. 1 (2000), S. 31-39.

Jayaram, J./Vickery, S. K./Droge, C. (2000): The effects of information system infrastructure and process improvements on supply chain time performance, in: International Journal of Physical Distribution & Logistics Management, Vol. 30, No. 4 (2000), S. 314-330.

Jehle, E./Willeke, M. (1996): Value Management und Kaizen als Instrument des Kostenmanagements, in: Kostenrechnungspraxis, Vol. 40, No. 5 (1996), S. 255-260.

Johannson, L. (1994): How can a TQEM approach add value to your supply chain, in: Total Quality Environmental Management, Vol. 3, No. 4 (1994), S. 521-530.

Johnson, H. T./Kaplan, R.S. (1987): Relevance Lost – The Rise and Fall of Management Accounting, Boston.

Johnson, J. C./Wood, D. F./Wardlow, D. L./Murhpy, P. R. Jr. (1999): Contemporary Logistics, 7. Auflage, London.

Johnson, M. E./Pyke, D. F. (Hrsg.) (2000a): Teaching Supply Chain Management: Innovations for Education, Production and Operations Management Society, Miami.

Johnson, M. E./Pyke, D. F. (2000b): A Framework for Teaching Supply Chain Management, in: Production and Operations Management, Vol. 9, No. 1 (2000), S. 2-18.

Jones, T. C./Riley, D. W. (1985): Using inventory for competitive advantage through Supply Chain Management, in: International Journal of Physical Distribution & Logistics Management, Vol. 15, No. 5 (1985), S. 16-26.

Jürgens, U. (1994): Lean Production, in: Corsten, H. (Hrsg.): Handbuch Produktionsmanagement: Strategie – Führung – Technologie – Schnittstellen, Wiesbaden, S. 369-380.

Kajüter, P. (1997): Prozessmanagement und Prozesskostenrechnung, in: Franz, K.-P./Kajüter, P. (Hrsg.): Kostenmanagement – Wettbewerbsvorteile durch systematische Kostensteuerung, Stuttgart, S. 209-231.

Kaluza, B./Blecker, T. (1999): Integration von Unternehmung ohne Grenzen und Supply Chain Management, Diskussionbeitrag Nr. 9904 des Instituts für Wirtschaftswissenschaften der Universität Klagenfurt, Klagenfurt.

Kaluza, B./Blecker, T. (2000): Supply Chain Management und Unternehmen ohne Grenzen – zur Verknüpfung zweier interorganisationaler Konzepte, in: Wildemann, H. (Hrsg.): Supply Chain Management, München, S. 117-152.

Kansky, D./Weingarten, U. (1999): Supply Chain: Fertigen, was der Kunde verlangt, in: Harvard Business Manager, Vol. 21, No. 4 (1999), S. 87-95.

Kaplan, R. S. (1984): Yesterday's Accounting Undermines Production, in: Harvard Business Review, Vol. 62, No. 4 (1984), S. 95-101.

Kaplan, R. S. (1988): Ein einziges Kostensystem ist zuwenig, in: Harvard Manager, Vol. 10, No. 3 (1988), S. 98-104.

Kaplan, R. S. (1990): The Four-Stage Model of Cost System Design, in: Management Accounting, Vol. 68, No. 2 (1990), S. 22-26.

Kaplan, R. S./Cooper, R. (1997): Cost & Effect – Using Integrated Cost Systems to Drive Profitability and Performance, Boston.

Kaplan, R. S./Johnson, H. J. (1987): Relevance Lost: The Rise and Fall of Management Accounting, Boston.

Kaplan, R. S./Norton, D. P. (1996a): The Balanced Scorecard – Translating Strategy into Action, Boston.

Kaplan, R. S./Norton, D. P. (1996b): Using the balanced scorecard as a strategis management system, in: Harvard Business Review, Vol. 74, No. 1 (1996), S. 75-85.

Kastrup, T. (1999): Marktorientiertes Zielkostenmanagement für Rundfunkanstalten, Wiesbaden.

Kaufmann, L. (1995): Strategisches Sourcing, in: Zeitschrift für betriebswirtschaftliche Forschung, Vol. 47, No. 3 (1995), S. 275-296.

Keoleian, G. A. (1996): Life-Cycle Design, in: Curran, M. A. (Hrsg.): Environmental Life-Cycle Assessment, New York, S. 6.1-6.34.

Kern, W./Schröder, H.-H./Weber, J. (Hrsg.) (1996): Handwörterbuch der Produktionswirtschaft, 2., völlig neu gestaltete Auflage, Stuttgart.

Kilger, W. (1993): Flexible Plankosten- und Deckungsbeitragsrechung, 10. Auflage, Wiesbaden.

Kirchner, C./Picot, A. (1987): Transaction Cost Analysis of Structural Changes in the Distribution Systems: Reflections on Institutional Developments in the Federal Republic of Germany, in: Journal of Institutional and Theoretical Economics, No. 1 (1987), S. 62-81.

Kloock, J. (1992): Prozesskostenrechung als Rückschritt und Fortschritt der Kostenrechnung (Teil I und II), in: Kostenrechnungspraxis, Vol. 36, No. 4 und 5 (1992), S. 183-193 und 237-245.

Kloock, J. (1995): Prozesskostenmanagement zur Sicherung von Erfolgspotenzialen, in: Betriebswirtschaftliche Forschung und Praxis, Vol. 47, No. 6 (1995), S. 582-608.

Kloock, J./Sieben, G./Schildbach, T. (1993): Kosten- und Leistungsrechnung, 7., aktualisierte und erweiterte Auflage, Düsseldorf.

Kloth, M. (1999): Steuerung der Supply Chain auf der Basis des SCOR-Modells, in: Weber, J./Dehler, M. (Hrsg.): Effektives Supply-Chain-Management auf Basis von Standardprozessen und Kennzahlen, Dortmund, S. 9-23.

Knoblich, H. (1969): Zwischenbetriebliche Kooperation – Wesen, Formen und Ziele, in: Zeitschrift für Betriebswirtschaft, Vol. 39, No. 8 (1969), S. 497-514.

Knust, P. (1999): Strategische Kostentreiber und Kostentreiberanalyse, in: Controlling, Vol. 11, No. 7 (1999), S. 343-345.

Ko, E./Kincade, D./Brown, J. R. (2000): Impact of business type upon the adoption of quick response technologies - The apparel industry experience, in: International Journal of Operations & Production Management, Vol. 20, No. 9 (2000), S. 1093-1111.

Köpfli, R. (1997): Getrennt marschieren, gemeinsam siegen: Erfolg durch virtuelle Unternehmensverbünde, in: io Management, Vol. 66, No. 6 (1997), S. 32-37.

Kohl, M./Zimmermann, K. (2001): Projekt-Scorecard - Wie Continental eine ECR-Initiative steuert, in: Absatzwirtschaft, No. 6 (2001), S. 36-40.

Kotzab, H. (2000): Zum Wesen von Supply Chain Management vor dem Hintergrund der betriebswirtschaftlichen Logistikkonzeption – erweiterte Überlegungen, in: Wildemann, H. (Hrsg.): Supply Chain Management, München, S. 21-47.

Krieger, R. (1995): Betriebsindividuelle Gestaltung der Kostenrechung – Ein Beitrag zur Weiterentwicklung der situativen Kostenrechnungstheorie unter besonderer Berücksichtigung der Industriebetriebe, Berlin.

Krömer, S./Preuß, S. (2000): Wir brauchen wieder ehrenwerte, königliche Kaufleute – Gespräch mit Wolfgang Grupp, Inhaber und Geschäftsführer des Bekleidungsherstellers Trigema, in: Frankfurter Allgemeine Zeitung, 13. Nomvember 2000, No. 264 (2000), S. 22.

Krüger, R./Steven, M. (2000): Supply Chain Management im Spannungsfeld von Logistik und Management, in: Wirtschaftswissenschaftliches Studium, Vol. 29,No. 9 (2000), S. 501-507.

Kucher, E./Simon, H. (1987): Conjoint-Measurement – Durchbruch bei der Preisentscheidung, in: Harvard Manager, Vol. 9, No. 3 (1987), S. 28-36.

Küpper, H.-U. (1992): Anforderungen an die Kostenrechnung aus Sicht des Controlling, in: Männel, W. (Hrsg.): Handbuch Kostenrechung, Wiesbaden, S. 138-153.

Küting, K./Lorson, P. (1991): Grenzplankostenrechung versus Prozesskostenrechnung – Quo vadis Kostenrechung?, in: Betriebsberater, Vol. 46, No. 21 (1991), S. 1421-1433.

Küting, K./Lorson, P. (1995): Stand, Entwicklung und Grenzen der Prozesskostenrechnung, in: Männel, W. (Hrsg.): Prozesskostenrechnung – Bedeutung, Methoden, Branchenerfahrungen, Softwarelösungen, Wiesbaden.

Kuglin, F. A. (1998): Customer-Centered Supply Chain Management – A Link-by-Link Guide, New York.

LaLonde, B. J./Pohlen, T. L. (1996): Issues in Supply Chain Costing, in: The International Journal of Logistics Management, Vol. 7, No. 1 (1996), S. 1-12.

Lambert. D. M./Cooper, M. C./Pagh, J. D. (1998): Supply Chain Management: Implementation Issues and Research Opportunities, in: The International Journal of Logistics Management, Vol. 9, No. 1 (1998), S. 1-19.

Lambert, D. M./Cooper, M. C. (2000): Issues in Supply Chain Management, in: Industrial Marketing Management, Vol. 29, No. 1 (2000), S. 65-84.

Lambert, D. M./Emmelhainz, M. A./Gardner, J. T. (1996): Developing and Implementing Supply Chain Partnerships, in: The International Journal of Logistics Management, Vol. 7, No. 2 (1996), S. 1-18.

Lambert, D. M./Emmelhainz, M. A./Gardner, J. T. (1999): Building successful logistics partnerships, in: Journal of Business Logistics, Vol. 20, No. 1 (1999), S. 165-181.

Lamming, R. (1996): Squaring lean supply with supply chain Management, in: International Journal of Operations & Production Management, Vol. 16, No. 2 (1996), S. 183-196.

Lange, C./Schaefer, S./Daldrup, H. (2000): Integriertes Controlling in Strategischen Unternehmensnetzwerken, Beiträge zur Umweltwirtschaft und zum Controlling Nr. 18, Universität Essen, Essen.

Larson, P. D. (1994): Buyer-Supplier Co-operation, Product Quality and Total Cost, in: International Journal of Physical Distribution & Logistics Management, Vol. 24, No. 6 (1994), S. 4-10.

Lee, H. L./Billington, C. (1992): Managing Supply Chain Inventory: Pitfalls and Opportunities, in: Sloan Management Review, Vol. 33, No. 1 (1992), S. 65-73.

Lee, H. L./Billington, C. (1995): The Evolution of Supply-Chain-Management Models and Practice at Hewlett-Packard, in: Interfaces, Vol. 25, No. 4 (1995), S. 42-63.

Lee, H. L./Billington, C./Carter, B. (1993): Hewlett-Packard gains control of inventory and Service through design for localisation, in: Interfaces, Vol. 23, No. 4 (1993), S. 1-11.

Lee, H. L./Ming Ng, S. (1997): Introduction to the special issue on global supply chain management, in: Production and Operations Management, Vol. 6, No. 3 (1997), S. 191-192.

Lee, H. L./Padmanabhan, V./Whang, S. (1997a): Information Distortion in a Supply Chain: The Bullwhip Effect, in: Management Science, Vol. 43, No. 4 (1997), S. 546-558.

Lee, H. L./Padmanabhan, V./Whang, S. (1997b): The Bullwhip Effect in Supply Chains, in: Sloan Management Review, Vol. 38, No. 1 (1997), S. 93-112.

Lelke, C./Kress, S. (1998): Prozesskostenrechnung als strategisches Werkzeug eines wertorientierten Führungskonzeptes, in: Kostenrechnungspraxis, Vol. 42, No. 3 (1998), S. 145-152.

Levitt, T. (1965): Exploit the Product Life Cycle, in: Harvard Business Review, Vol. 43, No. 2 (1965), S. 81-94.

Levy, D. L. (1997): Lean Production in an International Supply Chain, in: Sloan Management Review, Vol. 38, No.4 (1997), S. 94-102.

Lewis, M. A. (2000): Lean production and sustainable competitive advantage, in: International Journal of Operations & Production Management, Vol. 20, No. 8 (2000), S. 959-978.

Li, D./O'Brien, C. (1999): Integrated decision modelling of supply chain efficiency, in: International Journal of Production Economics, Vol. 59 (1999), S. 147-157.

Liker, J. K./Wu, Y.-C. (2000): Japanese Automakers, U.S. Suppliers and Supply-Chain Superiority, in: Sloan Management Review, Vol. 42, No. 1 (2000), S. 81-93.

Loader, R. (1997): Assessing transaction costs to describe supply chain relationsships in agri-food systems, in: Supply Chain Management, Vol. 2, No. 1 (1997), S. 23-35.

Lockamy, A./Smith, W. I. (2000): Target Costing for supply chain management: criteria and selection, in: Industrial Management & Data Systems, Vol. 100, No. 5 (2000), S. 210-218.

Loebert, R. (1998): Marktorientierte Systemlieferantenstrategie, Wiesbaden.

Lummus, R. R./Vokurka, R. J. (1999): Defining supply chain management: a historical perspective and practical guidelines, in: Industrial Management & Data Systems, Vol. 99, No. 1/2 (1999), S. 11-17.

Lummus, R. R./Vokurka, R. J./Alber, K. L. (1998): Strategic Supply Chain Planning, in: Production and Inventory management journal, Vol. 39, No. 3 (1998), S. 49-58.

MacArthur, J. B. (2000): Activity-based costing and activity-based management: An introduction, in: Brinker, B. J. (Hrsg.) Guide to Cost Management, New York, S. 397-410.

Macbeth, D. K. (1996): Supply Chain, in: Warner, M. (Hrsg.) (1996): International Encyclopaedia of Business and Management, London, S. 4714-4727.

MacDuffie, J. P./Helper, S. (1997): Creating lean suppliers: Diffusing lean production through the supply chain, in: California Management Review, Vol. 39, No. 4 (1997), S. 118-151.

Männel, W. (1992): Anpassung der Kostenrechnung an moderne Unternehmensstrukturen, in: Männel, W. (Hrsg.): Handbuch Kostenrechung, Wiesbaden, S. 105-137.

Männel, W. (1997): Aufgaben, Schwerpunkte und Instrumente des Kostenmanagements, in: Küpper, H.-U./Troßmann, E. (Hrsg.): Das Rechnungswesen im Spannungsfeld zwischen strategischem und operativem Management, Berlin, S. 161-184.

Magretta, J. (1998): Fast, Global, and Entrepreneurial: Supply Chain Management, Hong Kong Style – An Interview with Victor Fung, in: Harvard Business Review, Vol. 76, No. 5 (1998), S. 104-114.

Maier-Scheubeck, N. (1991): Prozesskostenrechnung – Im Westen nichts Neues, in: Die Betriebswirtschaft, Vol. 51, No. 4 (1991), S. 543-547.

Makido, T. (1989): Recent Trends in Japan's Cost Management Practices, in: Monden, Y./Sakurai, M. (Hrsg.): Japanese Management Accounting: A world class approach to profit management, Cambridge, MA, S.3-13.

Maloni, M./Benton, W. C. (2000): Power Influences in the Supply Chain, in: Journal of Business Logistics, Vol. 21, No. 1 (2000), S. 49-74.

Maltz, A. B./Ellram, L. M. (1997): Total Cost of Relationship: An analytical framework for the logistics outsourcing decision, in: Journal of Business Logistics, Vol. 18, No. 1 (1997), S. 45-66.

Mason-Jones, R./Towill, D. R. (1999): Total cycle time compression and the agile supply chain, in: International Journal of Production Economics, Vol. 62, No. 1/2 (1999), S. 61-73.

Matje, A. (1996): Kostenorientiertes Transaktionscontrolling – Konzeptioneller Rahmen und Grundlagen für die Umsetzung, Wiesbaden.

Matthyssens, P./Van den Bulte, C. (1994): Getting closer and nicer: Partnerships in the Supply Chain, in: Long Range Planning, Vol. 27, No. 1 (1994), S. 72-83.

Mayer, R. (1991): Prozesskostenrechnung und Prozesskostenmanagement: Konzept, Vorgehensweise und Einsatzmöglichkeiten, in: Horváth & Partner (Hrsg.): Prozesskostenmanagement – Methodik, Implementierung, Erfahrungen, Stuttgart, S. 73-99.

Mayer, R. (1993): Target Costing und Prozesskostenrechnung, in: Horváth, P. (Hrsg.): Target Costing – marktorientierte Zielkosten in der deutschen Praxis, Stuttgart 1993, S. 75-92.

Mayer, R. (1998): Prozesskostenrechnung – State of the Art, in: Horváth & Partner (Hrsg.): Prozesskostenmanagement, 2. Auflage, München, S. 3-27.

Mayer, R./Kaufmann, L (2000): Prozesskostenrechung II – Einordnung, Aufbau, Anwendungen, in: Fischer, T. M. (Hrsg.): Kostencontrolling – Neue Methoden und Inhalte, Stuttgart, S. 291-322.

McCutcheon, D. M./Raturi, A. S./Meredith, J. R. (1994): The Customization-Responsiveness Squeeze, in: Sloan Management Review, Vol. 35, No. 4 (1994), S. 89-99.

Mertens, P./Back-Hock, A. (1991): Prozesskostenrechnung und EDV, in: Die Betriebswirtschaft, Vol. 51, No. 4 (1991), S. 542-543.

Meyer, A. (1999): Kommunikation in der textilen Kette, in: Brickwedde, F. (Hrsg.): Stoffstrommanagement für eine nachhaltige Entwicklung, Osnabrück, S. 167-182.

Meyr, H./Rohde, J:/Stadler, H./Sürie, C. (2000): Supply Chain Analysis, in: Stadler, H./Kliger, C. (Hrsg.): Supply Chain Management and Advanced Planning – Concepts, Models, Software and Case Studies, Berlin, S. 29-56.

Miller, J. G./Vollmann, T. E. (1985): The hidden factory – Cutting the explosive growth of overhead costs requires the mastery of more than just what happens on the shop floor, in: Harvard Business Review, Vol. 63, No. 5 (1985), S. 142-150.

Milling, P. (1999): Systemtheoretische und kybernetische Empfehlungen für das Supply Chain Management, in: Scholz, C. (Hrsg.): Systemdenken und Virtualisierung, Berlin, S. 1-14.

Monden, Y. (1989): Total Cost Management in Japanese Automobile Corporations, in: Monden, Y./Sakurai, M. (Hrsg.): Japanese Management Accounting: A world class approach to profit management, Cambridge, MA, 1989, S. 15-33.

Monden, Y. (1995): Cost Reduction Systems – Target Costing und Kaizen Costing, Portland.

Monden, Y./Nagao, T. (1989): Full Cost-Based Pricing in the Japanese Auto Industry: Risk-Sharing and Risk-Spreading Behaviour, in: Monden, Y./Sakurai, M. (Hrsg.): Japanese Management Accounting: A world class approach to profit management, Cambridge, MA, 1989, S. 177-196.

Monczka, R. M./Trent, R. J./Handfield, R. B. (1997): Purchasing and Supply Chain Management, Cincinnati.

Morana, R. (2000): Nachhaltigkeit in der Berliner Textilindustrie – (k)ein Problem?, in: Dybe, G./Rogall, H. (Hrsg.): Die ökonomische Säule der Nachhaltigkeit, Berlin, S. 185-202.

Müller, M. (1998): Target Costing im Krankenhaus : Entwurf eines objektorientierten EDV-Systems zur Unterstützung einer retrograden Deckungsbeitragsrechnung, Lohmar.

Mussnig, W. (1996): Von der Kostenrechnung zum Management Accounting, Wiesbaden.

Myers, D. (1999): The problems with conventional cotton, in: Myers, D./Stolton, S. (Hrsg.) (1999): Organic Cotton – From Field to Final Product, London, S. 8-20.

Myers, D./Stolton, S. (Hrsg.) (1999): Organic Cotton – From Field to Final Product, London.

National Research Council (Hrsg.) (2000): Surviving Supply Chain Integration – Strategies for Small Manufacturers, Washington.

New, S. J. (1997): The scope of supply chain management research, in: Supply Chain Management, Vol. 2, No. 1 (1997), S.15-22.

Niemand, S. (1996): Target Costing für industrielle Dienstleistungen, München.

Niggl, J. (1994): Die Entstehung von Electronic Data Interchange Standards, Wiesbaden.

Novack, R. A./Simco, S. W. (1991): The industrial procurement process: a supply perspective, in: Journal of Business Logistics, Vol. 12, No. 1 (1991), S. 145-167.

Olsen, R. F./Ellram, L. M. (1997): A portfolio approach to Supplier Relationships, in: Industrial Marketing Management, Vol. 26, No. 2 (1997), S. 101-114.

O'Keeffe, M. (1998): Establishing supply chain partnerships: lessons form Australian agribusiness, in: Supply Chain Management, Vol. 3, No. 1 (1998), S. 5-9.

O'Neal, C. (1993): Concurrent Engineering with early supplier involvement: A cross-functional challenge, in: International Journal of Purchasing and Materials Management, Vol. 29, No. 2 (1993), S. 3-9.

Pagh, J. D./Cooper, M. C. (1998): Supply Chain Postponement and speculation strategies: How to choose the right strategy, in: Journal of Business Logistics, Vol. 19, No. 2 (1998), S. 13-34.

Pampel, J. (1993): Kooperation mit Zulieferern – Theorie und Management, Wiesbaden 1993.

Pampel, J. (1995): Methodische Aspekte der Ausrichtung der Kostenrechnung auf das Kostenmanagement und moderne Unternehmensstrukturen, in: Kostenrechnungspraxis, Vol. 39, No. 2 (1995), S. 115-119.

Pampel, J. (1996): Ressourcenorientierung für das Kostenmanagement, in: Kostenrechnungspraxis, Vol. 40, No. 6 (1996), S. 321-330.

Pandya, K. V./Karlsson, A./Sega, S./Carrie, A. (1997): Towards the manufacturing enterprise of the future, in: International Journal of Operations and Production Management Vol. 17, No. 5 (1997), S. 502-521.

Pfaff, D./Kunz, a. H. (2000): Beschaffungskosten, in: Fischer, T. M. (Hrsg.): Kostencontrolling – Neue Methoden und Inhalte, Stuttgart, S. 353-375.

Pfaffmann, E. (1998): Ein Modell der vertikalen Keiretsu, in: Die Betriebswirtschaft, Vol. 58, No. 4 (1998), S. 451-466.

Pfeiffer, W./Weiß, E. (1996): Lean Production, in: Kern, W./Schröder, H.-H./Weber, J. (Hrsg.): Handwörterbuch der Produktionswirtschaft, 2., völlig neu gestaltete Auflage, Stuttgart, Sp. 1046-1061.

Pfohl, H.-C. (1994): Logistikmanagement – Funktionen und Instrumente, Berlin.

Pfohl, H.-C. (1996): Logistiksysteme – Betriebswirtschaftliche Grundlagen, 5. Auflage, Berlin.

Pfohl, H. C./Buse, H. P. (2000): Inter-organisational logistics systems in flexible production networks – An organisational capabilities perspective, in: International Journal of Physical Distribution & Logistics Management, Vol. 30, No. 5 (2000), S. 388-408.

Pfohl, H.-C./Stölzle, W. (1991): Anwendungsbedingungen, Verfahren und Beurteilung der Prozesskostenrechnung in industriellen Unternehmen, in: Zeitschrift für Betriebswirtschaft, Vol. 61, No. 11 (1991), S. 1281-1305.

Picot, A. (1982): Transaktionskostenansatz in der Organisationstheorie: Stand der Diskussion und Aussagewert, in: Die Betriebswirtschaft, Vol. 42, No. 2 (1982), S. 267-284.

Picot, A./Dietl, H. (1990): Transaktionskostentheorie, in: Wirtschaftswissenschaftliches Studium, Vol. 19, No. 4 (1990), S. 178-184.

Picot, A. (1991): Ein neuer Ansatz zur Gestaltung der Leistungstiefe, in: Zeitschrift für betriebswirtschaftliche Forschung, Vol. 43, No. 4 (1991), S. 336-357.

Picot, A./Reichwald, R./Wigand, R. T. (1998): Die grenzenlose Unternehmung. Information, Organisation und Management. Lehrbuch zur Unternehmensführung im Informationszeitalter, 3., überarbeitete Auflage, Wiesbaden.

Piller, F. T. (1997a): Kundenindividuelle Produkte – von der Stange, in: Harvard Business Manager, Vol. 19, No. 3 (1997), S. 15-26.

Piller, F. T. (1997b): Maßgescheidertes von der Stange, in: io Management, Vol. 66, No. 35 (1997), S. 70-75.

Pine, B. J./Victor, B./Boynton, A. C. (1993): Making Mass Customization work, in: Harvard Business Review, Vol. 71, No. 9/10 (1993), S. 108-119.

Pischon, A. (1999): Integrierte Managementsysteme für Qualität, Umweltschutz und Arbeitssicherheit, Berlin.

Planer, D. (1995): ABC-Analyse, in: Wirtschaftswissenschaftliches Studium, Vol. 24, No. 7 (1995), S. 382-385.

Poirier, C. C./Reiter, S. E. (1997): Die optimale Wertschöpfungskette: Wie Lieferanten, Produzenten und Handel bestens zusammenarbeiten, Frankfurt am Main.

Porter, M. (1999): Wettbewerbsvorteile – Spitzenleistungen erreichen und behaupten, 5. durchgesehene und erweiterte Auflage, Frankfurt am Main.

Prabhu, S. S./Talpade, S./Ramarapu, N. (1997): Supplier Integration: inpact of sole sourcing, multiple sourcing and vertical integration on firm profitability, in: International Journal of Materials and Product Technology, Vol. 12, No. 4-6 (1997), S. 269-278.

Prahalad, C. K./Hamel, G. (1990): The core competence of the corporation, in: Harvard Business Review, Vol. 68, No. 3 (1990), S. 79-91.

Quinn, J. B. (2000): Outsourcing Innovation: The New Engine of Growth, in: Sloan Management Review, Vol. 41, No. 3 (2000), S. 13-28.

Quinn, J. B./Hilmer, F. G. (1994): Strategic Outsourcing, in: Sloan Management Review, Vol. 35, No. 2 Summer (1994), S. 43-55.

Rautenberg, H. G. (2000): Zeitorientierte Fundierung: Ist-, Normal- und Plankostenrechnung, in: Fischer, T. M. (Hrsg.): Kostencontrolling – Neue Methoden und Inhalte, Stuttgart, S. 23-52.

Reckenfelderbäumer, M. (1994): Entwicklungsstand und Perspektiven der Prozesskostenrechung, Wiesbaden.

Reichmann, T./Fröhling, O. (1994): Produktlebenzyklusorientierte Planungs- und Kontrollrechnungen als Bausteine eines dynamischen Kosten- und Erfolgs-Controlling, in: Dellmann, K./Franz, K.-P. (Hrsg.): Neuere Entwicklungen im Kostenmanagement, Stuttgart, S. 281-333.

Reiß, M./Corsten, H. (1990): Grundlagen des betriebswirtschaftlichen Kostenmanagements, in: Wirtschaftswissenschaftliches Studium, Vol. 19, No. 8 (1990), S. 390-396.

Reiß, M./Corsten, H. (1992): Gestaltungsdomänen des Kostenmanagements, in: Männel, W. (Hrsg.): Handbuch Kostenrechung, Wiesbaden, S. 1478-1491.

Rich, N./Hines, P. (1997): Supply-chain management and time based competition: the role of the supplier association, in: International Journal of Physical Distribution & Logistics Management, Vol. 27, No. 3/4 (1997), S. 210-225.

Richter, R./Furubotn, E. (1999): Neue Institutionenökonomik – Eine Einführung und kritische Würdigung, 2. Auflage, Tübingen.

Riebel, P. (1994): Einzelkosten- und Deckungsbeitragsrechung – Grundfragen einer markt- und entscheidungsorientierten Unternehmensrechung, 7. Auflage, Wiesbaden.

Riezler, S. (1996): Lebenszykluskostenrechung – Instrument des Controlling strategischer Projekte, Wiesbaden.

Rindfleisch, A. / Heide, J. B. (1997): Transaction Cost Analysis: Past, Present, and Future Applications, in: Journal of Marketing, Vol. 61, No. 10 (1997), S. 30-54.

Rösler, F. (1995): Kundenanforderungen als Determinante des Kostenmanagements komplexer Produkte, in: Kostenrechnungspraxis, Vol. 39, No. 4 (1995), S. 214-219.

Ross, D. F. (1997): Competing through Supply Chain Management – Creating Market-Winning Strategies through Supply Chain Partnerships, Boston.

Rudolph, B. (1998): Zielkostenmanagement bei Kreditinstituten, Stuttgart.

Rückle, D./Klein, A. (1994): Product-Life-Cycle-Cost Management, in: Dellmann, K. /Franz, K.-P. (Hrsg.): Neuere Entwicklungen im Kostenmanagement, Stuttgart, S. 335-367.

Saalbach, K.-P. (1996): Das Konzept der Transaktionskosten in der Neuen Institutionenökonomie, Marburg.

Safizadeh, M. H./Ritzman, L. P./Mallick D. (2000): Revisiting alternative theoretical paradigms in manufacturing strategy, in: Production and Operations Management, Vol. 9, No. 2 (200019, S. 111-127.

Sahl, N. (1998): Integrierte Prozesskostenrechnung – Ein Ansatz zur Unterstützung der betrieblichen Kostenpolitik, Bamberg.

Sakurai, M./Keating, P. J. (1994): Target Costing and Activity-based Costing, in: Controlling, Vol. 5, No. 2 (1994), S. 84-91.

Scannell, T./Vickery, S. K./Dröge, C. L. (2000): Upstream Supply Chain Management and Competitive Performance in the Automobile Supply Industry, in: Journal of Business Logistics, Vol. 21, No. 1 (2000), S. 23-48.

Schaltegger, S./Müller, K./Hindrichsen, H. (1996): Corporate Environmental Accounting, Chichester.

Schaltegger, S./Burritt, R. (2000): Contemporary Environmental Accounting – Issues, Concepts and Practise, Sheffield.

Schiemenz, B. (1997): Die Komplexität von Geschäftsprozesse und Möglichkeiten zu deren Handhabung, in: Wildeman, H. (Hrsg.): Geschäftsprozessorganisation, München, S. 103-126.

Schiller, U./Lengsfeld, S. (1998): Strategische und operative Planung mit der Prozesskostenrechnung, in: Zeitschrift für Betriebswirtschaft, Vol. 68, No. 5 (1998), S. 525-547.

Schmidt, F. R. (2000): Life Cycle Target Costing – Ein Konzept zur Integration des Lebenszyklusorientierung in das Target Costing, Aachen.

Schmidt, K. (1999): Zur ökologischen Produktbewertung in der Textil- und Bekleidungsindustrie – theoretische Grundlagen und praktische Umsetzung, Witten/Herdecke.

Schneidewind, U. (1995): Ökologisch orientierte Kooperation aus betriebswirtschaftlicher Sicht, in: UmweltWirtschaftsForum, Vol. 3, No. 4 (1995), S. 16-21.

Schneidewind, U. (1998): Die Unternehmung als strukturpolitischer Akteur – Kooperatives Schnittmengenmanagement im ökologischen Kontext. Marburg.

Schneidewind, U./Seuring, S. (2000): Produktionsintegrierter Umweltschutz in Wertschöpfungsketten – Erweiterung eines Entscheidungszusammenhangs, in: Haasis, H.-D./Müller, W./Winter, G. (Hrsg.): Produktionsintegrierter Umweltschutz und Eigenverantwortung der Unternehmen, Frankfurt am Main, S. 55-71.

Scholz, C. (1996): Virtuelle Organisation – Konzeption und Realisation, in: Zeitschrift Führung und Organisation, Vol. 65, No. 4 (1996), S. 204-210.

Scholz-Reiter, B./Jakobza, J. (1999): Supply Chain Management – Überblick und Konzeption, in: Praxis der Wirtschaftsinformatik, Vol. 36, No. 207 (1999), S. 7-15.

Schroeder, D. M./Robinson, A. G. (1991): America's Most Successful Export to Japan: Continuous Improvement Programs, in: Sloan Management Review, Vol. 32, No. 2 (1991), S. 67-81.

Schulte, C. (1999): Logistik, 3. Auflage, München.

Schusser, O. (1999): Die Wertschöpfungskette als strategisches Planungsinstrument, in: Der Betriebswirt, No. 2 (1999), S. 9-16.

Schwaner, J. (1996): Integration von Kunden und Lieferanten: Analyse langfristiger Geschäftsbeziehungen aus Businessmärkten, Wiesbaden.

Scott, C./Westbrook, R. (1991): New Strategic Tools for Supply Chain Management, in: International Journal of Physical Distribution & Logistics Management, Vol. 21, No. 1 (1991), S. 23-33.

Seicht, G. (1992): Die Prozesskostenrechnung – Fortschritt oder Weg in die Sackgasse?, in: Journal für Betriebswirtschaft, Vol. 42, No. 6 (1992), S. 246-267.

Seidenschwarz, W. (1991): Target Costing: Ein japanischer Ansatz für das Kostenmanagement, in: Controlling, Vol. 3, No. 4 (1991), S. 198-203.

Seidenschwarz, W. (1993): Target Costing – Marktorientiertes Zielkostenmanagement, München.

Seidenschwarz, W. (1994): Target Costing - Verbindliche Umsetzung marktorientierter Strategien, in: Controlling, Vol. 5, No. 1 (1994), S. 74-83.

Seidenschwarz, W./Niemand, S. (1994): Zulieferintegration im marktorientierten Zielkostenmanagement, in: Controlling, Vol. 5, No. 5 (1994), S. 262-270.

Seidenschwarz, W./Esser, J./Niemand, S./Rauch, M. (1997): Target Costing: Auf dem Weg zum marktorientierten Unternehmen, in: Franz, K.-P./Kajüter, P. (Hrsg.): Kostenmanagement – Wettbewerbsvorteile durch systematische Kostensteuerung, Stuttgart, S. 101-126.

Seuring, S. (1999a): Gestaltungsoptionen durch Kostenmanagement – Das Beispiel der Wertschöpfungskette von Öko-Textilien, in: UmweltWirtschaftsForum, Vol. 7, No. 4 (1999), S. 18-23.

Seuring, S. (1999b): Corporate Material and Energy Flow Analysis – Framework, Compilation and Evaluation, Oldenburg.

Seuring, S. (2000): Stoffstrommanagement und Supply Chain Management – Unterschiede und Gemeinsamkeiten, in: Umwelt (VDI), Vol. 30, No. 6 (2000), S. 30-31.

Seuring, S. (2001): A Framework for Green Supply Chain Costing – A fashion industry example, in: Sarkis, Joseph (ed.): Greener Manufacturing and Operations: From Design to Delivery and Back, Sheffield, im Druck.

Seuring, S./Schneidewind, U. (2000): Kostenmanagement in der Wertschöpfungskette, in: Wildemann, H. (Hrsg.): Supply Chain Management, München, S. 227-250.

Seghezzi, H.D. (1996): Integriertes Qualitätsmanagement – Das St. Galler Konzept, München.

Shapiro, J. F. (1998): Bottom-up versus top-down approaches to supply chain modeling, in: Tayur, S./Ganeshan, R./Magazine, M. (Hrsg.): Quantitative models for supply chain management, Dordrecht, S. 737-759.

Sharpe, D./Hill, R. (1998): Efficient Consumer Response – From harmful competition to winning collaboration in the grocery industry, in: Gattorna, J. (Hrsg.): Strategic Supply Chain Alignment: Best practice in supply chain management, Aldershot, S. 104-122.

Shank, J. K. (1989): Strategic Cost Management: New Wine or just New Bottles?, in: Journal of Management Accounting Research, Vol. 1, No. 3 (1989), S. 47-65.

Shank, J. K./Govindarajan, V. (1995): Vorsprung durch strategisches Kostenmanagement, Landsberg/Lech.

Shank, J. K./Fisher, J. (1999): Target Costing as a Strategic Tool, in: Sloan Management Review Vol. 41, No. 1 (1999), S. 73-82.

Simchi-Levi, D./Kaminsky, P./Simchi-Levi, E. (2000): Designing and Managing the Supply Chain – Concepts, Strategies, and Case Studies, Boston.

Simmonds, K. (1989): Strategische Management Accounting, in: Controlling, Vol. 1, No. 5 (1989), S. 264-269.

Smith, W. I./Lockamy, A. (2000): Target Costing for Supply Chain Management: An Economic Framework, in: The journal of corporate accounting & finance, Vol. 12, No. 1 (2000), S. 67-78.

Specht, D./Hellmich, K. (2000): Management der Zulieferbeziehungen in dynamischen Produktionsnetzwerken, in: Wildemann, H. (Hrsg.): Supply Chain Management, München, S. 89-115.

Spekman, R. E./Kamauff, J. W. Jr./Myhr, N. (1998): An empirical investigation into supply chain management: a perspective on partnerships, in: Supply Chain Management, Vol. 3, No. 2 (1998), S. 53-67.

Stadler, H. (2000): Supply Chain Management – An Overview, in: Stadler, H./Kliger, C. (Hrsg.): Supply Chain Management and Advanced Planning – Concepts, Models, Software and Case Studies, Berlin, S. 7-28.

Sterman, J. D. (1989): Modelling managerial behaviour: Misperceptions of feedback in a dynamic decision making experiment, in: Management Science, Vol. 35, No. 3 (1989), S. 321-339.

Steven, M./Meyer, H. (1998): Computergestützte PPS-Systeme – Entwicklung, Stand, Tendenzen, in: Wirtschaftswissenschaftliches Studium, Vol. 27, No. 1 (1998), S. 20-26.

Stevens, G. C. (1989): Integrating the Supply Chain, in: International Journal of Physical Distribution and Logistics Management, Vol. 19, No. 8 (1989), S. 3-8.

Stewart, G. (1997): Supply Chain operations reference model (SCOR): the first cross-industry framework for integrated supply-chain management, in: Logistics information management, Vol. 10, No. 2/3 (1997), S. 62-67.

Stölzle, W. (1999): Industrial Relationships, Oldenbourg.

Stoi, R. (1999): Prozessorientiertes Kostenmanagement in der deutschen Unternehmenspraxis, München.

Supply Chain Council (Hrsg.) (1997): Einführung in das Supply Chain Operations Reference-model (SCOR), Release 2.0, August 1997, Pennsylvania, (Download von www.supply-chain.org).

Swaminathan, J. M./Smith, S. F./Sadeh, N. M. (1998): Modelling Supply Chain Dynamics: A Multiagent Approach, in: Decision Science, Vol. 29, No. 3 (1998), S. 607-632.

Swoboda, B. (1997): Wertschöpfungspartnerschaften in der Konsumgüterwirtschaft: Ökonomische und ökologische Aspekte des ECR-Managements, Wirtschaftswissenschaftliches Studium, Vol. 26, No. 9 (1997), S. 449-454.

Sydow, J. (1992): Strategische Netzwerke – Evolution und Organisation, Wiesbaden.

Tan, K.-C./Kannan, V. R./Handfield, R./Ghosh, S. (1999): Supply Chain Management: an empirical study of its impact on performance, in: International Journal of Operations & Production Management, Vol. 19, No. 10 (1999), S. 1034-1052.

Tanaka, M. (1989): Cost Planning and Control Systems in the Design Phase of a New Product, in: Monden, Y./Sakurai, M. (Hrsg.): Japanese Management Accounting: A world class approach to profit management, Cambridge, MA, S. 49-71.

Tayur, S./Ganeshan, R./Magazine, M. (1998): Introduction, in: Tayur, S./Ganeshan, R./Magazine, M. (Hrsg.): Quantitative models for supply chain management, Boston, S. 1-6.

Thaler, K. (1999): Supply Chain Management – Prozessoptimierung in der logistischen Kette, Köln.

Thomas, D. J./Griffin, P. M. (1996): Coordinated Supply Chain Management, in: European Journal of operational research, Vol. 94, No. 1 (1996), S. 1-15.

Ton, P./Boone, N./Imhoff, d/Sweeney, K (1999): The Market for Organic Cotton, in: Myers, D./Stolton, S. (Hrsg.) (1999): Organic Cotton – From Field to Final Product, London, S. 101-119.

Towill, D. R. (1996a): Industrial dynamics modelling of supply chains, in: International Journal of Physical Distribution & Logistics Management, Vol. 26, No. 2 (1996), S. 23-42.

Towill, D. R. (1996b): Time compression and supply chain management – a guided tour, in: Logistics information management, Vol. 9, No. 6 (1996), S. 41-53.

Traudt, H. G. (1997): Zuliefermanagement unter Kostenaspekten, in: Franz, K.-P./Kajüter, P. (Hrsg.): Kostenmanagement – Wettbewerbsvorteile durch systematische Kostensteuerung, Stuttgart, S. 309-325.

Tsay, A. A./Nahmias, S./Agrawal, N. (1998): Modelling Supply Chain Contracts: A Review, in: Tayur, S./Ganeshan, R./Magazine, M. (Hrsg.): Quantitative models for supply chain management, Dordrecht, S. 299-336.

Tseng, M. M./Jiao, J. (1998): Concurrent design for mass customization, in: Business Process Management Journal, Vol. 4, No. 1 (1998), S. 10-24.

Turner, J. R. (1993): Integrated Supply Chain Management: What's wrong with this picture, in: Industrial Engineering, Vol. 25, No. 12 (1993), S. 52-55.

Turney, P. B. B./Anderson, B. (1989): Accounting for Continuos Improvement, in: Sloan Management Review, Vol. 30, No. 2 (1989), S. 37-47.

Tyndall, G./Gopal, C./Partsch, W./Kamauff, J. (1998): Supercharging Supply Chains – New ways to increase value through global operational excellence, New York.

Underhill, T. (1996): Strategic Alliances – Managing the Supply Chain, Tulsa.

van Hoek, R. I. (1998): „Measuring the unmeasurable" – measuring and improving performance in the supply chain, in: Supply Chain Management, Vol. 3, No. 4 (1998), S. 187-192.

Venkatesan, R. (1992): Strategic Sourcing: To make or not to make, in: Harvard Business Review, Vol. 70, No. 6 (1992), S. 98-107.

Vollmann, T. E./Cordon, C./Raabe, H. (1998): Das Management von Lieferketten, in: International Institute for Management Development/London Business School/Wharton Business School (Hrsg.): Das MBA-Buch: Mastering Management – Die Studieninhalte führender Business Schools, Stuttgart, S. 374-381.

Vreeland, J. (1999): Organic and Naturally Pigmented Cotton Cultivation in Peru – Re-Emergence of a Major Fibre Producer, in: Brickwedde, F. (Hrsg.): Stoffstrommanagement für eine nachhaltige Entwicklung, Tagungsband der 4. Internationalen Sommerakademie St. Marienthal, Osnabrück, S. 183-189.

Waller, D. L. (1999): Operations Management – A Supply Chain Approach, London.

Weber, J. (1993): Produktions-, Transaktions- und Koordinationskostenrechnung, in: Kostenrechnungspraxis, Vol. 37, Sonderheft 1 (1993), S. 19-23.

Weber, J. (1995): Kostenrechnung-(s)-Dynamik – Einflusse hoher unternehmensex- und -interner Veränderungen auf die Gestaltung der Kostenrechnung, in: Betriebswirtschaftliche Forschung und Praxis, Vol. 47, No. 6 (1995), S. 565-581.

Weber, J. (1996): Selektives Rechnungswesen, in: Zeitschrift für Betriebswirtschaft, Vol. 66, No. 8 (1996), S. 925-946.

Weber, J. (1997): Kostenrechnung am Scheideweg, in: Freidank, C.-C./Götze, U./Huch, B./Weber, J. (Hrsg.): Kostenmanagement – Aktuelle Konzepte und Anwendungen, Berlin, S. 3-23.

Weber, J./Aust, R. (1998): Reengineering der Kostenrechnung – vom komplexen Rechensystem zur internen Dienstleistung, in: Kostenrechnungspraxis, Vol. 42, No. 3 (1998), S. 133-139.

Weber, M. M. (2000): Calculating the Cost of Variances in the Supply Chain, in: Industrial Marketing Management, Vol. 29, No. 1 (2000), S. 57-64.

Welge, M. K./Amshoff, B. (1997): Neuorientierung der Kostenrechnung zur Unterstützung der strategischen Planung, in: Franz, K.-P./Kajüter, P. (Hrsg.): Kostenmanagement – Wettbewerbsvort eile durch systematische Kostensteuerung, Stuttgart, S. 59-80.

Werner, H. (2000a): Supply Chain Management – Grundlagen, Strategien, Instrumente und Controlling, Wiesbaden.

Werner, H. (2000b): Die Balanced Scorecard im Supply Chain Management (Teil I und II), in: Distribution, Vol. 31, No. 4 und 5 (2000), S. 8-11 und 14-15.

Whipple, J. S./Frankel, R./Anselmi, K. (1999): The effect of governance structure on performance: A case study of efficient consumer response, in: Journal of business logistics, Vol. 20, No. 2 (1999), S. 43-62.

White, A. L./Savage, D./Shapiro/, K. (1996): Life-Cycle Costing: Concepts and Applications, in: Curran, M. A. (Hrsg.): Environmental Life-Cycle Assessment, New York, S. 7.1-7.19.

Wildemann, H. (Hrsg.) (1996): Produktions- und Zuliefernetzwerke, München.

Wildemann, H. (Hrsg.) (2000): Supply Chain Management, München.

Wilding, R. (1998): The supply chain complexity triangle – Uncertainty generation in the supply chain, in: International Journal of Physical Distribution & Logistics Management, Vol. 28, No. 8 (1998), S. 599-616.

Williamson, O. E. (1983): Markets and Hierarchies, New York.

Williamson, O. E. (1990): Die ökonomischen Institutionen des Kapitalismus, Tübingen.

Williamson, O. E. (1996): Transaktionskostenökonomik, 2. Auflage, Hamburg.

Windsperger, J. (1983): Transaktionskosten in der Theorie der Firma, in: Zeitschrift für Betriebswirtschaft, Vol. 53, No. 9 (1983), S. 889-903.

Womack, J. P./Jones, D. T./Ross, D. (1991): The machine that changed the world – The Story of Lean Production, New York.

Womack, J. P./Jones, D. T. (1994): From Lean Production to the Lean Enterprise, in: Harvard Business Review, Vol. 72, No. 2 (1994), S. 93-103.

Wood, C. H./Kaufmann, A./Merenda, M. (1996): How Hadco became a problem-solving supplier, in: Sloan Management Review, Vol. 37, No. 4 (1996), S. 77-88.

Wübbenhorst, K. L. (1992): Lebenszykluskosten, in: Schulte, C. (Hrsg.): Effektives Kostenmanagement, Stuttgart, S. 245-272.

Yano, C. A./Dobson, G. (1998): Designing product lines for diverse customer markets, in: Lee, H. L./Ming Ng, S. (1998): Global Supply Chain and Technology Management, Miami, S. 152-158.

Zäpfel, G. (1996): Grundzüge des Produktions- und Logistikmanagements, Berlin.

Zäpfel, G./Piekarz, B. (1996): Supply Chain Controlling – Interaktive und dynamische Regelung der Material- und Warenflüsse, Wien.

Zehbold, C. (1996): Lebenszykluskostenrechnung, Wiesbaden.

Zimmermann, G. (1996): Grundzüge der Kostenrechung, 6., überarbeitete und erweiterte Auflage, Oldenbourg